JN094785

伐木造材と
チェーンソー
ワーク

石垣正喜・米津 要

全国林業改良普及協会

Profile

石垣正喜 （いしがき・まさき）

静岡県静岡市在住。特定非営利活動法人ジット・
ネットワークサービス理事長。元みどり情報局静
岡（略称S-GIT）局長。全国森林管理技術・技能
審査認定協会（FLA）理事長。
著書に『写真図解でわかる チェーンソーの使い方』、
『刈払機安全作業ガイド－基本と実践』がある。

米津 要 （よねづ・かなめ）

静岡県静岡市在住。特定非営利活動法人ジット・
ネットワークサービス副理事長。元みどり情報局
静岡（S-GIT）技術部長。FLA監事。

＊**特定非営利活動法人ジット・ネットワークサービス**
（略称G・N・S）
伐木指導を目的として2004年に立ち上げられた
NPO法人。1992年に発足し、環境問題として森林
を位置づけ、林業のプロから市民まで職種を越えて
メンバーを集め、間伐などを実践している、みどり
情報局静岡（S-GIT）の指導部門を独立させ、G・
N・Sは立ち上げられた。子どもから林業のプロま
での伐木指導をはじめ、森林を舞台とした環境教育、
社寺等の支障木伐採等の事業を展開している。

安全な伐木造材のために

　胸高直径15㎝、高さが十数 mの立木であっても、人1人を死傷せしめるには十分な重量を持っています。伐木は、倒れれば大変危険である立木を、わざわざ人為的に行うのですから、もとより危険極まりない行為です。こうした伐木を「安全な」作業の「安全な」というように形容することが可能な根拠は、どこにあるのでしょうか。

　安全な伐木作業とは、立木と作業者の1対1の狭義の意味では次のように定義することが出来ます。

「作業者が、対象木を作業開始から、終了まで十分なコントロール下に置くこと」

　しかし、これは作業者がコントロール出来る能力＝技術・技能・判断力を有していることが大前提でもあります。立木は、立地条件・林齢・樹種等条件が様々です。また、気象条件も更にそれに付け加わります。したがって、対象木がコントロールを許すのか、否かだけでなく、作業者の能力の高低によってもそれが変わって来ます。

　リスクを減らすということは、単に作業方法だけでなく、立木と自分自身の能力との関係から、作業するかしないか決めて行くことも、重要な要素となります。この能力を身に付け高めるためには、単に見様見真似による経験、すなわち伐木本数の積み上げでは「伐木の慣れ」は出来上がっても、安全確実な作業レベルを上げて行くことが困難です。しっかりした指導の下に正しい知識を身に付け、基礎訓練をしっかり行うことが大事です。何事も基礎がしっかりしていなければ、能力を大きく伸ばすことは出来ません。

　一方に「安全」なる何かがあって、他方に技術があり、それを一体化させれば「安全な作業」が可能になるなどということはあり得ません。自己管理技術を身に付け、リスク判断の出来る作業者が、「安全な作業」を前提に組み上げた技術を応用・実現するところに「安全な伐木作業」が成立するのです。こうしてみると、伐木作業は様々な技術を組み合わせることで、安全を確保しているといって良いでしょう。したがって、山で作業しようという者は様々な技術を身に付け、それを実現出来る技能を磨くことなしには、「安全な作業」は怪しくなります。

　本書はこうしたことを踏まえ、私たち（著者）自身が林業の現場で作業しながら学んだ技術、磨いた技能を基にして、これまで独自に行ってきた伐木造材訓練の各場面で指導・実施してきたものを文章化しました。いかに安全を確保しながら作業を可能にするかという視点でまとめた実践書です。

　本書を片手に作業し、想像力を働かせながら、ボロボロになるまで活用いただき、全国の森林整備が安全に進むことにつながれば、望外の幸せです。

著者　石垣正喜　米津 要

改訂版　伐木造材とチェーンソーワーク　目次

2章　ソーチェーンの目立て……………………35

イラスト
たなか じゅんこ
鶴岡 政明
吉田 高志

1

チェーンソー

エンジン

吸気口　排気口

吸入圧縮

爆　発

排　気

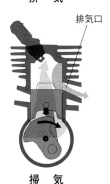

排気口

掃　気

図1-1　2サイクルエンジンの運転工程

2サイクルエンジンは、吸入圧縮、爆発、排気、掃気の工程をピストンの1往復で行う。ピストンが上昇する時に吸入と圧縮を行い、点火プラグのスパークにより爆発し、ピストンが下降する時に排気、掃気を行う

空冷2サイクルエンジンの特性

　チェーンソーに用いられているエンジン（E/G）は、空冷2サイクルガソリンエンジンと呼ばれるものです。ピストンが1往復（クランク軸1回転）で、1回爆発がプラグ点火で行われる2ストロークエンジンとも呼ばれます。このエンジンの最大の特徴は、1往復で吸入圧縮、爆発、排気、掃気を行ってしまうことです。大変忙しいエンジンで、ピストンが上昇する時に吸入と圧縮をして、点火プラグのスパークにより爆発、ピストンが下降する時に排気、掃気を行います。

　しかし、完全に上記4つの事を明確に2つの動作で出来る訳ではなく、排気した後の排出しきれない燃焼後ガスがシリンダーの中に残っています。これを取り除くために、ピストンが下死点（ピストンが最も下がった所）に到達する前に、シリンダー内へ混合ガスの吸入を行います。これは、吸入というより、「シリンダー内に噴き出す」といった方が良いかもしれません（充填）。この噴き出す混合ガスの勢いによって、残存ガスを排出させていきます（掃気）。したがって、マフラーから出て行く排出ガスの中には、生ガスが多少混入することになります（燃料使用増）。上記それぞれの工程に応じてバルブの開閉で制御している4サイクルエンジンと違って、致命的な弱点を持つエンジンといえます。かなり出来損ないのようにも感じるエンジンです。

　しかし、分解したことのある人なら御存知のように、シリンダーの上部にプラグの穴、少し下がった所に排気するための四角い穴、そして排気の穴からもう少し下がって反対側に混合ガスを吸入する四角の穴があり、排気・吸入する穴の中間ぐらいの高さで、排気・吸入の側面の位置に混合ガスを噴き上げるための穴（掃気口）が付けられています。シリンダーという1つの筒に、巧みに付けられた穴があるだけです。この中をピストンが上下しているだけなのです。こんなので回るのかしらと心配になる程、実に単純明快な構造をしています。したがって、多少出来損ないの所はあっても、軽量化しやすく、2回転に1爆発の4サイクルエンジンに比して、1回転に1爆発ですから高出力を得られるということになります。少々の欠点を補って余りあります。チェーンソー等には、願ってもないエンジンです。

　最近では、軽量化にいっそうの努力が払われ、アルミニウム合金から、更に軽いマグネシウム合金のエンジンが作られるようになりました。そして高出力を実現するために、圧縮比を上げ回転数も8,000～10,000r.p.mであったものが、12,000～15,000r.p.mと一段と高速になってきました。各種パーツの材質、加工精度も一段と高まっています（精密化）。そうであるが故に、エンジン回転部・シリンダー・ピストンは一段と過酷な条件の下に置かれることになります。

燃　料

2 サイクル専用潤滑オイル

　2 サイクルエンジンの場合、1 度キャブレターから吸入した混合ガソリンをクランクケースにストックして、ピストンが下がって来た時にシリンダーの中へ噴き上げる構造になっています。したがって、4 サイクルエンジンのように、潤滑オイルを常にエンジン内に保有していません。燃料のガソリンへ潤滑オイルを溶かし込んだもの（混合ガソリン）で、このオイルによって各種ベアリング、シール、シリンダー、ピストン等の磨耗を防いでいます。チェーンソー等においては、その混合比を 20：1 ～ 25：1 というように指定しています。

　4 サイクルエンジンでは、オイルグレード（オイル性能の階級）が少々低くても、エンジン指定時間数より早め早めに交換していけば比較的問題ないのと、エンジン内に常にオイルがあることから、高速運転してもそれに応じてオイル供給量も上がる（油圧が高くなる）ようになっています。しかし、2 サイクルエンジンの場合、1 回で使い捨てをするようなものですから、2 サイクル専用オイルのグレードは大いにエンジン性能に関係します（エンジン性能に関わる）。特にチェーンソーの場合、前述したとおり非常に高性能になっていますので、関心を払う必要があります。

　2 サイクル専用オイルのグレードとして、FA・FB・FC 等、A から順次グレードが高くなっていきますが、最高グレードの FC とされるものでも更に 2 ～ 3 種類に分けられています。完全合成オイル（FD）が最もグレードが高く、高級鉱物油にこのオイルをどの程度ミックスしてあるかで、FC 級のオイルとされるものの中でも更に分けられているようです。グレードの高いオイルは、その性能に応じて価格が高くなりますが、混合する量が少ないわけですから、エンジンのことを考えたらあまりケチらない方が良いでしょう。

　また、最近 25：1 の混合指定のエンジンでも、50：1 で使用できるオイルが販売されています。これが正しく完全合成オイルです。オイルによって 25：1 指定、50：1 指定があるのは、金属と金属の間でオイルの被膜を作り、維持出来る性能が違うからです。つまり混合比が大きい（オイル量が少ない）オイルは、低濃度で薄い被膜でも十分維持出来るからにほかなりません。

　こうした高性能オイルを使用しても、チェーンソーの回転を上げるためには高速側の調整ネジ（H スクリュー／後述）を締め、混合気を薄くしなければなりません（ガソリンエンジンが燃料切れをした時、急に回転が上がる状態になるが、それと同じ）。したがって、混合気を薄くするということは、オイルの量も少なくなるということですから、25：1 指定であっても安全上 22：1 程度に抑えて混合した方が良いでしょう。50：1 のオイルではなおさらです。元々混入する量が少ないですから、40：1 程度の方が無難です。実際、わずかにオイルが少ないだけでエン

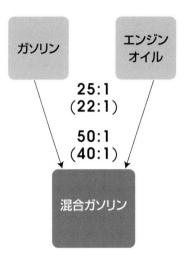

図 1-2　混合ガソリンのつくり方

安全な混合比

　最大 5,000 回転程度のエンジンであれば、50:1（FD 級）の混合比でも良いかも知れませんが、チェーンソーのような高出力・高回転で過酷な使用をするものには問題があります。オイルメーカーすべてが同一水準の保障はないことと、完全合成オイルの場合、過酷な使用条件ではオイル被膜が切れやすいともいわれていること、そして混合比率がパーフェクトかどうかです。

　また現実に 50:1 で混合したものを使用した場合、すぐに焼き付くことはないにしても、エンジン寿命を短くすることは確かです。こうしたことを考慮すると安全率をもう一段上げて 40:1 にした方が確実だと考えます。

　FD 級の 50:1 のオイルを 40:1 に指定しているチェーンソーメーカー、FD 級オイルをハイオクタンガソリンに 40:1 で混合した混合ガソリンを販売しているメーカーもあります。なお、チェーンソーに適した燃料を、他の刈払機等に使用しても問題は全くありません。

ジンを壊した例もありますので、くれぐれも注意が必要です。

　22：1、40：1といえども混合比を正確にすることはもちろんのことです。性能の高いオイルであれば、この程度のことで煙の発生は変わりません。むしろ、逆に性能の低いオイル程煙が出やすくなります。

ガソリン

　チェーンソーのエンジンは、高速・高出力を実現するためにクランク直径を小さく、ピストン直径を大きくし、更に圧縮比を上げてある（圧縮が高いほど燃焼スピードが速く、爆発力が大きい）ことから、ガソリンのオクタン価が問題になります。オクタン価は高い程、着火（引火とは異なる。プラグで点火するのは引火）し、にくく、異常燃焼が起こりにくいということになりますので、高性能エンジン程オクタン価が高い方が良いことになります。

　最近のチェーンソーでは、90オクタン以上のものを必要としています。普通ガソリン（86〜90オクタンとメーカーにより異なる）で90オクタン以上あれば問題ありません。

　さて、ガソリンスタンドではレギュラーとハイオクタンの2種類が販売されています。レギュラーとハイオクタンの違いは、オクタン価、つまりアンチノック性能の違いです。この性能の違いを爆発力の違い、あるいはもっと極端な誤解としては、危険性の大小と思っている方が結構多いようです。ハイオクタンガソリンは、爆発力＝燃焼エネルギー、引火性はレギュラーガソリンと同じです。大きな違いは、前述した着火温度です。ハイオクタンガソリンは、この着火点を高くしてあるのです。つまりガソリンが、ガソリン自体の温度が高くなっても、勝手に火が点かないように燃えにくくしてあるのです。したがって、そういう意味ではレギュラーガソリンより危険性が低くなっていることになります。

　では、ハイオクタンガソリンの方が出力が出て、燃費が良くなるのはどうしてでしょう（後述）。また、ハイオクタンガソリンによってエンジンの過熱予防、それによるエンジン寿命延長も期待出来ます。使用を考えてみたらどうでしょう。

　なお、着火温度は、だいたい次のようです。

レギュラー	300℃
ハイオクタン	400℃
航空用ガソリン	500℃

構　造

　チェーンソーは、エンジン本体に前ハンドル、後ハンドル、ガイドバー、ソーチェーンの組み合わせで出来ています。安全装置として、キックバックが起きた時にソーチェーンを止めるハンドガード及びチェーンブレーキ、チェーンが外れたり、切れた時に作業者を保護するチェーンキャッチャー、スロットルの誤作動を防止するスロットルロックレバーなどがあり、防振機構・騒音対策もなされています。スロットルロックレバーは、後ハンドルの背の所にあり、握った時にスロットルを解除出来るように装着されています。これにテープを巻いて常に解除状態にしている人がいます。これは絶対にやらないこと。

　また、チェーンブレーキも確実に利く状態であっても、作動するまでの時間と、作動してから完全に止まるまでに時間差があることを知っておく必要があります（車はすぐに止まれないことと同じ）。

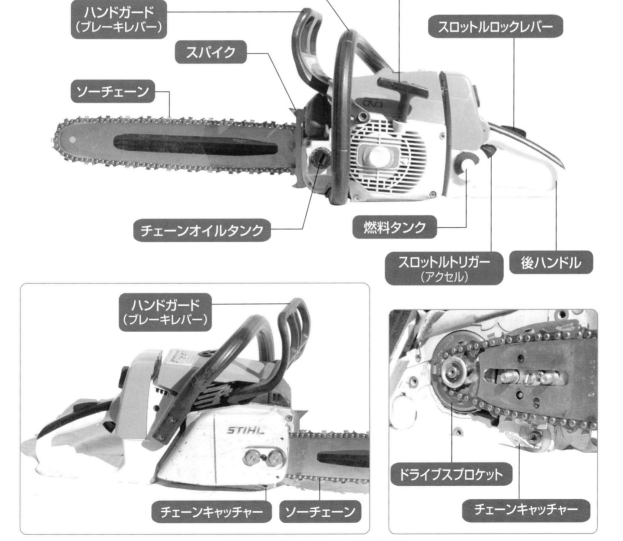

写真 1-1　チェーンソーの各部名称

内部構造

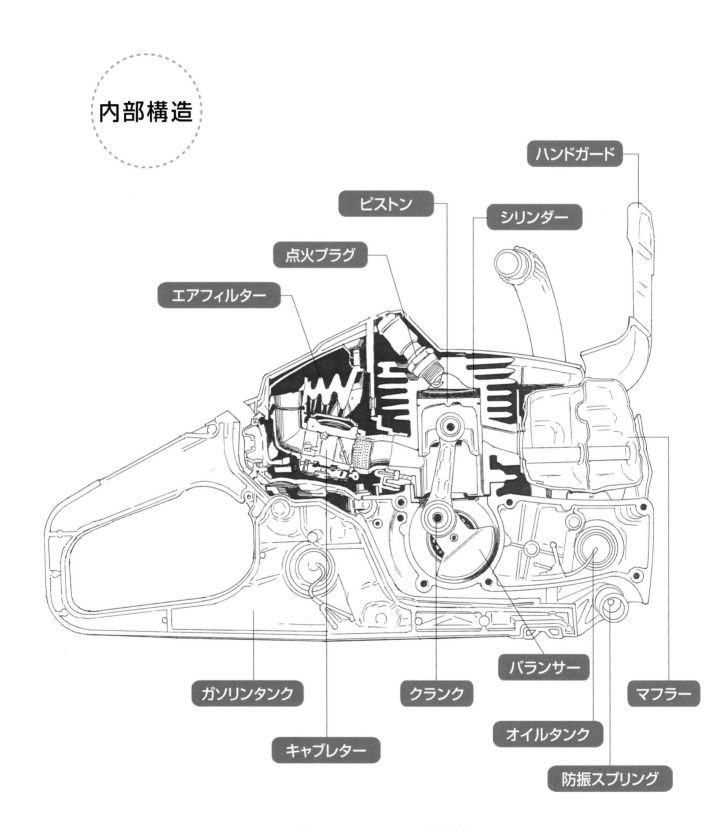

ハンドガード

ピストン

シリンダー

点火プラグ

エアフィルター

ガソリンタンク

クランク

バランサー

マフラー

オイルタンク

キャブレター

防振スプリング

図1-3　チェーンソーの内部構造

エンジンを動かす

作　動

　写真1-2のチェーンソーメーカーでは、スターターロープを引くとロープローターから爪が出て、クランクシャフトに取り付けられたフライホイールのギヤーに掛かり、フライホイールを回転させます。この他にフライホイールに開閉する爪が付いていて、フライホイールが回転しない時、ロープローターに掛かるタイプのものもあります。この初期回転を与えることでエンジンのピストンが動き、点火プラグの電気火花によりシリンダー内に入った混合気に点火、爆発してエンジンが回転を始めます。

　点火プラグの火花を発生させる高圧電気は、フライホイールに取り付けられたマグネットとコイルによって起こされます。フライホイールとコイルはまさしく発電機です。ちなみにフライホイールは、発電機のローターの役割のほかに、クランクシャフトの回転エネルギーを蓄えて次の爆発を起こさせると同時に、回転をスムーズにする役割、そして取り付けられた羽根がシリンダーの冷却をする送風機の役割を果たすなど、4役を担っている大変重要な部品です。

　こうして始動したエンジンはスロットルを引くことにより、エンジン回転が上がり一定回転以上でクラッチドラムに連動して、ソーチェーンを回転させ、同時にオイルポンプも作動し、チェーンの潤滑を行っています。

> **フライホールの4役**
>
> ①点火プラグの火花を発生させる電気を起こす役割
>
> ②クランクシャフトの回転エネルギーを蓄えて次の爆発を起こさせる役割
>
> ③回転をスムーズにする役割
>
> ④シリンダーの冷却をする送風機の役割

フライホイール

写真1-2
フライホイールカバーを外したところ。
フライホイールは4役を担う重要な部品

始業点検

安全かつ効率良く作業するためには、本体の汚れ（エアエレメント・シリンダーフィン等）、締め付けボルトの弛み、燃料とチェーンオイルの量、チェーンの目立てと張り具合、ガイドバーの変形と溝の詰まり、チェーンブレーキの作動確認のほかに、スムーズなスロットリングとスイッチの作動、始動装置のスターターロープの傷とロープの戻りと引き具合等を点検します。

上記の項目を点検した上でエンジンを始動させ（64頁参照）、スロットル操作に俊敏に反応するエンジン調整が出来ているか、エンジン回転に伴うチェーンオイルの吐出量があるかを確認します。また、低速（アイドリング）でチェーンが回らないことを確認し、チェーンブレーキを再チェックし、また2～3分間の暖機運転を行います。

燃料・チェーンオイル補給における注意点

始業時の点検

☐ 本体の汚れ
☐ ボルトの弛み
☐ 燃料とオイルの量
☐ チェーンの目立てと張り具合
☐ ガイドバーの変形と溝の詰まり
☐ チェーンブレーキの作動確認
☐ スターターロープの傷、戻りと引き具合
☐ スムーズなスロットリング
☐ スロットル操作に俊敏に反応するエンジン調整が出来ているか
☐ エンジン回転に伴うチェーンオイルの吐出量があるか
☐ アイドリングでチェーンが回らないこと
☐ チェーンブレーキの再チェック
☐ 2～3分の暖機運転

エンジンチェーンソーは、当然ですが燃料を必要とします。ですから燃料がなくなればエンジンはストップします。けれども、チェーンオイルはどうでしょう。このオイルがなくなってもエンジンはストップしません。したがって、チェーンオイルのない状態で、チェーンソーを使用していると、ソーチェーン、ガイドバーの焼き付きを起こします。このようなことを避けるためにオイルの吐出量は、燃料がなくなっても5～10％残るように調節しておきます。また補給する時、チェーンオイルは常に満杯に、燃料は80～90％に抑えて行うように心掛ける必要があります。

このように心掛ける理由は、燃料がなくなってもチェーンオイルが5～10％残るように吐出量を調整してあるつもりでも、どのような時期（夏か冬）に行ったかによって吐出量が変化するからです。つまり気温が高いか低いかによって、

注意！ 新品のソーチェーンの扱い

新品のソーチェーンに交換する時は、まだ十分にオイルがチェーンに回っていませんから、装着後チェーンソーを横向きにしてチェーンに直接オイルを十分与えて、始めは低速でしばらく回してください。いきなりオイルなしで回すと、チェーンの寿命を短くしたり、焼き付きを起こすこともあります。

吐出量が変化します。気温の状態によって小まめに調整するのであれば良いですが、そうでない場合、例えば気温が低い時期に調節したままであれば、気温が高くなると吐出量が増し、5 ～ 10%の残量は怪しくなります。これは、オールシーズン用のチェーンオイルであっても夏場は軟らかく、冬場は硬く、その粘度が変化するからです。

　燃料・チェーンオイルを補給する時、最も初歩的で単純な問題があります。あろう事か、時として燃料、チェーンオイルをそれぞれ逆に補給するということがあります。これは後が大変です。オイルの場合は（燃料タンクへチェーンオイル注入）、早く気が付けば抜き取ってガソリンで洗浄すれば良いのですが、そのままエンジンを始動し回ってしまったら（キャブレター内に燃料が残っているため）、オイルがパイプやキャブレターに吸入されて、整備に多大な時間を必要とします。

　こうしたトラブルを起こしやすいのは、オイルキャップ、燃料キャップを同時に外し補給しようとするからです。ですから、チェーンオイルについて前記したとおり、チェーンオイルのキャップから開けオイルを補給した後に、ガソリンキャップを開けて燃料補給するというような手順を自分の癖にすることを勧めます。これは、チェーンソーを安全に使用するための、自分自身に癖を付ける手始めです。

> **燃料・チェーンオイル補給の手順を決める**
>
> ①チェーンオイルキャップを開け、オイルを補給
>
> ②ガソリンキャップを開け、ガソリンを80～90%補給

キャブレター

　キャブレターは液体の燃料（主にガソリン）を燃焼しやすいように、空気と気化混合する装置です。最近自動車では、ディーゼル車以外でも燃料噴射により燃焼させるものもありますが、通常ガソリンエンジンではキャブレターを使用しています（最近の車は、ほとんど燃料噴射）。

　このキャブレターには、様々な機構のものがありますが、大きく分けてフロート式、ダイヤフラム式の2種類になります。フロート式とはそのものズバリ、浮きによってキャブレター内の燃料貯留室に流入するガソリンの量を制御するものです。ですから、エンジンが傾き過ぎたり逆さになっては回りません。

　一方ダイヤフラムキャブレターは、エンジンがどのような傾きでも、もちろん逆さでも回転出来るように作られた気化器です。このキャブレターは、チェーンソー等の2サイクルエンジンの場合、ピストンが上昇する時クランクケースの中に発生する負圧（大気圧より気圧が低くなる状態）ピストンが下降する時の加圧を利用します。クランクケースとキャブレターは、小孔によって結ばれていますので、この負圧加圧が掛かるとダイヤフラム（大気圧による圧力発生装置）が大気に押され、燃料バルブを開きます。そして、この時同時にこの負圧は、タンクから燃料を燃料貯留室に吸引加圧によって圧送貯留します。また貯留室が一杯になって来ると、ダイヤフラムが外に押されるようになるため、スプリングでバルブは閉められます。この一連の動作により、貯留室は一定量のガソリンで常に満たされます。

　貯留室は、ダイヤフラムが微妙な制御を必要とすることもあり、フロート式と

写真 1-3

ダイヤフラム式キャブレター。手前のネジの部分が調整スクリュー

写真 1-4

キャブレターからダイヤフラムを外したところ

違って極めて容積（必要最小限）が小さく出来ています。したがって燃料吸引ということとも関係しますが、空気が混入するとエンジンは極めて不調になります。

※チェーンソーのエンジン始動方法については、64頁を参照。

キャブレター調整（基本調整）

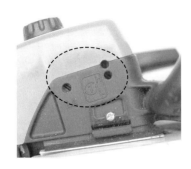

写真 1-5
キャブレター調整用の3つのスクリュー（ネジ）

　自分のチェーンソーは、同一機種を使用している他の人のより、どうもよく回らない、調子悪いと感ずることがあったら、点火プラグ不良以外は、ほとんどがキャブレターの調整不良です。機種によって各調整スクリュー（ネジ）の付いている場所は異なりますが、ほぼ低速側（L）調整スクリュー、高速側（H）調整スクリュー、そしてアイドリング状態を決めるスロットル調整（スクリュー）で構成されています。これら3つの調整用スクリューを使用して、エンジンの回転調整を行うわけですが、実際どのような手順をとりながら注意して行えば良いのか記してみます（すべて電子制御する機種もある）。

① エンジンがスタートするのであれば、エンジンを回して暖めます（暖機運転3～4分）。

② 暖機運転できたら、キャブレター調整中にエンジンストップを起こさせないために、アイドリングスクリューを右に回して、アイドリング回転数を若干上げておきます（チェーンが軽く回る程度）。その状態でエンジンを止めます。

③ 低速（L）スクリュー・高速（H）スクリューを軽く締まりきるまで（右）に回します。

④ 下記の回転だけ（左）に戻します。各スクリューを下記の状態まで戻すのは、取り敢えずエンジンを始動させることを目的としています。

　　　　低速（L）　　　左に1回転～1.1/2回転
　　　　高速（H）　　　左に1回転～1.1/2回転

上記した各スクリューの状態から左右に1/4、あるいは機種によって1/2の範囲にほぼ最高調整点が必ずあります。問題は、それを探し出すのにどうするかです。

⑤ まずはエンジンを始動します。そしてスロットルを引いて、エンジンのレスポンス（応答）を調べてください。ゆっくりスロットルを引くのではなく、素早く引いたり離したりします。

各調整ネジの役割

	役割	左へ回す	右へ回す
L(低速)	低速時の燃料吐出量調整	燃料量　増加 回転数　上昇	燃料量　減少 回転数　下降
H(高速)	高速時の燃料吐出量調整	燃料量　増加 回転数　下降	燃料量　減少 回転数　上昇
LA	アイドリング時の スロットル開度調整	スロットル開度　減 回転数　下降	スロットル開度　増 回転数　上昇

（注）一定の基準ポイントから左へ、または右へ回した場合である

⑥ **低速側（L）の調整**

　　この時応答がにぶい（スロットルを引いた瞬間に回転が上がらない）場合は、低速側（L）のスクリューを右にわずかに回し（1/8 回転）、また応答を確かめます。

- 良くなるようでしたら、更にわずか右に回し、次に応答が悪くなる所まで確かめてください。その所から左にわずかずつ戻し、応答の良くなった所が求めている所です。

- その反対に、最初右に回して、もっと応答が悪くなるようでしたら、最初の位置から左にわずか回して応答を確かめてください。後は右に回した時と同じ操作です。

　　以上、低速（L）がほぼ調整出来たら、次に高速側（H）です。このようにわざわざ悪くなるまで回すのは、応答が次第に良くなったとはいえ、本当にその点がそうであるのか確認する必要があるからです。これは、高速側の調整をする場合も同じです。元々確定していない最良の場所を、調子の悪い両端からその点を挟み込むことで探し出すのです。

⑦ **高速側（H）の調整**

　　高速の調整は、そのチェーンソーの指定最高回転がありますから、回転計を使用するのが望ましいのですが、一般的に持っている訳ではありません。ですからエンジンの回転音をよく聞き分けることが大切です。

- エンジンをスタートし、無負荷の状態でスロットルを目一杯引いてください。ただし、無負荷で長時間回転させるのは、トラブルの原因になりますので、数秒間程度としてください。

- 最初の位置から低速の時と同じように、右に回し調整スクリューを締めていきます。締めるたびに最高スロットルにして、エンジン音を聞いてください。この繰り返しをしていく内に、エンジン音が低い音から高い音に次第に変わっていきます。そして更に締めていきますと、最高速の時点で息が切れたようなボソボソとした音が出て、出力が低下する所があります。

- そうした所から、これまで右に回してスクリューを締めていったのですから、左に戻して安定した高速音になるよう調整してください。

- また、最初右に回した時、悪い状態になるようでしたら、左に回して上記と同じ操作を繰り返してください。

⑧ **低速側と高速側の再確認**

　　こうして高速側が調整出来たら、もう一度低速側を確かめてください。応答が悪くなっていたら、わずかに左右に回して再調整します。低速の再調整が済んだら、高速も再度確かめてください。

⑨ 最後に、チェーンが回転しないアイドリング状態になるようスクリューを回して調整してください。これで無負荷状態での調整は完了します。無負荷で最高速位置を探し出す理由は、負荷を掛けた状態で最も良好な位置を見付け出すための基準点にしたいからです。

⑩ 次は、負荷を掛けて確かめます。適当な丸太を最高速で切り、息切れの有無等・出力状態を確かめます。もし息切れ状態でしたら、高速側（H）ス

調整手順の整理

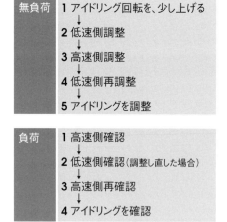

無負荷	
	1 アイドリング回転を、少し上げる
	↓
	2 低速側調整
	↓
	3 高速側調整
	↓
	4 低速側再調整
	↓
	5 アイドリングを調整

負荷	
	1 高速側確認
	↓
	2 低速側確認（調整し直した場合）
	↓
	3 高速側再確認
	↓
	4 アイドリングを確認

低速スクリュー・高速スクリューそれぞれを個別に調整するが、全く無関係かというとそうではなく、互いに微妙な変化を与える。特に低速側を調整すると高速に影響が出る。

クリューを左にわずか回し燃料を濃くします。これは、負荷が掛かるとよくあることです（より大きい爆発力を必要とするため）。

⑪ その後、エンジンの応答も確かめてください。問題がなければそれで結構です。

新品のチェーンソーの場合、調整された状態で渡されますがしばらく使用しているとエンジン状態が変わり、再調整する必要があります。慣れていない人は、慣れた人に調整してもらうのも方法ですが、自分自身で出来るようになってください。

以上、調整手順を表にしておきます。

簡単なトラブルシューティング

下図の中にプラグを外してチェックしていく過程で、「燃料の有無」の確認を入れてあります。この過程で気付く前に、スタートしない場合、突然エンジンストップした場合には、プラグを外す前にまず燃料チェックすべきでしょう。

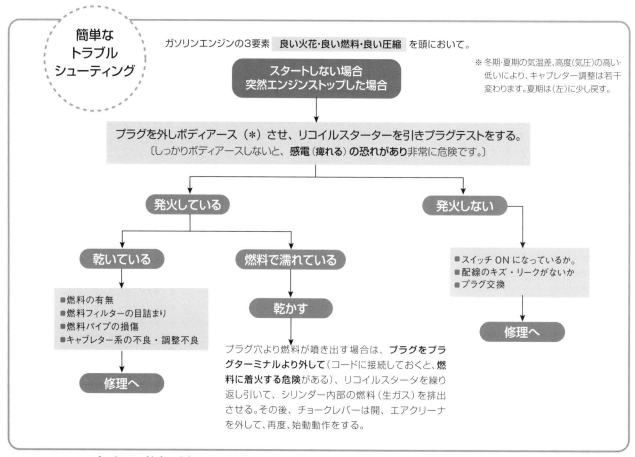

＊ プラグキャップ（プラス極）をはめて、サイド部分（金属の部分）をエンジンのフィンなどにアースさせて（マイナス極）、通電させる。

エンジンの損傷

事例１―スターターロープを引けない

　それは、使用中突然ストップし、スターターロープを引いても引けない状態になりました。

　この症状から疑われるのは、異物の吸入によるロックか、焼損事故です。分解した結果は、ピストンの上部、それも排気側が、特に泡立ったようにザラザラで溶融した状態に見受けられました。また、ピストン上部左右側面（ピストンピンの上部、リングの位置）に深い傷跡がありました。シリンダーはどうかというと、こちらもヘッド部は全面に溶融を起こした形跡があり、排気ポート上端部にめくり上げたような跡（ピストン上部左右側面に対応）がありました。

■事例１の修理

　このエンジンでは、ピストンがある範囲では動くので、いわゆる焼き付き事故ではありません。その原因が不明確のまま、修理に当たってシリンダー、ピストン、リング交換で対応しました。そして、スタートしましたがわずかの運転で異音の発生があったため、エンジンを止めました。再び分解した結果、ピストン上部左右側面に傷が入っていました。これは最初の傷と同様でした。そこで、クランクシャフト、ベアリングに至るまで分解していくと、チェーン駆動側のベアリングが破損していました。あらまし、このエンジンの破損状態は前記のごとくですが、購入後１年、通常使用では考えにくいトラブルです。これは、一体どのような使用状態だったのでしょう。

■チェーンソーの使用状態

　これは、伐採中、木に挟まれそれを引き抜こうと機械をコジたり、木を押したりしただけでなく（それだけなら機械の外部損傷になる）、エンジンをチェーンが回転しない状態でフルスロットル運転、それも連続的な運転ということは考えにくいので、アイドリングからフルスロットルの繰り返しを何回も行ったのではないかと思われます。この故障はそのような運転をしているうちに起きたものと考えられます。

■ベアリング破損と使用方法との関係

　ベアリングの破損は、その強度についても考えなければなりませんが、その強度を超えた使用という視点から考えてみることにします。

　チェーンソーが挟まれチェーンが回転出来ないにも拘わらず、アイドリングからフルスロットル状態の運転を何度も繰り返すと、どういうことが起こり得るのでしょう。

　フルスロットル状態にしてもエンジン回転は上がりませんが、クラッチドラム（ドライブスプロケット）には大きなトルクが掛かります。クラッチドラムにトルクが掛かるということは、チェーンが回転出来ないのですから駆動力はクランクシャフトを前方へ引く力として働きます。こうして強力に引かれたクランクシャフトは、アイドリングに戻った途端、チェーンの張力があるため、大きい力で引き戻されます。

　したがって、アイドリング、フルスロットルの繰り返しは、クランクシャフトの引き付け・引き戻しの繰り返しということになります。これが、ベアリング破損の大きな原因ではないかと思われます。

　この破損が、ロッドを通じてピストンを左右に傾けて動かし、シリンダー掃気ポート上端のメクリ上げ（それは、前記ピストン左右リング部分の傷跡からも判断出来る）をつくり、ピストンをロックさせたものと推定されます。これは、修理後も同様の事態になったことからもわかります。

■ピストンスカート部の曲がり・亀裂

　では、このベアリング破損がピストンにいびつな運動をさせてからピストンロックするまでの間に、ピストンスカート部（吸入側のみ）を内側へ曲げて亀裂を起こさせたのでしょうか？　もしそうであるならば、スカート部は吸入側だけでなく、排気側にも何らかの傷跡があってしかるべきだと思われますが、排気側には全く見られません。したがって、ピストンスカート部の曲がり・亀裂は、まったく別の原因で起きたものではないだろうかと推定されます。

　すなわち、既に記してある所見のピストン上部排気側と、シリンダーヘッド部の溶融との関係から、ベアリング破損に至るまでノッキング状態（異常燃焼）を同時に起こしていたのではないかということです。また、ノッキング現象がベアリングの破損に一役買っていた可能性もあります。

■ノッキング現象

　ノッキングの問題は、レシプロエンジン（ピストンエンジン）の宿命ともいえるものです。ノッキングは、異常燃焼によって起こり、それと同義語として使われます。では、正常燃焼とは何かというと、スパークプラグによる点火で燃焼が始まる場合をいいます。つまり異常燃焼とは、スパークプラグの火花点火によるものではなく、スパークプラグによる点火前に、ピストン、シリンダー、プラグの加熱及び圧縮による混合気の温度上昇による着火で勝手な燃焼をする場合をいいます。

　この現象はレシプロエンジンの場合、大なり小なり起こります。スパークプラグによる火花点火も上死点（ピストンが最も上がった所）の少し前に行われますが、異常燃焼はそれより以前から燃焼が開始され、ピストンが混合気を圧縮する圧力よりはるかに大きな圧力がシリンダー内に発生します。ノッキングは、この燃焼圧力が、上死点まで上昇しようとするピストンを押し下げる力として働くために

写真 1-6

ピストンスカート部に曲がり・
亀裂が見られる

起こります。

　例えば、マニュアルミッションの自動車で、トップギヤに入ったまま低速から
アクセルを強く踏み込んで加速しようとした時とか、オクタン価の低いガソリン
を使用して点火時期の早いエンジンをアイドリングから急加速させようとした時
「カリ、カリ、カリ」とエンジンの中で叩くような異音を発生します。これこそ、
ただ今ノッキング（異常燃焼）中ですという信号です。これは、昔から出力低下、
異常発熱とエンジントラブルを起こす大きな原因となるものとされています。ち
なみに、ロッドの破損、メタル、ベアリングの破損、ピストンの破損等です。そ
れを防ぐため、アンチノック性能の高い燃料（ガソリン）が開発されてきたので
す。

　ちなみに、アンチノック性能の高いガソリンとは、異常燃焼を起こしにくいガ
ソリンということになります。異常燃焼を起こしにくくするためには、混合気が
温度上昇しても勝手に発火しにくくすれば良いのです。つまり発火点を上げてや
れば良いことになります。この度合いをオクタン価の高い低いで表現していると
理解すれば良いでしょう。

　２サイクルエンジンは、４サイクルエンジン程、明確にノッキング音がわかり
ませんが、起きない訳ではありません。以上のようなことから、このチェーンソー
エンジンもチェーンが動かない状態で、フルスロットル状態の繰り返し運転をし
ていたでしょうから、当然ノッキング（異常燃焼）を起こしていたものと思われ
ます。

■ノッキングによる症状

　エンジンは、スロットルを開くにしたがって圧縮が高くなります。圧縮が高く
なるということは、燃焼スピードが速くなり爆発力が大きくなり、爆発力が大き
いということは、衝撃力も大きいということです。例えば爆薬ですが、ただ燃焼
させるだけなら1秒間に1m程度でも、穴へ込めて圧力が高くなるようにする
と1秒間に数百m、数千mの燃焼スピードにも達します。だから大きな岩石でも
割れるのです。これは、同時に単位時間当たりの発熱量も大きくなるということ
です。この爆発力のエンジン出力低下分のエネルギーが、ノッキングのエネルギー
であり衝撃力です。

　つまり、異常燃焼の発生が大きい程（オクタン価が低い）エンジン出力が低下
するので、ガソリンの単位当たりの出力はオクタン価の高いガソリン程高くなり
ます。これがハイオクタンガソリンの方が燃費が良くなる理由です。これを図式
化すると下記のようになります。

	出力量		出力低下量		実出力量
① 理想的な状態	10	－	異常燃焼（オクタン価低い） 4	＝	6
② 理想的な状態	10	－	異常燃焼（オクタン価高い） 2	＝	8

　①、②ともガソリンの量が同一ですから、①の方の実出力を②と同一にするた
めには、ガソリンの量を増加させなければなりません。しかし、単位当たりの発
熱量が①、②とも同一とすると、①、②の出力を同一にした場合、①は②より多
くの発熱をすることになります（オーバーヒートの原因）。

　エンジンのシリンダー・ピストンの冷却は、シリンダーフィンからの放熱と混

合気の掃気ガスによって行われていますが、低速で高燃焼状態に置かれたエンジンのシリンダー内は冷却不良となります。これがまた異常燃焼を引き起こします。

　アルミニウムの溶融点は660℃です。高温にさらされ続ければ溶融現象が起こるのも当然です。シリンダーヘッド、ピストン上面のそれも排気ポート側が特に強く溶融状態になっているということは、エンジン回転（冷却送風量）と燃焼温度、混合気による冷却のバランスが大きく崩れていることの証明です。

■事例1の整理

　次に事例1を使用状態から順に整理しておきます。

- チェーンが動かない状態で、アイドリングからフルスロットルへの繰り返し運転が、クランクシャフトの引き寄せ・引き戻し（チェーンの張力による）の繰り返しとなり、更にそれがノッキング現象（異常燃焼）を起こさせ、ピストン上面・シリンダーヘッドの溶融化、ピストンスカート部（吸入側）の損傷となった。

- そして、このノッキングの衝撃が、クランクシャフトの引き付け・引き戻しの力に加わる形でベアリングの破壊を起こし、ピストンのロックとなったのではないだろうか（ベアリングの強度は別にして）。

事例2─圧縮が感じられない

　エンジンの使用条件は定かではありませんが、症状としては、コンプレッション（圧縮）が正常のものと比較して、極端に少ない状態（スターターロープをもってチェーンソーを吊り上げると簡単に下りる）でした。この症状からすると、リング及びシリンダーが極端に摩耗していると推定出来るものです。そこで、シリンダーを外し内部を詳しく調べていくと、ピストンの上面（特に排気側）、シリンダーヘッドに溶融した形跡がありました。また、ピストンスカート部（吸入側）に叩いた跡、20mm幅に擦れたような傷跡がありました。トップリングが消失しているにも拘わらずシリンダー内壁は、特に傷らしいものは見られませんでした。ピストンリングの消失は、破損してから消失したものならピストンロック、あるいはそれらしき傷跡がありそうなものですが、それが見当たらないから不思議です。最初からなかったということも可能性ゼロとはいえませんが、それまで他のチェーンソーと遜色なく動いていておかしくなったのですから、考えにくいことです。

■事例2の場合

　事例2もその症状から、ノッキング（異常燃焼）が起こったことは確かでしょう。機種が事例1の40cc弱のエンジンより大きい48ccクラスであったことから、事例1のように使用したか定かではありませんが、もし使用したとしても、ベアリング強度が高いためにその破壊には至らず、ピストンリングの破壊・消失と

いうことになったのではと考えます。リング破壊のメカニズムはよくわかりませんが、トップリングの破壊というところから考えると、異常燃焼による排気側の加熱膨張、掃気側の冷却収縮による歪みによる直接的破壊か、それにノッキングの衝撃が加わったか、更に金属疲労を起こしているところへそれらが重なったかではないかと考えます。シリンダーに傷を付けずに消失したのは偶然としか思えません。とにかく、こうした重大なトラブルを起こす原因はその使用法、特にチェーンが動かないのにフルスロットルにして（それに近い状態も然り）無理にエンジンを回し運転することにあるといえますが、通常の使用状態であってもノッキングはついて回る問題です。

　エンジンは「回っているから問題ない」ではなく、エンジン寿命に大きく関わる問題です。オイルはもちろん、ガソリンの質についても考えてみる必要があります。こうしたトラブル、問題があるからこそ、メーカーによってはオクタン価を指定しているのではないでしょうか。

保管場所は乾燥した冷暗な場所で

　長期間（2カ月以上）使用しない場合は、外部の清掃・点検を行い、エンジンを1度始動運転させた後、燃料タンクの燃料を空にして再度始動させ、キャブレター内の燃料を使い切り停止するまで運転させます。

　その後、チョークレバーを引いても初爆しなくなるまで5回程度リコイルスターターを引き始動を繰り返し、最後に圧縮位置（ピストン最上位）で止めます。

ガイドバーの種類・特性

ハードノーズタイプ

写真 1-7

**ハードノーズタイプの
ガイドバー**

ステライトという硬度の高い金属
を、最も摩擦抵抗が大きいバー先端
部に使用し、摩耗を防止し、スムー
ズなチェーン回転を実現したもの

　従来から一般に使用されているタイプがハードノーズバーです（**写真 1-7**）。
これは、ステライトという硬度の高い金属を、最も摩擦抵抗が大きいバー先端部
に使用し、摩耗の防止とスムーズなチェーン回転を実現しようとしたものです。
しかし、硬度が高く耐摩耗性に優れていてもそれ自体回転する訳ではありません
ので、チェーンの張りに注意を払わないと、大きな抵抗が発生します。無理に回
転させると、給油が十分あっても高い摩擦熱が発生して、チェーン及びガイドバー
を傷めます。

■ガイドバーの調整

　では、このタイプのガイドバーは、どの程度に調整したら良いか次に記してお
きます。

① チェーン、ガイドバーをチェーンソー本体に装着します。

② カバーナットを軽く締めた状態で、ガイドバー先端を指で挟んで（チェーンに
　 接触しないこと）持ち上げ、調整ネジを回して調整します。この時、ガイドバー
　 中央部下端に、チェーンが軽く接触するか1mm程度開くように調整してくだ
　 さい。

③ この調整した状態がカバーナットを締めた時、クリアーされていれば結構です。
　 ところが、通常カバーナットを締める前にちょうど良くても、ナットを締める
　 とチェーンの張りが強くなりますので気を付けてください。

④ その時はナットを緩め、もう1度張りを少し緩めに調整し直し、ナットを締め
　 てください。

⑤ 調整が済んだら手で回ることを確かめ、エンジンをスタートさせチェーンを回
　 してください（中速程度）。

⑥ しばらく回転させ、チェーンが暖まった頃エンジンを切り、ガイドバー下端か
　 らチェーンがどれだけ下がっているか確かめます（チェーンが暖まると緩みま
　 す）。開きが2～4mm程度であれば結構です。

⑦ 開きが大き過ぎてドライブリンクの足先が見えるようでしたら、調整し直して
　 ください。

　　＜注＞上記は、チェーンが冷えている状態からの調整です。気を付けてください。

スプロケットノーズタイプ

前記したハードノーズの場合、先端にステライトという超鋼を使用して磨耗を防いでいますが、磨耗がなくなる訳ではありません。したがって、チェーンの回転抵抗があり、チェーンそのものの摩擦、エンジンへの負担増加はあります。こうした欠点（摩擦抵抗）を、出来る限りなくそうとベアリングを付けたチェーンギヤー（スプロケット）をガイドバー先端に取り付けたものがスプロケットノーズタイプです。

ベアリングを付けた回転体が先端にある訳ですから、摩擦が極めて少なく、チェーン回転はスムーズです。しかし、この種のバーの欠点は、極めて幅の薄いバーにベアリング付きのギヤーを付けてあることから、耐久性が低く、バー先端部でチェーンが浮き上がった状態になっているため、チェーンが外れやすいということです。

そこで、耐久性はともかく、チェーンが外れやすい欠点をカバーするために、チェーンの張りを強くします。もちろん、いくらでもという訳ではなく、ガイドバー中央部でチェーンをつまんで強く引っ張った時、ドライブリンクの足が半分程度見えるぐらいです（その状態で、手で抵抗なく回る程度）。また、エンジンを回してチェーンが暖まった時でも、チェーンが下がらない程度（チェーンをつまんで引っ張っても張力がある程度）です。このガイドバーの場合は、ハードノーズの時のようなチェーンの「むら伸び」をあまり気にすることはありません。

**写真 1-8　スプロケットノーズ
タイプのガイドバー**
ソーチェーンとガイドバーの摩擦抵抗をできるだけなくそうとして、ベアリングを付けたチェーンギア（スプロケット）をガイドバー先端に取り付けたもの

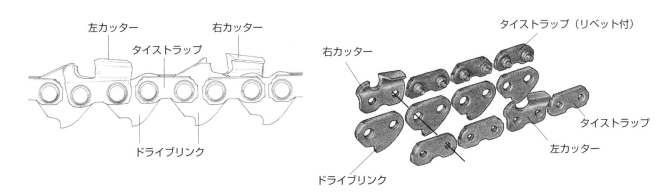

図 1-4　ソーチェーンの構造と名称

伸びの少ないチェーンの部位で調整

新品のチェーンを装着する場合は問題ありませんが、既に使用してあるチェーンの場合、チェーンの伸びが均一ではありません。したがって、チェーンソー本体に取り付け調整した後、手で回してみるとガイドバー下端からの開きが、チェーンの部位によってまちまちになります。こうした状態のチェーンにおいて、最も伸びた部位を基準に調整すると、最も伸びの少ない部位にチェーンが移動した時、チェーンの張りが強くなり過ぎてスムーズに回転しなくなります。ですから、こうしたチェーンの場合は、最も伸びの少ない部位を探し出して、そこで上記した調整をしてください。

各ガイドバーの使用特性

前記 2 種類のガイドバーの一般的特徴を記しておきましたが、実際に使用した時、どのような長・短所があるか、それを記しておきます。

■突っ込み切りでの比較

通常の使用では、両方共それ程大きな違いはありません。しかし、バー先端を使用しての突っ込み切り（113頁参照）をした時、その違いが大きく現れます。ハードノーズは極めてスムーズに突っ込み切りを行えますが、スプロケットノーズはどうもそれが不得手です。スプロケットノーズは、ハードノーズに比して、2倍も3倍も力を入れて押し込まないと入っていきません。また、スプロケットノーズは、各メーカーによってもそうした傾向に相違があります。一体何故でしょう。スプロケットノーズでも割合良いものと、まるで話にならないものがありますので、それらの比較もしながら考えてみましょう。

■スプロケットノーズ先端での現象

スプロケットノーズでは、既に記したように摩擦抵抗を極力抑える目的から、チェーンのタイストラップ（サイドリンク）がガイドバー先端のバー本体に接触しないように作られています。したがって、一定の間隔を持っているということになります。それも、ベルトのプーリーのようにベルト裏面全体が、プーリーに接触して回転して行くというのではなく、チェーンであるが故に、ドライブリンクとドライブリンクの間に角状の突起を差し込み回転させるギヤーになっています。ここに大きな問題が、発生することになります。

それは、ギヤーによって当然カッターも持ち上げられ、ガイドレールから離されています（図1-5）。ですから、カッターが木に食い込もうとする時、突起状のギヤーがシーソーの支点の役目をして、ガイドレールとカッターリンク底部との隙間の分だけカッターリンク後部が下がることになります。カッターリンク前部はその分だけ上がります。したがって、カッターの食い込み角度が、規定の角度

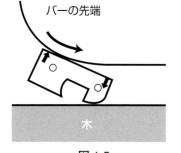

バーの先端

木

図 1-5
スプロケットノーズ先端でカッターが食い込みにくくなる現象

長所の融合

ハードノーズ、スプロケットノーズのそれぞれの長所、短所が理解できたと思います。それならば、短所を排除して長所のみを融合させることは出来ないものだろうか。そう考えるのが必然的なり行きです。それを実現するとしたら、一体どのようなガイドバーになるでしょう。まず突っ込み切りに有利な先端形状は、バー先端が細身に作られているハードノーズバーです。このような形状のハードノーズバーにスプロケットを装着し、しかも前述したように、先端部におけるタイストラップとの隙間を極力最小、あるいはわずかに接する程度とします。こ

れならば、バー先端を細身に作ったハードタイプの摩擦抵抗（細身になるほど抵抗が大きくなる）を極力抑え、突っ込み切りも得意なハードスプロケットノーズガイドバーが出来上がります。仮にスプロケットが傷んでも、それを取り外せば通常のハードノーズと同様に使用出来ます。ガイドバーが平均して使用出来ていれば、むしろバー寿命は長くなるでしょう。コストが1.5倍程度ならば、それ程敬遠されることもないと思いますが、いかがでしょう。

（上刃切削角度、研ぐ角度としては60°でも、実際にはカッターの逃げ角があるため55°程度となる）より遥かに大きくなり、食い込みにくくなるのです。この傾向は、カッターリンク底部とガイドレールの隙間が大きくなればなる程大きく現れます。甚だしい場合は、カッター前部にあるデプスゲージが接触して上刃が当たらないということが起こります。

　このような仮説に立って、実際に各メーカーのスプロケットノーズの「モノ」を比較使用してみるとやはり、スプロケットによるチェーンの浮き上がりの小さいバー程（ハードノーズより劣ることは確かですが）、浮き上がりの大きいバーに比べ、遥かに切り込みが優れていました。

　したがって、突っ込み切りに優れたスプロケットノーズバーは、出来る限りこの浮き上がり、あるいはガイドレールとタイストラップ（サイドリンク）底部との間隔が、小さい程良好であるといえます。

■ハードノーズバーでの切れ込み不良

　ちなみに、デプスゲージが先に接触して、上刃が当たりにくい状態は、ハードノーズバーでも条件によって起こり得ます。それは、カッターの刃長が1/3以下になってきた時です。通常の使用では問題なく切れるのに、突っ込み切りの時に極端な切れ込み不良が起こります。それも、バーノーズのアール（半径）が小さい程大きく現れます。その原因は、刃長が短くなるにしたがってデプスゲージと刃先の間隔が広がり、バー先端の円周を回り込む時、デプスゲージが先に接触してしまうからです。

メンテナンスの方法

■チェーンソーを頻繁に使用する場合

　木屑の付着、クリーナーの目詰まり等様々な汚れを毎日コンプレッサーのエアーを利用して掃除します。

　また、2日に1度程度はチェーン、ガイドバーを外し、チェーン、ドライブギヤーの傷み具合のチェックを行い、ガイドバーの溝掃除を行う必要があります。ガイドバーの溝が詰まっていると、チェーンオイルが適正に吐出しなくなることがありますし、木屑の排出も悪くなります。

　バーを取り外した時を利用して、レールの片減り・変形等を防ぐ目的で、バーをそのたびごとに裏返して使用してください。チェーンの亀裂、ドライブスプロケットの欠けを見つけたら新品と交換してください。ドライブスプロケットは、チェーン2～3本で交換するのが標準です。

写真 1-9

安全かつ効率良く作業するために、チェーンソーのメンテナンスをしっかりと行う。本体の汚れ（エアエレメント・シリンダーフィン等）、締め付けボルトの弛み、燃料とチェーンオイルの量、チェーンの目立てと張り具合、ガイドバーの変形と溝の詰まり、チェーンブレーキの作動確認のほかに、スムーズなスロットリングとスイッチの作動、始動装置のスターターロープの傷とロープの戻りと引き具合等を点検する

メンテナンスは使用後の掃除が基本

写真 1-10

クラッチカバーを外した状態。2日に1度程度はチェーン、ガイドバーを外し、チェーン、ドライブギアの傷み具合のチェックを行い、ガイドバーの溝を掃除する

写真 1-11

油でべとつく部分には木屑やゴミなどが付きやすくなり、汚れが積み重なると、故障の原因となる。使用後はきれいに掃除する

写真 1-12

チェーンソーを掃除するために、最低限必要な用具。ウェス（ぼろ切れ）、ブラシ（柄がガソリンなどで溶けないものが良い）、手袋（怪我予防のため）

2

ソーチェーンの目立て

■ 目立てのポイント

■ 目立ての克服（対策）

目立てのポイント

チェーンソーは、モーターあるいはエンジンによって駆動する鋸、すなわち刃物です。したがって、いかにモーター、エンジンが優れていても、刃が切れなければ木材の切断という目的を正確でスピーディーに達成することができません。それどころか、刃が切れないが故に無理な力を加え強引な使用をする結果、バーの磨耗、焼き付き、更に進んで動力部の不調をきたすことにもなります。エンジンチェーンソーの場合、エンジンを高速で回転させるため、特にこれが著しく現れます。

また、刃の付け方によっては、食い込みが良すぎてガツガツしたり、元々当たる所によってはキックバックを必然的に起こす道具ですが、さらに激しくそれを起こします。刃が切れなければ切れないで、前記のように機械の損傷のみならず、作業者の疲労の増大及び鋸断スピードが遅いためにチェーンソーの使用時間が延びます。反対に食い込みの良すぎるフック状態のものは、キックバックを殊更大きくし、通常使用においても、チェーンソーのコントロールを著しく難しくします。これらは、作業上大きなリスクを負います。

したがってチェーンソーを安全に使用するための前提は、この目立てであるといえます。では、安全な作業の前提、チェーンソーの命ともいうべきソーチェーンの目立ては、どのようにしたら目的（安全でシャープ）どおりの切れ味を出すことが出来るのかは、次頁表の４点がポイントになります。

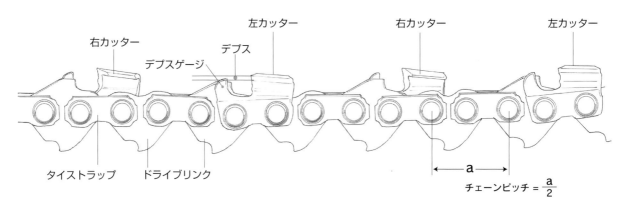

チェーンピッチ $= \dfrac{a}{2}$

図 2-1　ソーチェーン

1　チェーンソーの固定

2　全部の刃を目視
　　一番短いカッターを基準として目立てを始める（刃長を揃えるため）。

3　目立て角度
　　（ア）上刃目立て角度　　30°〜 35°
　　（イ）横刃目立て角度　　80°〜 85°
　　（ウ）上刃切削角度　　　60°
　　（エ）ヤスリは水平に（チェーンソーが水平な場所に固定されていることが
　　　　　前提）。つまりガイドバーに直角であること

　　　ヤスリを水平にし上刃目立て角度・横刃目立て角度が正しければ、上
　　刃切削角度、横刃切削角度は決まる。
　　　目立て角度・刃長は全部同じにする（すべてのカッター）。
　　　凍結した木、木の硬さなどにより、目立て角度を変える。

4　デプスゲージ
　　　刃が木に食い込む深さを調節する大事なものです（上刃とデプスゲー
　　ジの間隔）。
　　　デプスゲージを調整したら、必ず前側に丸みを付けます（図2-2）。

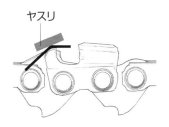

図 2-2
デプスゲージを調整したら前側に丸みを付ける

写真 2-1
切り込みを入れた丸太でバーを固定

写真 2-2
バイスによるバーの固定

以上1 〜 4番は、これを満たせば、切れるようになりますという目立て後の状態を数字を上げて示しました。
　次に1 〜 4のポイントについてそれぞれ説明します。

チェーンソーの固定

　カッターにヤスリを掛ける時、掛けるたびに動いたのでは正確な目立ては出来ません。ですから、丸太がある場合は予めチェーンソーで切り込みを入れて動かないようにしたり、バーを固定するバイスがあればそれを利用します（**写真 2-1、写真 2-2**）。
　さぁ、これで固定は完全か？　いえ、まだ重要なことがあります。それは、チェーンソーをどのような状態の所に固定するかです。例えば、地面に置いて固定するのか、一定の高さの台のような物の上に固定するかどうかです。
　前者の場合は、ヤスリを掛ける時、身体を折り曲げたようなスタイルで行わなければなりません。これでは、極めて目立てを難しくします（ガイドバーにヤスリを直角に、水平に送り出せない）。ではどのような位置が良いかというと、ヤスリを持って肘を身体に引き付けた時、肘と手の甲が一直線になり、ほぼ水平になる位置にカッターが来るような水平な場所を選び、固定するということです（**写真 2-3、写真 2-4**）。これで初めて目立てをする準備が出来たといえます。

写真 2-3
ヤスリ、肘、手の甲が一直線になるよう固定する

写真 2-4
台などで高さを調整する

刃の目視

　全部の刃を目視するというのは、文字どおりすべてのカッターについて行います。つまりチェーンについているカッターは手鋸と同じように右・左があります。図2-1のとおり右刃・左刃（エンジン側から見て）のすべての刃を目視します。

　目視する理由は、その中の1番短い刃長のカッターを探すためです。これにすべてが揃えられればベストです。とはいうものの、マニュアル風に表現をしていますが、現実にはなかなかそうはいきません。石・土・金属等、誰も切りたくないものを引っ掛けたり、手加減なく目一杯切ってしまったり、これではせっかく研いだのに悲劇です。そうした時、それを研ぎ直していくと当然刃長はバラバラになります。ですから寸分たがわず合わせるということではなく、実際には多少の違いは仕方がないということで良いでしょう。

　ただ問題なのは、同じ側の刃が多少バラつくのは我慢するとしても、左右の刃長がほぼ揃っていないと大変です。全体を見て片側の刃が長く、もう一方は短いということになると切断していく時、長い方の切断スピードが速くなるため、短い刃長の方へ曲がって切れていきます。

　ちなみにこの曲がるということを少し説明すると、刃長が同じでもこの症状が出ます。それは、片側が切れない場合で、その場合は切れない側へ曲がります。したがって両方とも同じように切れるようにしなければ刃研ぎにはなりません。

　また、最も気を付けなければならないのは、研ぐ時に研ぎやすい方ばかりをよく研ぐためそちらばかり短く、研ぎにくい方は長くなるか、あるいは切れ味が悪いという目立てです。目立てをするということは、切れ味を上げ正確に切ることを目的にしています。にも拘わらず、人為的に不揃いにしていたのでは何もなりません。そうした方々が大勢います。

目立て角度

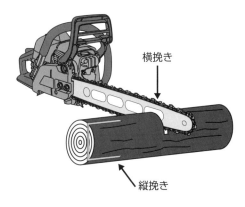

横挽き

縦挽き

図2-3　横挽きと縦挽き

　手鋸にも横挽き、縦挽きと2種類ありますが、通常使用においてはチェーンソーの場合、横挽きがほとんどです。したがって木質繊維を平行に掻き切る縦挽きではなく、繊維を直角に引き切るために、ちょうどナイフで木を削る時、わずか斜めに使用した方が削りやすいのと同様にこの角度を必要とします。チェーンが繊維に対し直角に移動していても、この角度がついているために刃先全体が同時に食い込むことがありません。すなわちカッター最先端から先に切り込まれ、順次後の方へ行くということになります。ただ、角度がつけばつくほど良いのかというとそうでもなく、切れ込むのとは逆にすべって行くだけで切れ味が出ません。ナイフでも経験することだと思います。

■上刃目立て角度（図2-4）

　チェーンソーの場合、常に繊維に直角ではなく、伐採に際しては斜めにも、

根張り等の除去に縦挽きすることもあります。したがって経験則として（横刃切削角との関係を含め）、30°〜35°の角度が取られています。これは、きっちりどのカッターも最初に取った角度で行うということでなく（揃えられればそれに越したことはない）、多少（0.5°〜1°）程度の差があっても実用上それほど問題になりません。ちなみに経験上から書き添えるならば、35°より30°近辺の方が目立てもしやすく、縦挽きの際にもよく切れます。

　さて、すでに述べてあるように、先端から後端までスムーズに切り込んでいくには、刃の形が斜めの方が良いことは感覚的に理解できると思いますが、もう1つ重要な意味があります。それは、横刃の切削角度です。この角度は、上刃を30°にすると、自動的に横刃の切削角度が60°になることです（35°であれば55°）。逆にいうと横刃の切削角を60°にしたいから、上刃目立て角を30°にするともいえます（重要）。

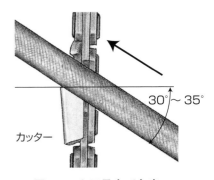

図 2-4　上刃目立て角度

■横刃目立て角度（図 2-5）

　この角度はチェーンの種類によって異なります。

　現在普通に使用されているソーチェーン、セミチゼルタイプについての最適角度は85°です。最適角度とはいっても実際上は、80°〜85°程度ということです。この他に、ノーマルタイプ（チッパー）、チゼルタイプがあります。ノーマルタイプは85°〜90°、チゼルタイプは75°〜80°となっています（ソーチェーンの種類は41頁で紹介）。

　このようにチェーンのタイプにもよりますが、なぜ80°〜85°であったり、85°〜90°、75°〜80°というようになっているのか考えてみてください。さてなぜでしょう？　これは上刃の切削角がそれを要求しているからです。横刃の上部の1mmにも満たない所の角度をこのような角度に取っていれば、上刃の切削角度が55°〜60°の範囲になるということです。つまり、目立てをする時に横刃の角度を常にチェックすることが大事なのは、このことがあるからなのです。これは、上刃の目立て角が、横刃の切削角に関係しているのと同じです（重要）。

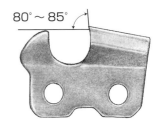

図 2-5　横刃目立て角度

■上刃切削角度（図 2-6）

　これは既に記してあるとおりヤスリを水平に使用し、上刃の角度（30°〜35°）を適正に保ち、上刃の最先端部から後端まで、丸ヤスリの上部がほぼ20%程度上刃より上に出た状態で均一に「削りバリ」が出るように研げていれば、必然的に上刃切削角は決まり、その角度は55°〜60°程度となります。なお、木の硬さにより目立て角度を変えるというのは、上刃の角度のことです。例えば、柔らかいスギの場合35°、硬いカシの木なら30°というふうにです。それが難しいようなら、30°で十分です。ちなみに、縦挽きの場合は、上刃角10°、横刃角60°〜65°というふうになります。これは手鋸の縦挽きと考え方は一緒です。

　さあ、これで目立ては完全に出来た。切れ味最高。上手くいった……といいたいところですが、そうはいかないのがチェーンソーの刃です。まだ大事なものが残っています。

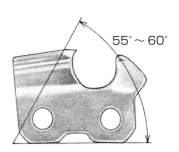

図 2-6　上刃切削角度

図 2-7　正しいヤスリの位置

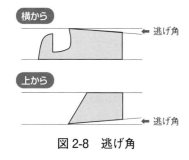

図2-8　逃げ角

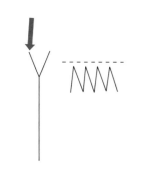

図2-9　手鋸のアサリ（イメージ）

■逃げ角（逃がし角）（図2-8）

　ソーチェーンのカッターは、刃先から後方へ行くにつれて、上刃では8°～9°、横刃では3°～4°とわずかに細くなっています。一目見れば誰でもそれに気が付くと思います。しかし、その目的となると知識が少々怪しくなるのではないでしょうか？　この角度を「逃げ角」あるいは「逃がし角」といいますが、どの部分の角度を指していて、何の目的で付けられているのでしょうか？

　図2-8を指していて、カッターの横からと上から見たものを描いてありますが、刃の先端からそれぞれガイドバーに対する平行線を引いた時、あるいは新品のカッターであれば同じ側のカッター2つに定規を当てた時、カッターの各面との間に出来る角度（図2-8の矢印）を「逃げ角」あるいは「逃がし角」といいます（以後、逃げ角という）。これで逃げ角とは、どこかわかったと思います。

　次はその目的についてですが、一般的にはどのように説明され、また理解されているのかそれから紹介します。それは、手鋸・丸鋸に付けられているアサリと類比する説明です。手鋸・丸鋸の「アサリ」とは、刃の先端（図2-9の矢印）を1つ置きに左右にわずかに鋸側面から外側に曲げて出したものをいいます。鋸幅と鋸道が同じでは当然摩擦抵抗が大きく、鋸が動かなくなります。したがって、それを防ぐ目的で付けられています。つまり、手鋸・丸鋸がこのアサリを必要とするのは、鋸幅が刃先から背、丸鋸であれば刃先から中心まで、同一幅の1枚の板だからです。もし、鋸の刃先が広く、背あるいは中心に向かって薄くなっているのであれば、アサリは不要になります。実際、手鋸では最近そうしたものがつくられています。

　このような手鋸・丸鋸のアサリとソーチェーンカッターの逃げ角を同じだと説明することは、つまり所逃げ角も摩擦抵抗を減らすためのものだということでしょう。確かにそれは、納得しやすい類比説明ですが、果たしてそれは本当なのでしょうか？　アサリのように抵抗を軽減するためならば、チェーン幅より左右のカッターを横に出してやれば事足りる訳で、わざわざ角度を付け後方に行くにつれ、内側へ逃がす必要はない筈です。アサリは横方向に付いているだけですが、ソーチェーンカッターの場合は横だけでなく、上刃にも付けてあります。

　逃げ角とは、アサリと同様であるとするならば、上刃についてはどのように理解したら良いのか、また説明できるのでしょうか？　ここまで述べれば誰しも変だと思われるでしょう。ソーチェーンカッターの逃げ角という角度は、手鋸・丸鋸との類比で到底説明できるものではありません。では一体、上刃・横刃に付けてあるこの角度は何のためなのでしょう。

　結論からいうと、その最大の目的は、カッターが木を削るために絶対に必要な角度だということです。確かにカッターは、後に行くにつれ内側に逃げている訳ですから、全体が木に当たらないために抵抗は少なくなりますが、これは副次的効果といえます（しかしこの発想は、相変わらず摩擦にこだわった発想）。

　今、カッターの横刃・上刃に逃げ角がなく、ガイドバーに平行に付けられ、それが平らな板に当てられているとします。するとそのカッターの上刃は板に平行に刃先から後端までピッタリ当たっている状態になっているでしょう。この状態は片側がまっ平らで反対側に角度がついている片刃の刃物、例えば手鉈を例に挙げると、そのまっ平らな方をまっ平らな板にピッタリ当てた時と同じです。板に

当てたその刃物を、そのまま前方へ押し出したら、果たして板は削れるでしょうか？　板は全く削れないでしょう。当然、前記のカッターも切れません。切れないから抵抗はないでしょうが、この板を削るには、刃物の背を板からわずかに離してやらなければなりません。

　削る厚さの加減は刃物の背と板との距離、つまり板と刃物との角度の加減で決まります。薄く削りたければ角度を小さく、厚く削りたければ角度を大きくする。このように板と刃物のなす角度こそが、ソーチェーンのカッターにも必要な角度なのです。これはカッターの上刃だけでなく横刃も全く同様です。またこの角度は、目立てをして刃長が短くなっても刃の幅が狭くなるだけで全く変わりません。したがってカッターは、常に木に対して同一の食い込み角度を保持していることになります（逃げ角＝食い込み角）。

ソーチェーンの種類

　ソーチェーンはカッターの横刃の形の違いによってほぼ３種類に分けられます。その違いと特徴を簡単に記しておきます。

■ノーマルタイプ（チッパー）（図2-10）

　チェーンソーが使用され始めた初期の頃、ほとんどのものに使用されていたカッターです。正面から見ると、丸いパイプの上面を平らに、側面をそのままに、すなわち、横刃が丸くなった形をしています。したがってヤスリが丸い訳ですから、非常に目立てをしやすい特徴を持っています。しかし、どのように目立てをしてもいまいち切れ味に難点があります。これは刃の形状からカッター最先端が丸みを帯び、切断していくコーナー部分の切断長が長くなり、抵抗が大きく食い込みが悪いためです。

図 2-10　ノーマル

■チゼルタイプ（図2-11）

　上記、ノーマルタイプの切れ味を改善する目的で作られたのがこのタイプです。正面から見た形状は、上面の平らな上刃と横刃が角型についています。これですと刃がしっかりついていれば、ノーマルタイプに比べ格段の切れ味を示します。最も切れ味の良いタイプではありますが、目立てをする時、非常に難しいタイプです。これは角があることから通常の目立て方法（ヤスリを水平に使用）では、必ずカッター最先端部が極端に出るフック状態となり、キックバックが起こり逆に切れにくくなります。とても一般的にはお勧め出来ません。

図 2-11　チゼル

■セミチゼルタイプ（マイクロチゼルとほとんど同一）（図2-12）

　目立てをしやすく（スタンダード）、切れ味はチゼルタイプほどではないが、ノーマルタイプより優れた形状としてスタンダードとチゼルタイプを掛け合わせたような形のカッター、セミチゼルというタイプが作られました。正面から見ると、上刃と横刃がチゼルのように角型をしていますが、その角を面取りしたような形

図 2-12　セミチゼル

状をしています。これですとカッター最先端部が飛び出すこともなく、研ぎやすいということになります。これが現在普通に使用されているカッターです。

マイクロの場合は、角の面取り部分が平面ではなく、丸味を付けてあります。

この他にも超硬（チップ）を付けたもの、上刃と横刃を外側から平ヤスリで目立てしていくタイプもありますが、上記3種類が代表的です。

デプスゲージ

図 2-13
デプスゲージジョインターを当て、デプスゲージの突起を調整する

ジョインターの種類に注意

デプスゲージジョインターには、デプスゲージの突起が入る溝がありますが、この幅が広いものと狭いものがあります。

セイフティーチェーンと称するものに、狭いものを当てるとデプスゲージが入って行かないため、常にデプスゲージが出ていないことになり、いくら目立てをしても切れる状態になりません。ジョインターの種類に注意が必要です。

また、最近0.65mmと表示されているジョインターでも、適正な深さが得られないものがあります。こうしたものを調べると、ジョインターの背が平らでなく、下に曲がった状態になっていて、カッターに当てた時、ジョインター先端が持ち上がった状態になるためだと解りました。これも注意が必要です。

図 2-13 に示してあるように、デプスゲージはカッターの前に突き出ている突起物です。この突起は、木を削る鉋の台に当たります。鉋は削る深さを調節する時、台を基準に刃を出し入れして行います。もちろん浅く削る場合いは、刃の出方を少なくします。少ないほど削る量は少なく、出る削りクズも小さくなります。したがってソーチェーンの場合には、能率良く切ることを目的にしていますので、図 2-1 のように一定の深さが要求されます。

鉋と違う点は、カッター先端の高さを基準に、ゲージを使用して突起の方を平ヤスリで研ぎ調整する点です。この深さ（デプス）は、チェーンの種類・大きさにより違いますが、普通0.6〜0.65mmのゲージが使用されます。深さが深くなりすぎると、食い込みは良くなりますが、そのために振動・ショックが大きく、動力部に過大な負荷が掛かり、能率も落ち、破損の原因にもなります。反対に浅くなるにしたがって、チェーン回転は上がりますが、滑るばかりで能率良く切ることが出来ません。この場合には回転ばかりが高くなるために、バーの磨耗・焼き付きを起こしやすくなります。また、フルスロットルで使用した場合、空回し状態となり、無負荷運転と同様になります。

浅いか、深いかの状態は、切断作業をする時に出てくる切り屑を見ればよくわかります。例えば、デプスゲージが浅い場合は、カッターがよく切れていても切り屑は細かく極端な場合、荒いヤスリで木を削ったような状態になります（この状態は、デプスゲージが適正でもカッターが切れなければやはり同じようになるので、よく調べる必要がある）。反対にデプスゲージが深い場合には、切り屑が大きなカケラ状のものになり、食い込みは非常に良くなりますが、良すぎてソーチェーンを木に当てた瞬間、木の方へチェーンソーが引き込まれます。エンジンチェーンソーの場合、出力を上げた状態でもエンジン音が重く、回転が上がりません。極端に深いとチェーンそのものが動かなくなります。この場合の調節は、カッターを研ぎ直し適正な深さに近づける必要があります。しかし、それでは刃長が相当短くなってしまいます。そこで、1つの方便として、デプスゲージが深い場合でもカッターが切れなければ、切り屑が粉のようになる訳ですから、通常の横刃目立て角より大きく、つまりバックスロープ気味にカッターを研ぎ、しばらくそれでしのぐのも一法です。

さあ、どうですか？　うまく研げたでしょうか？　切れ味はいかがでしょう？なんと…まだよく切れない……。

目立ての克服（対策）

カッターを研ぐに当たり、ヤスリが切れる状態のものであれば、誰が行っても刃は削れていきます。しかし問題なのは、取り敢えず削れさえすれば刃が切れるようになるかというと、そうではないことです。所定の個所を目的の角度を維持して、シャープに削らなければ切れるようにはなりません。ソーチェーンのカッターの場合、既に記したとおりヤスリを１回送り出すごとに３カ所を同時にクリアーしなければなりません。特に「上刃目立て角度」、「横刃目立て角度」はそうです。そこで、研ぎ上げたカッターの形状がダメな症状を挙げて、それを克服するにはいかにすれば良いかが上達の早道になりそうなので、その方向で進めます。

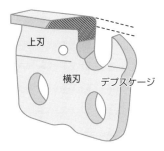

図 2-14　目立てする部分

症例１─カッター前部が弧状

図 2-15 に示したのは、カッターを真上から見た状態です。カッター前部が、弓のような弧状になっています。このようになるのを、ほとんどの人が経験していると思います。なぜなのでしょう。こうした状態になった場合、なぜ切れにくいのでしょう。

■切れにくい理由

それは、ヤスリを水平に送り出したつもりでも右利きの人の場合、身体から外側つまり、身体の側面から右側に力が入り左回りに回転するようになり、**図2-15** のカッターのように研がれてしまいます。したがって刃の後端と先端は、上刃切削角度が 60°でも、中心部は 60°を超して 65°、70°というふうになります。先端から後端まで同一角一直線であれば、スムーズに木が削れていくのですが、中心部が前方に膨らみ、切削角が一定しないデコボコ状態ですから切れ味は悪くなります。

こうした弧を描くヤスリの使い方は、横刃の形状にも大きな影響を与えます。それは、刃物を研ぐ時によくいわれる丸刃の状態になるからです。したがって、これもシャープな切れ味は望めません。

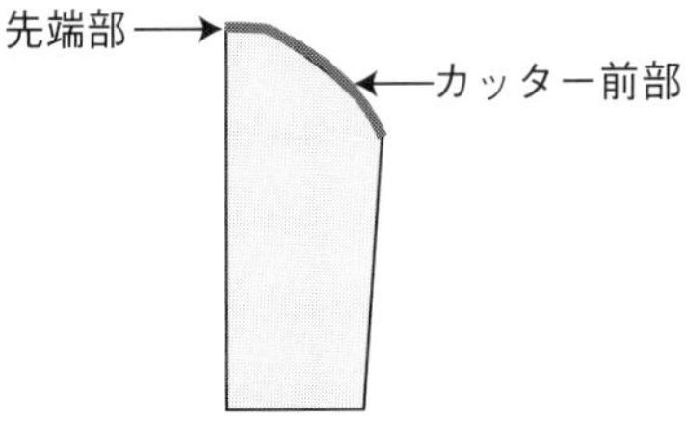

■刃が弧状になる理由

これは、ヤスリを持つ持ち方と、構える目立てのフォームに多くは原因があります。野球のバッティング、ピッチング、柔道、剣道、スキーその他諸々のスポーツにおいて、大変重要なのが基本的フォームです。それと同様にソーチェーンのカッターを研ぐにも基本フォームがあります。一般にヤスリを使用する方法は基本的に同じです。

よろしくないフォーム（ヤスリの握り）は、上方から見た時、手の甲が平らに

写真 2-5　目立ての実際
カッターにヤスリを密着させて目立てを行う（写真上）、刃先を研いだ状態（写真下）。右カッターの場合にはきちんと研がれていれば、刃先にバリ（返り）が出て、研いだ金属粉が付着している。左カッターの場合には、ヤスリの目（旋回方向）の違いから、削りバリは出ない

先端部 →
← カッター前部

図 2-15
カッター前部が弧状

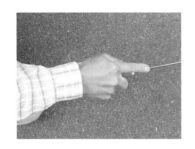

写真 2-6
よろしくないヤスリの握り

写真 2-7
脇が甘いフォームでは、ヤスリの動きは弧を描く

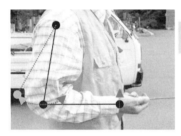

写真 2-8
肩、肘、手首の動きの関係

上を向いた状態になっています。その状態でヤスリを握っています。それ故、人差し指はヤスリの上側にあります（**写真 2-6**）。この形で手首と肘を一直線になるようにして、自分の方へ引き寄せた時、その人を後方から見ると、どのように見えるでしょうか。肩から肘に至る上腕が身体から離れ、脇の下がそっくり開いた姿になっていませんか（**写真 2-7**）？　このフォームでヤスリを押し出せば、当然ヤスリの動きは弧を描くことになります。それに力を加えるわけですからなおさらです。

　まだよく理解出来ない方は、手首、肘、肩を機械のジョイント、それに連結している腕を、クランクロッドのように考えてください（**写真 2-8**）。特に肩と肘を結んでいるロッド（腕）に大きなポイントがあります。肩が固定していれば、ロッドは一定の長さを持っていますから、ロッドを動かせば当然肘は円運動をすることになります。したがって、斜め横に開いた状態（脇が開いた状態）では、弧を描く運動に上・下動が加わります。ですから、弧状についた刃先では、刃先をヤスリがフィットしていると思っていても、前記症例 1 のところで説明しましたが、実際には上下動が加わるため完全にフィットしてはいません。これは一層悪い結果になります。

適正なフォームづくり

　それでは、適正なフォームとはどのようなフォームなのでしょうか。既に記したことの中に、その答えが入っています。すなわち後ろから見て脇の下が開いた状態が悪いのですから、自ずと脇を締めた状態をよしとするということになります。しかし、手の甲が上方から平らに見える状態のまま、スムーズに脇がしまるでしょうか。それなりに努力しないと出来ないのではないでしょうか。

　これも同じことですが、短い棒のようなものを右手（左手でも同じ）に、腕を伸ばした状態で、鉄棒の順手のように持ちそのまま身体に引き付けてみてください。脇を締めるのが大変難しいことがわかると思います。これは、肘と手首を結

注意!　　**勘・慣れではなく**

　フォームとしては、極めて悪いにもかかわらず、刃はよく研げるという方々がいます。大多数の人がこれかもしれません。どうしてよく研げるのか？　それは、数多く回数をこなすことから身に付けた方法、まさに勘所といったところでしょうか。前述した円運動、上下動を刃先に当たるヤスリの位置を正確に確認（刃先最先端から後端まで、出て来る「削りバリ」の発生状態）しながら、手首で（多少腕の上下も加わる）巧みに補正することによって可能にしているのです。

　結果としては、刃が切れれば良い訳ですから個人にとっては問題ありません。しかし、慣れてしまえば問題はないのかもしれませんが多分に神経を使います。そして、何よりも指導者に要求される「指導する」という段になった時、極めて説明が困難になります。指導する場合には、そうした「単なる勘・慣れ」ではいけません。また、いわゆるマニュアル風に数字を並べさえすれば、客観的ということでもありません。その原理を説明出来なければ指導にはなりません。

ぶ腕の構造からきています。ここが2本の骨によって構成されているため、手首を自由に回転させることが出来、またそれ故に右手ならば手首を左に回転させると、肘が外側に自然に出ていくのです。

ですから、手首を手の甲が真上に向いた状態から右に回転させていくと、ほぼ90°近辺から脇が締めやすくなるのがわかると思います。それを更に回転させて、手の甲が下を向いた状態が最も自然に脇が締まる位置です（**写真2-9**）。その状態でヤスリを握ってください（**写真2-10**）。

写真2-9
最も自然に脇が締まるのが手の甲が下を向いた状態

ヤスリの柄と握り方

ソーチェンカッターの目立て用丸ヤスリは、ビニール製の柄のような被覆の付いたものも市販されていますが、別に用意された柄に差し込んで使用するタイプのものがほとんどです。柄には木製のものから、プラスチック製のものまで様々なタイプがあります。しかし、どのタイプのものも掌の中に収まるものがありません。そのすべてが握った時、掌から大きくはみ出すものばかりです。この柄の作りは、ヤスリと腕が一直線になりにくい大きな原因になっています。

写真2-10
手の甲が下を向いた状態でヤスリを握る

後述する方法（親指・人差し指を柄の差し込み口より前へ出し、ヤスリそのものを直接押さえる方法）では、柄尻は掌の後ろへ出てしまいます。これでは柄を握り締めた時、ヤスリの向きが腕に対して右方向を向いてしまい（手の甲を下へ向けた時）、手首を出来る限り左に曲げても一直線にすることは困難です。

それでは、ヤスリと腕が一直線になるようにと、柄尻を掌の中心部（親指の付け根の下）に来るようにして握り締めると、ヤスリの差し込み部分が前へ長く突き出てしまいます。確かに、このようにすればヤスリと腕が一直線になりますが、親指、人差し指で押さえる部分が柄であるため、ヤスリのコントロールが難しくなります。それは、押さえる所が太いからコントロールしにくいということばかりでなく、カッターに当たるヤスリ部から遠くなるため、指の力加減がしにくくなるからです。つまり力を掛ける部分が、力の作用する部分に出来るだけ近い方が力のロスは少なくなるという力学の法則に反し、微妙なコントロールが出来なくなる原因となります。

写真2-11
ヤスリの柄が大きいと、ヤスリと腕が一直線になりにくい

このようなことからすると、ビニール製の柄を取り付けてあるヤスリの方がはるかに親切というものです。元々手道具は、その使用目的、使用する人の体型に合わせるべきものです。一律に同一サイズで対応させようとするのは、無理な話です。

したがって、個々人が自分の身体、この場合は掌の大きさに合わせて自分の道具として作るべきです。例えば、市販の木製のものであれば、柄尻を切って自分の掌に合わせるか、山に行った時、アオキ等の手頃な太さのものを取って来て加工しても良いでしょう。とにかく自分の手にフィットしないのでは始まりません。

① ヤスリは、自分自身の身体に合わせた柄に深く差し込みます。その深さは、出来るだけヤスリの刃との距離を縮めることと、ヤスリのテーパー部の曲がりを防ぐため、ヤスリの差し込みのテーパー部分がすべて入るくらいまで入れます。

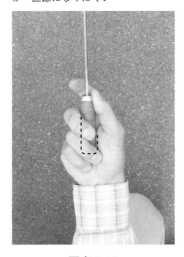

写真2-12
ヤスリの柄尻を切って自分の手に合わせる

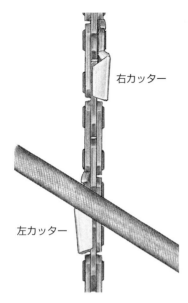

**図 2-16　左カッターとヤスリの
　　　　　関係**

右カッター

左カッター

② そうしたものを次は握ってください。手の甲が下を向いた状態であれば、右手の親指がヤスリの柄から前に出て、ヤスリの右横に位置します。人差し指は、親指より後方、柄の前縁部近くを握るようにします。人差し指を親指の後方へ持って来て、その位置でしっかり押さえる理由は、親指で力のコントロールをする時、ちょうど梃子の支点の役目をするからです（また人差し指は、前方に伸ばした方が握りやすいという人はそれでも結構ですが、支点の役目をする指が中指となり、親指から離れるため、親指に加える力を大きくしなければならないのと、親指の対面で支えるものがないので柄尻が掌の中心部から逃げやすくなります。柄尻が外側（向かって左側）へ逃げると腕とヤスリが一直線になりません）。

③ 中指は、柄全体が手の中にしっかり収まるように上から押さえます。

④ 薬指は、柄の後端に位置するため、中指同様手の中にしっかり収まるようにする働きと、柄尻が掌の中心位置から外れないように親指の付け根に向かって押し付ける役目をします。

⑤ 小指は、柄尻が逃げないように押さえている薬指を助けて、柄尻が逃げるのを防ぐ働きをします。

　このようにおのおのの指の役目、働きをよく理解して、ヤスリの正しい保持を訓練してください。それが出来るようになれば、後述する手首を左側に曲げやすくなります。ゆめゆめ、自分が普段物を握り締める方法が最も慣れているから、その方が良いなどと思わないでください。新しい方法には、それに対応する身体の使い方が要求されるのです。このようなヤスリの保持フォームを取ることは、正確なヤスリの送り出しが出来るというだけでなく、カッターにヤスリを押し付ける力の配分ということにおいても大きなメリットがあります。

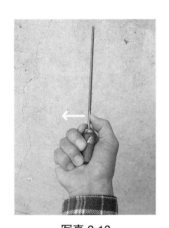

写真 2-13
左カッターを研ぐ時、右手親指はヤスリの柄から前に出て、ヤスリの右横に位置する

左カッターを研ぐ時

　エンジンから見て左側のカッターは、ヤスリの左側により大きな力を掛けて研いでいきます（**図 2-16**）。左側といっても上刃の傾斜に沿って左側ということです。これはチェーンソーを固定する状態によって、多少異なります（全くチェーンが水平か、バーノーズが上がった状態か）。したがって、手首の回転位置も多少違います。

　長い矢印と短い矢印で示す力の配分ですが、およそ８対２程度といわれています。しかし、研いでいる時、実際に計っている訳ではありませんので、そのような感じということです（**図 2-17 ❶**）。右手親指に力を入れ（**写真 2-13**）、**図 2-17 ❶**の長い矢印の方向にコントロールしていけば、ほぼ所定の研ぎが出来ます。

　また、**図 2-17 ❶**で示した真下に２、真横に８とする２：８の配分は、上刃の逃げ角が８°～９°と後方に下がっていることを前提にして、ヤスリを掛けて行けば必然的に刃前に行き着くということです。

　これで間違いなく研げますが、しかし、研ぐ回数が多くなります。そこで、より短時間に刃前に行き着くためには、❷の図のように、矢印の方向を左に回転させ、斜め右上方に長い矢印が向かうように力を掛けることです。そもそも上刃と

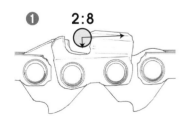

❶　2:8

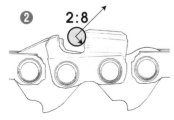

❷　2:8

**図 2-17　ヤスリに掛ける力の
　　　　　配分イメージ**

いうのは、上方にある訳ですから、右斜め上（右カッター）、左斜め上（左カッター）に力が掛かるように指先の位置を考えて行う必要があります。

　ただ、このような力の方向を取った場合、水平のままに研いでいると、上方にヤスリが外れやすくなります（研ぎ外し）。これを防ぐためには、手元を若干上げて、フックぎみに研ぎ、ある程度研げたところで徐々に水平に戻していくことです。研ぎ外しが起こるのは、大きな力を掛け過ぎるからです。刃前にヤスリを柔らかく当てることです。

右カッターを研ぐ時

　右カッターを研ぐ時、右利きの人は、極めて不得手の向きになります。左カッターの場合と力の方向が反対になり、大変研ぎにくいのです。したがって多くの人が刃を研ぎきれないため、切れないのはもとより、刃長も長くなってしまいます。プロと称する人達にも、これが非常に多く見られます。では前記のフォームで、どのように力をかけコントロールしたら良いのでしょう。

　それは、ヤスリを握っている人差し指の使い方にあります。左カッターの場合、人差し指は全く握った状態か、前方に伸ばした状態でしたが、右カッターでは人差し指を握った状態から若干中指の前へずらし、指先をヤスリに引っ掛けるようにします。この時、親指はしっかり指の腹で押さえつけるのではなく、関節を折り指先で押さえるような状態にします。そして、更に人差し指より指の幅半分あるいは1つ分程度後方へずらします。こうすると人差し指で、右方向に力をコントロールしやすくなります（写真2-14）。

　以上、左右カッターを研ぐ時のフォーム、指の使い方等を述べましたが、微妙なコントロールは腕で行わないことが重要です。なお、手首の使い方ですが、ヤスリの方向と腕とほぼ一直線になるように、手の甲を上下させるのではなく左側に曲げるようにして使用すれば、より研ぎやすくなるでしょう。ヤスリを握り、手首・腕を上から見れば理解できます。

　これで完璧に研げる……いや、まだ完全ではありません。

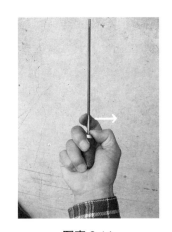

写真 2-14
右カッターを研ぐ時、右手人差し指の指先をヤスリに引っ掛けるようにする

まずは正確なフォームづくり

　ヤスリに角度を見るホルダーを付けたり、角度を見るプレートをガイドバーに取り付けて、角度を正確にしようとしている方々をよく見掛けますが、上刃目立て角さえ正確に付けることができれば切れ味が良くなる訳ではないので、正確なフォームづくりをしようと思うのであれば、害になっても益にはなりません。ホルダーについていえば、どこがどの程度研がれているか見にくいことと、ヤスリの同じ所ばかり使用することになります。ない方が削り加減がよくわかり、ヤスリも握りやすくなり

ます。また、ホルダー・プレートを使用すると、その方にばかり関心が向いて、まともなフォームを取れなくなります。

　正確な目立てを短時間で身に付けようと思うのであれば、シャープな切れ味を出したい気持ちはわかりますが、それより何より、正確なフォームを先につくり上げるべきです。それが出来なければ、いつまでも試行錯誤することになります。それは、無駄に時間を使うことに外なりません。

目立てのフォームと身体の動き

　肩から手までの全体フォームはこれで良いのですが、このままヤスリを押し出したらどうなるでしょうか？ 既に記したとおり、肩から肘までは一定の長さがあります。したがって腕を脇に付け腕だけを押し出したのでは、円運動することに変わりありません。

　ヤスリを押し出す時、同時に肩も前に移動させたらどうなるでしょう。肩・肘が同時に平行移動する動きになりませんか。各ジョイントが平行移動すれば円運動とはなりません。この時、上体の上・下動をさせないことです。ここでいう「肩も前に」というのは、肩だけ前に出すということではありません。これでは上体が回転してしまいます。そうではなく、斜めに構えた角度のままに、下半身、腰の平行移動をするということです。

　それと、これまで記してきた脇を締めるというのは、力を入れて身体に密着させるということではなく、腕が身体をこすりながら自由に動かせるという意味です。こうすることで腕の動きに対し、身体は定規の働きをします（腕が横ブレしにくくなる）。また、肘の部分が常に身体の真横にあり、その位置から前に押し出すということではありません。ヤスリを使用する時、腕を引き付けた状態とは肘が身体の後に拳1つ出る程度です。これは、個人差があります。肩の前方移動も10cm程度です。

写真 2-15
ヤスリを使用する時、「腕を引き付けた状態」とは肘が身体の後ろに拳1つ出る程度。この状態は、腕を折り曲げた時、肘の内側（横）に突き出た骨から、左手の拳の幅を手首に向かって取った位置が、身体の側線（身体の真横）に当たるようにする

■ヤスリの送り出し距離を身体で覚える

　この状態を自分の身体に覚え込ませるには、腕を折り曲げた時、肘の内側（横）に突き出た骨から、左手の「拳」の幅を手首に向かって取った位置（肘の内骨から8〜10cm）が、身体の側線（身体の真横）に当たるようにします（**写真2-15**）。これが腕を送り出す規定位置となります。この位置から7cm程度腕を前方に送り出します。この送り出し距離が腕によるヤスリの送り出し距離となります。また、この規定位置が身体の側線のどの辺りに当たる時、肘・手・ヤスリが一直線で水平になるか、自身で確認・訓練しておくことが大切です。これがヤスリを水平に送り出すための基礎となります。

　この訓練（水平送り出し）は、身体の側線（背筋を伸ばした時）と腕がほぼ直角の状態で行いますが、実際に目立てを行う場合には、身体全体を斜め右に向けた格好で行うので、慣れてきたらそのように身体をひねった状態で腕が身体のどの辺りに当たるか覚えておきます。こうした状態で送り出された腕に、その後について行くように肩を移動させて行きます。この肩の移動距離も、ほぼ腕の送り出し距離となります。これは、ヤスリの有効長が18cm程度でも、実際の使用範囲となると14〜15cm程度となるためです。つまりヤスリの送り出しは、腕＋肩の送り出し距離となります。これは、おのおの送り出し距離を最小限にとどめ、出来る限り上下のブレをなくし、水平の送り出しを確保したいからです。

写真 2-16
良い目立てのフォーム
前後に足を開き、安定した上半身（腰から上）を前後移動させる。右手を使用する場合は、上体を右斜めにひねり、左足を前へ、右足を後に、両足がほぼ同一線上に開いた形態となる。背筋をまっすぐ伸ばし、カッターを目視するのに無理なく前へ曲げた姿勢を常に保つ

目立てのフォーム

写真 2-17　良いフォーム
背筋をまっすぐ伸ばし、カッターを目視するのに首を無理なく前へ曲げた姿勢。安定した上体が平行移動出来るフォーム。前後に開いた足を結ぶ直線が、ガイドバーの一定の所へ来たカッターの上刃目立て角と一致させる

写真 2-18　悪いフォーム
目立て角度ばかりに気を取られ、手・腕・肘・脇・肩・腰の移動等総じてベストフォームが崩れ、各部がバラバラになっている

写真 2-19　良いフォーム
ヤスリ・手・腕・肘が水平で一直線になる姿勢

写真 2-20　悪いフォーム
手首が折れ、手からヤスリへまっすぐな動きが伝えにくい

■前後に足を開き、腰から上を前方に無理なく平行移動できる姿勢をつくる

　ヤスリの握り方・手の向き・腕と側線との関係・腕の送り出し・肩の送り出し等々、それをそのまま実行するとどうなるでしょう。おそらく、刃先が弧状になるか、ヤスリが上下動してカッターのエッジがスムーズに研げないのではないでしょうか？　それはどこに問題があるのかというと、腕からヤスリにかけて問題がないとすれば、肩の動きにあります。

　これまで述べてきた動きは身体の上部、つまり肩からヤスリまでに着目したものです。したがって、肩のみを前方移動させようとすると、背骨を軸に左回転（右利き）しヤスリが弧を描くと共に身体の上部が前屈み状態になり上下動するようになります。では肩が回転したり、上下動させないようにするにはどのようにすべきでしょうか？　結論からいうと、腰の前方への平行移動により、腰から上部が余計な動きをしないでそのまま移動していく状態を作れば良いということになります。つまり、腕の送り出しにつれて、腰を上体の台として、腕について行くように腰を平行移動させることです。

　いわゆる、腰で研ぐという言い方をされますが、それとは異なります。腰で研ごうとすると、腰の移動する力で腕を押し出す形になるので微妙な動きが出来にくくなります。前述のとおりあくまで腰の移動は、腕の動きに後からついて行く動きでなくてはなりません。

　このような腰の、あるいは腰から上を前方に無理なく平行移動できる下半身の形態は、どのようにすべきでしょうか。それは、両足を左右に開き正面を向く格好では、到底スムーズな前方移動は出来ません。安定した上半身（腰から上）の前後移動を可能にする方法は、前後に足を開いた時です。右手を使用する場合は、上体を右斜めにひねり、左足を前へ右足を後に、両足がほぼ同一線上に開いた形態です。この前後に開いた足を結ぶ直線（実線を引くとわかりやすい。**写真 2-17** の

足元の線参照）が、ガイドバーの一定の所へ来たカッターの上刃目立て角と一致するようにしておけば、その角度がどのカッターもほぼ一定します。

　背筋をまっすぐ伸ばし、カッターを目視するのに首を無理なく前へ曲げた姿勢を常に保ち、安定した上体で平行移動出来るフォームが正しい目立てを保証します。こうしたフォームを無意識のうちに出来るように訓練することです。この姿勢を保つには、言うは易しですが、現実にはほとんどの人が出来ません。それは、カッターを前から見ようと無意識に首を右に傾けてしまうからです（右利き）。そうすると背骨が反射的にそれにつられて右に曲がり、目立ての土台になるべき上体が土台とならなくなります（右肩が下がる）。

　この現象は、頸椎反射といって誰でも起こります。生理的現象です。ならば、自分の責任ではない…ではありません。であるならば、それを逆に利用するのが技術です。つまり、首を軽く左に意識的に傾けるようにすると良いのです。すると、背骨はまっすぐになり、左右の肩は水平になります。

　重ねて述べたいのは次の事です。切れ味を出したい一心で、目立て角度ばかりに気を取られ、手・腕・肘・脇・肩・腰の移動等、総じてベストフォームが崩れ、各部がバラバラになってしまう方々をよく見ますが、これでは何度研修しても無意味です。切れ味を出すのは、この際取り敢えずおいておく、ぐらいの気持ちで、しっかりしたフォームを先に身に付けてしまうことを勧めます。正しいフォームをとにかく自分の身体に覚えさせることです。練習次第で身体がスムーズに動くようになります。

■目立てのフォームの再確認

　さて、以上のフォームがほぼ取れることを前提として、実際に水平な架台に設置されたチェーンソーのカッターにヤスリを当ててみましょう。まず適正な上刃目立て角度が取れるように、両足を前後に開き、右向きに斜めの姿勢を取り、カッターにヤスリを当て、ヤスリが水平であることを確かめて、ヤスリと手・腕・肘が一直線になるように、腰の高さを両足の開き加減と膝の屈伸により調節し、高さを固定して研ぎ始めます。どうでしょう、適正に研げますか？　まだヤスリが上下動しますか？　まだヤスリが上下動（手元の上がり下がり）しているようでしたら、その原因は腰が安定した平行移動が出来ていないか、肘・腕・ヤスリが水平で一直線になっていないからです。腰の上下動の原因の多くは、腰でヤスリを押し出す形になっているからです。つまり前に出した足で踏み込むような形になっているのです。

　また、肘・腕・ヤスリが水平で一直線になりにくいのは、前記したカッターにヤスリを当ててから体勢を整えようとするからです。前記した方法でも可能な方もいますが、ほとんどの人がヤスリの水平にこだわってしまうため、身体と腕の水平を出す関係が抜け落ちてしまうようです。したがって、前記したヤスリを当ててからではなく、ヤスリ・手・腕・肘が水平で一直線になるフォームをつくってから腰を落として、ヤスリが当たる位置を調節することが、せっかく適正につくったフォームを崩さない第一歩であるといえます。

　架台に向かって腰を落として調節する理由は、両足を前後に開いただけで棒立ち状態では膝の屈伸を利用出来ないために、自然な腰の平行移動がしにくいことと、カッターの状態（フック・バックスロープの修正）に対応した腰の高さの調節

が出来にくくなるからです。これは、手元の上げ下げを手首を曲げることで行うのではなく、腰の高さを変え肘関節の曲げで行い、常にヤスリ・腕・肘を一直線に保ちたいからです。

　目立ての練習は、なにがなんでもカッターをヤスリで削りまくることではありません。棒のようなものがあれば、いつでもどこでも適正フォーム、身体の動かし方の練習は可能です。日常的な心掛けと、工夫が上達の早道です。

　ところで、ここでは適正な高さの架台を使用していますが、しっかりしたフォームが身に付いていれば膝を地面に着けた低い姿勢でも原理は全く同じですから不便なく研ぐことが出来ます。逆の言い方をすると、適正な架台を使用しても適正なフォームも取れず、まともな目立てが出来ない者が、それ以外の所で目立てをしてもまともになろうはずはありません。

症例２──カッターの刃先が凹んだもの

　症例１の場合とは全く逆で、刃先が窪んだ状態のものです。この状態に研がれたカッターも、切れ味としては良くありません。通常よく出会うのは、症例１の刃先が弧状になるものですが、その逆となるとまっすぐなヤスリでどうしてそうなるのか不思議な感じがします。しかし、実際にそういうものがあるのですから、その原因を考えてみましょう。

■原因─ヤスリに力が加わりすぎている

　これは色々試してみると、手元が下がって上向きに研いだとか、手元が上がって下向きに研いだからといった、研ぐ向きによるものではなさそうです。なぜなら、ほとんど水平にヤスリが当てられて研がれたもので起こっているからです。それも、新品でよく切れるヤスリで、カッターのエッジ部分にそれがよくフィットしているもの程、この症状が顕著です。

　どうやら、ヤスリはまっすぐであるから、その状態のまま常にカッターに当たっているという先入観を捨てて考える必要がありそうです。つまり、ただ握っただけであれば、まっすぐでいますが、カッターに当てて力を加えると、その力加減によってはまっすぐの状態を保っていないということです。当然といえば当然なのですが、一定以上の力が加わればヤスリも弓なりになります。

　特にカッターの場合、横刃が支点の役目をするため、それから手元側が湾曲します。それは、ちょうど舟形の鉋で板の縁を削るのに似ています。したがって、目立てを行う場合、切れるヤスリを使用する限り、不必要な力を加えるべきでないということの証明であり、練習の時、常にこの力加減はどの程度が良いか、関心を払いながら行うべきでしょう。

　この力加減について、筆者が行っていることを述べると、バックスロープの修正で短時間に手元を上げて研ぎ込む時は、ヤスリ中央部で 400 ～ 430g 程度、ある程度形が出来上がってきて水平に戻した時が 250 ～ 300g、そしてエッジをきれいに軽く研ぐ時が 100 ～ 150g です。砥石の荒砥・中砥・上砥です。

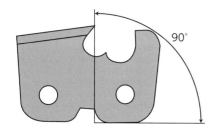

図2-18　症例3—フック

写真 2-21

フックの原因は、ヤスリを持っている手元が水平よりも上方にあるため

症例３—フック

　図2-18に示すような刃を時々見かけますが、これをフックといいます。カッターがこの形になると、食い込みは非常に良くなります（上刃がよく研げている場合）。しかし、ショックが大きく、エンジン等の負担も大変大きくなります。したがって機械破損の原因にもなります。デプスゲージが深すぎる時に似ています。出力の大きいエンジンの場合には、引っ掛けた刃を無理矢理引き抜くことから、時として刃の折損を起こします。

　この状態の刃がどうして出来るのかといいますと、適正なフォームを取っていても手元すなわち、ヤスリを持っている手が水平よりも上方にあるからです。上方から下方に向けて研いでいる訳です。ちょうど下方により大きな力をかけて、研いでいるのと同じです。下方に向けて研ぎ、なおかつ力を下に向けているということになればよりひどい結果になります。

■フックの修正

　あまり極端なものでなければ、正しいフォームで手元を水平より下げて上向きに数回研いでから、横刃の状態を確認して水平に戻し研げば直ります。ただ、手元を下げすぎてチェーン部を削らないように気をつけてください。極端なものの修正は、後述する石等を切って傷めた刃の修正の項（54頁）で記します。

症例４—バックスロープ

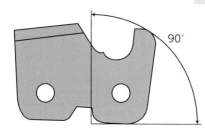

図2-19　症例4—バックスロープ

写真 2-22

バックスロープの原因は、ヤスリを持っている手元が水平より下方にあるため

　図2-19のような刃もよく見かけます。これをバックスロープといいます。フックの状態より多いのではないかと思います。これは、適正に研いでいても起こしやすい症状です。それはなぜかというと、図2-1（36頁参照）を見ればわかるとおり、刃先から後方に向かって傾斜している関係から、刃が後方に行っても同一の太さのヤスリを使用しているとこうなります。カッターの底部、すなわち丸ヤスリの下側が最初から同一の高さであれば、丸ヤスリの上方が上刃の上により多く出るようになるからです。適正な研ぎ方をしていれば、新しい刃の時には起こりにくい症状です。

　さて、問題なのは新しい刃でも起こる原因です。それは、症例3の時と全く反対の研ぎ方、すなわち手元を水平より下げて研いでいる時です。数回それを行えば確実に起きます。

■バックスロープの修正

　では、その修正はどうかというとフック状態の刃を直す時、バックスロープになる研ぎ方で直した訳ですから、バックスロープの刃はその反対にすれば直ると考えられませんか。まさにそのとおりで、この場合手元を水平より上方に上げて、下方に向かって研いでください。その際、症例3でもそうでしたが、刃の状態（特

に横刃）をよく確認しながら行い、80°〜85°近辺だと思ったら水平に戻して研いでください。手元を上げてといわれても、どの程度上げるのかおよそ見当がつかないと思います。したがって、2〜3㎝上げた程度で恐る恐る研いでいるのが実情でしょう。もちろん2〜3㎝で良い場合もありますが、バックスロープが90°、あるいはそれを超えるものは、それでは簡単に直りません。どうでしょう、この際思い切って20〜25㎝程度上げて、2〜3回研ぎ下げて見ては？　その時、横刃がどのように変化するのか見極めるのも勉強です。いつまでも恐る恐るでは上達しません。物事には、極端と思われることをやってみることで、解ってくることもあります。

　カッターが半分程度になったら、ヤスリ径の小さいものを使用する方が望ましいですが、持ち合わせがない場合、最初から使用しているこれまでどおりの径のものでも、このような方法により下に向かって研ぎ込むことで、横刃の目立て角を適正にすることが出来ます。

横刃の目立て角度とはどこか？

　横刃の目立て角を90°とか記されていますが、その角度はリンク底部＝ガイドバーに接触する部位（この場合ガイドレールを基準でも良い）を基準として、90°とか80°ということは理解出来ても、丸い棒状のもので、なおかつ斜めに研ぐ訳ですから、その断面は楕円形になっている筈なのに、なぜ90°、80°といえるのか何とも妙な話です。厳密にいえば、研がれたカッターはヤスリの円周形状と一致しているのですから、90°とか80°ということはあり得ません。

　しかし、それを敢えてそう表現出来るのは、円周を細かく分けていくと、ある部分を直線とみなせるということです。つまり近似的表現になる訳です。近似的直線は、別の表現をすると円の接線にほぼ一致します。したがって、90°、80°という角度は、円あるいは楕円のある部分における接線の傾きであるということになります。

　では、次に問題となるのは、ある部分とはどの部分かということです。それは、図2-20の❶丸ヤスリで研がれた最低部から刃先にかけてでも、❷横方向の最深部（底部と刃先の中間）から刃先にかけてでもありません。それは、❸上刃を構成している金属の厚さ部分が、ほぼ角度を見るべき部分です。更に厳密にいうと、デプスゲージの深さ、1㎜にも満たない範囲ということになりますが、1㎜程度の幅の接線の傾きと考えて大過ありません。

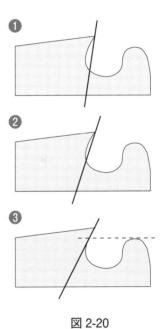

図 2-20

横刃の目立角度とは、③の上刃を構成している金属の厚さ部分の角度

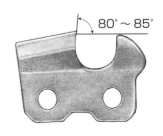

図 2-21　横刃目立て角度

■カッターの種類による横刃目立て角適正値の違い

　横刃の角度について述べましたので、チッパー（ノーマル）・チゼル・セミチゼル（マイクロチゼル）等、種類によって、角度の適正値がなぜ違うのか記しておきます。前記3〜4種類の適正値を大ざっぱに記すとチッパーが85°〜90°、チゼルが75°〜80°（60°〜70°という指定もある）、セミチゼル（マイクロチゼル）が80°〜85°となります。こうした違いが出るのは、既にこれらの形状につい

て述べたとおり、横刃と上刃の接点の作りの違いからきています。

　木を切る・削る刃物は、その切削角度が50°～60°の範囲にある時が安定して過不足のない切れ味を示します。チェーンソーカッターも全く同じです。横刃の切削角は、上刃目立て角度を30°～35°に取れば60°～55°となり、上刃切削角もヤスリの背中が20％程度上刃より出る状態で研げば60°～55°の角度に設定出来ます。つまり、この上刃切削角を良好な状態である60°～55°に設定すると必然的に上記の違いになって現れるのです。これを逆にいうと、横刃目立て角をそのような角度に取らないと、上刃切削角を適正値に出来ないということです。

　横刃と上刃の角が丸く出来ているチッパーでは、丸い物（ヤスリ）で研いでも90°の角度を取れますが、チゼルのように直角に出来ているものを丸い物で研げば、角の部分が尖って突き出た形になるのは当然です。さりとて、フック状になることを嫌って横刃角度を大きくすると、上刃切削角が大きくなり、上刃の切れ味が悪く用をなしません。それ故、カッターの種類のところで述べてあるようにチッパー、チゼルの長所を生かし、欠点を抑える目的でセミチゼル（マイクロチゼル）のようなカッターがつくられたのです。しかし、それでも上刃・横刃を独立して見る時、完全にその機能を満たしているとはいえません。同一の物の中に機能の違うものを組み込み両立させようというのですから、どこかで妥協しなければならないようです。

極端なフック、石・金物等切った時の修正

　あまりにも極端なフック状態になっていたり、石等を誤って切ったりした時は、通常使用している丸ヤスリではなかなか元の状態に戻すことが大変です。そこで、短時間に修正する方法として、オーバーサイズのヤスリ、例えば4.8mmを使用している場合には5.5mmのヤスリを使用します。普通に目立てを行う方法でほぼ元の形になるまで研ぎ、その後、通常使用するヤスリに戻して研ぎ直します。

　ただし、この場合はサイズの大きいヤスリを使用するため、当然削り込む幅（横刃の上下の開き）が広く、次に通常のヤスリを当てた時に完全にフィットしません。したがってヤスリの当たりやすい所をそのまま研ぐと、またフックの状態に戻ってしまうという欠点があります。慎重に上刃からヤスリの背が、どの程度出るか確かめながら研いでください。

　もう1つの方法としては平ヤスリを使用する方法です。デプスゲージを研ぐ平ヤスリで十分です。デプスゲージを研ぐ平ヤスリは、幅の薄い方の一方がヤスリ加工され、もう一方が何ら加工されていません。この加工されていない方を下に、上刃目立て角度をしっかり決め、更に上刃切削角度を後で出しやすいように平ヤスリを傾けて研ぎます。

　フック状態の刃の損傷がほぼなくなったところで、通常の丸ヤスリに替え正規の目立てをしてください。欠点として横刃に多少削り込む跡が付きますが、これは丸ヤスリで研ぎ直す過程で次第に消えていきます。石等で損傷し重傷の場合、

平ヤスリで削った時にバックスロープ状になることがあります。この時は前述したバックスロープの修正方法（52頁参照）を行ってください。

研ぐ人の注意点

　チェーンソーを研ぎやすい高さと安定した場所に設置し、カッターを押さえ（この時、バーの下側にチェーンを引っ張って薄いクサビを入れ、チェーンを引っ張った状態でも、カッターの固定がしやすくなる）、いざ研ぎ始める訳ですが、果たしてヤスリがカッターに対して水平に当たっているのや否や、水平であると思っていてもそうでないのが常です。これが後で問題を起こす元です。

　ではなぜ自分では水平のつもり、水平であると思えるのでしょう。これは目の位置・カッター・手首あるいは腕の位置の位置関係から来る錯覚によるものです。目は普通上から下を見下ろす位置にあります。したがって目と手元の距離の違い、すなわちカッターは遠い所に、手元は近いところにあるため、近い所の手元が上がって見えてしまう訳です。

　こうしたことから、これを補正しようと無意識に手元を下げてしまいます。これがほとんどの人で起こります（これはバックスロープになりやすい）。この反対の場合は、それを気にしすぎてむしろ手元を上げすぎるか、研ぐヤスリは水平であってもチェーンソーの方が自らの方へ傾いている場合です。これは自分がヤスリ掛けをしている姿勢を人に見てもらって正確な位置を覚えるか、1度ヤスリを掛けた状態のままで、自分の目線を横に持っていって、確かめるのも良いでしょう。客観的に見て、自分自身の感覚を身に付けてください。

デプスゲージの修正

　デプスゲージのところで説明したとおり、これは大変重要な働きをしています。新品のチェーンソー、あるいは新品のチェーンに交換した時「ソーチェーンが最も切れ味の良い状態」だと通常思われていますが、決してそうではありません。1度正確に目立て用ヤスリを使用し、研いで初めてその本当の切れ味が出ます。

　また、刃もそうですが新品だからといってデプスゲージもすべて同じに揃っているとは限りません。デプスゲージもその時同時に調べておく必要があります。デプスゲージを計るゲージは、**写真2-23**のように使用します。写真のようにゲージをカッターにのせて、デプスゲージの突端が出ているかどうか調べる訳ですが、ゲージの真横から見て大きく出ている場合は確認しやすいですが、わずかの場合は目の位置のズレや、ゲージの溝等で見えにくいものです。肉眼では当てになりません。

　この時、デプスゲージを研ぐ平ヤスリを上手に利用してください。平ヤスリのヤスリ加工をしていない側面をゲージに平らに当て、ゲージの前のほうからデプ

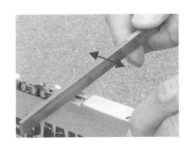

写真 2-23
平ヤスリのヤスリ加工していない側面をゲージ上で滑らせて、デプスゲージの突端の出方を調べる

スゲージに向かって滑らせます。そうすると、わずかでもデプスゲージが出ていれば、平ヤスリと接触しますのですぐにわかります。研いだ後、確かめるのにも使えます。1つ1つ丁寧に見ておけば確実です。

デプスゲージを調整するのに1つずつジョインターを使用して削らなくても、どれも同じ回数を平ヤスリで削れば良いという方もいます。それ以前に、全く揃えてあれば、大方それでも何とかなるでしょうが、同1回数研ぐ以前に全く揃えられていなければ、それでは成り立ちません。同じ力加減で果たして研げるのか。また、刃長が揃っていない場合は、さらに右カッター、左カッターの場合はどうかという問題が出てきます。ここはひとつ、ジョインターを使用して、1つ1つ確実に行った方が無難です。

ヤスリの握り方と力の掛け方

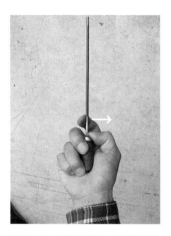

右カッターを研ぐ時、右手人差し指の指先をヤスリに引っ掛けるようにする

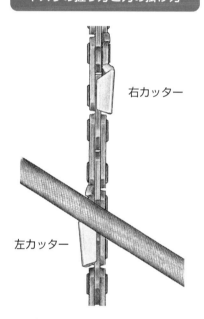

右カッター

左カッター

左カッターとヤスリの関係

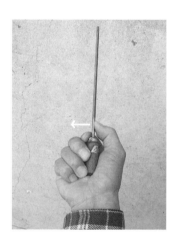

左カッターを研ぐ時、右手親指はヤスリの柄から前に出て、ヤスリの右横に位置する

注意！ カッターの保護、デプスゲージの角の面取り

● デプスゲージを研ぐ時、せっかく研いだカッターを平ヤスリで不用意に傷つけてしまう恐れがあります。これを防ぐために手袋をした指先で、刃先に平ヤスリが当たらないように保護するか、木の枝等で保護して行ってください。

● 次に1つのデプスゲージが研ぎ上がったのをよく見てください。チェーンの進行方向のデプスゲージの端

が角張っていると思います。このままチェーンソーを使用しますと、ガタガタと振動しやすく、またキックバックを起こしやすくなります。ですから、その角を平ヤスリで丸みを付けてください。丸みが付けにくい人は、角の面取りをするように斜めに削り落としてください。これでも十分通用します（37頁・図2-2参照）。

3

伐木の訓練

基本姿勢と訓練の方法

基礎訓練の考え方

チェーンソーワークとは、チェーンソー使用時の基本的フォームに始まり、チェーンソーの特性を理解し、伐木・造材等における様々な使用において、安全に効率良く取り扱う方法（表刃、裏刃、反転した表刃の使用、様々な地形に対応する安定した支持、アクセルコントロール、負荷に対応するエンジン出力コントロール）全般にわたります。また、これらの訓練は、伐木造材の訓練を兼ねて行うことでより実践的なものとなります。

研修指導に赴いた折、筆者がよく質問されるのは、何本くらい立木を切ったら上手くなるのか？というものです。

切り倒した本数による上手下手の基準などもちろんないので、それに厳密に答えようはありませんが、ただ「100本切ったら上手くなる者もいるし、1,000本、1万本切っても下手は下手という者もいる」というように答えています。ここでいう「上手・下手」とは、「慣れている・慣れていない」という意味ではありません。ただ、木を切り倒すということに慣れるということであれば、数多く切り倒す方が良いことは確かです。しかし、この慣れということも重要事項には違いありませんが、それはあくまでもしっかりした理論・技術をマスターし、技能に磨きを掛けた慣れであるべきです。見様見真似で覚え、出たとこ勝負の作業にただ慣れたのでは悪い癖が身に付くと共に、リスクに対する慣れ（リスクに対して鈍感）も同様に身に付けやすくなり大変危険です。これは、やがて事故を呼び込む元にもなりかねません。

したがって、ここでは基礎訓練が主目的なので、条件が様々な立木を対象としたものではなく同一条件（必要に応じて変えられる）で、再現性のある方法を用います。この訓練法には、丸太の長さ1m～1.5m程度、太さが10cm～25cm程度のものを用意し、利用します。「なんだこれは、丸太切りか」と思われがちですが、工夫次第でチェーンソーワーク、伐木造材（玉切り）訓練のほとんどが可能になります。もちろんこの訓練では、立木が実際に倒れる時の臨場感、危険性、緊張感等の体験は得られませんが、その代わり、立木の伐採でミスをした時のようなリスクはありません。またこの方法は、ミスや癖を繰り返し修正することが可能です。こうした訓練を行った上で実際に立木を対象とした作業を行い、その時の問題点を、この訓練にフィードバックさせるという繰り返しが上達を早めます。

写真 3-1
実際に立木を対象とした作業を行い、問題点をトレーニングにフィードバックさせる繰り返しが上達を早める

姿勢とチェーンソー操作の問題点

　チェーンソー研修の時に、チェーンソー操作の基本姿勢の確認を行います。自前のチェーンソーの場合、その切れ味の良し悪しは置くとしても、受講する参加者は全員切ることは出来ます。これはチェーンソーを使用したことがある者ならば、当然といえば当然です。しかし問題は、切れた切れないではなく、チェーンソーを使用する時の姿勢、チェーンソー操作です。それは、およそ次のような問題点が挙げられます。

① チェーンソーを身体から出来るだけ離し（危険意識から）、腕のみで支える姿勢となっている。
② ほとんど身体の正面で使用（両足が前後だけでなく左右に開く者もいる）。後部ハンドルが腹の位置にある。
③ 上体を前屈みにしてバーの真上から覗き込む。
④ 切り込む前からエンジンをフル回転させ、切り込みを開始する。
⑤ 切り終わる直前、切り終わりの後も、エンジンをフル回転させている。
⑥ 1度切り終わった後、別の所を切る場合、その間エンジンをフル回転させたまま移る。
　以上、整理すると6項目程度になります。

　①、②、③は、チェーンソーは木に当てれば切れる式のもので、全くチェーンソーの構造的問題に対する無理解、恐怖心が入り交じった安全面に対する誤解、欠如ということになります。
　④、⑤、⑥は、エンジンコントロール、アクセルコントロールの訓練不足、無理解、そしてチェーンソーは機械であると同時に「刃物である」という認識欠如に起因します。

チェーンソーワークに適した服装・装備

チェーンソーワークの安全の第一歩は服装からです。作業しやすい服装を身に着けましょう。基本は次のとおりです。

- ヘルメット・イヤマフ・バイザーは、頭部の保護、騒音の軽減、飛散する木片や跳ねた枝などから顔や目を保護するための装備です。ヘルメットは、「保護帽の規格」に適合したものとします。
- 上衣は、刃物や危険な動植物などから皮膚を守るため、身体に合った長袖とします。引っかかりを防止するため、袖締まりの良いものにしてください。
- 手袋は、防振・防寒に役立ち、すべりにくい操作性の良いものを使用してください。
- チェーンソーパンツ（チャップス）は、前面にソーチェーンによる損傷を防ぐ保護部材が入ったズボンです（チャップスは前掛け）。日本産業規格（JIS）T8125 -2等の安全規格に適合するもの（または同等以上の性能を有するもの）を着用します。すでに刃が当たって繊維が引き出されたものなど、保護性能が低下しているものを使用してはいけません（＊）。
- チェーンソーブーツ（安全靴等）は、つま先、足の甲部、足首及び下腿の前側半分に、ソーチェーンによる損傷を防ぐ保護部材が入っている（JIS等の安全基準に適合するもの、または同等以上の性能を有する）ものを着用します。

□ヘルメット
□イヤマフ破損していないか
□バイザー網は破れていないか

□上衣
袖締まりが良いか

□手袋
防振・防寒に役立つ操作性の良いものか

□チェーンソーパンツ（チャップス）
破れ等がなく適切に管理されているか

□チェーンソーブーツ等
つま先、足の甲部、足首及び下腿の前側半分に、ソーチェーンによる損傷を防ぐ保護部材が入っているか、同等以上の性能があるか

写真 3-2　チェーンソーワークに適した服装・装備

＊「チェーンソーによる伐木等作業の安全に関するガイドライン」（厚生労働省／改正令和2年1月31日）で、チェーンソーによる伐木作業等を行う者に対して、下肢の切創防止用保護衣の着用が義務づけられました。

チェーンソーから身を守る

　森林で作業を行う林業のプロの災害を調査したデータがあります。2016年、チェーンソーを起因物とする死傷者数の傷病部位別では、下肢の死傷災害が70％と多くなっています（厚生労働省資料）。下肢の事故が多いのは、チェーンソー、鎌、鉈などの手持ち道具の使用が多いためと、滑ったり転倒した時に刃物などで怪我をすることが多いためです。

　チェーンソーでは丸太を切り離した後にそのまま勢いでチェーンソーが下肢に触れる危険があります（特に左足）。注意して作業を進めましょう。

　身体を守るために各種・器具器材も重要ではありますが、正しいチェーンソーワークを身に付けることが大前提です。

イヤマフ装着時の注意点

　イヤマフは、騒音を軽減し難聴を防ぐという目的ですが、同時に周囲の人の声、チェーンソー、伐倒木の発する「ミシ、ミシ、ピリッ」といったツルの切れる音、木の引きちぎれる音等、その他の異常音が聞き取りにくくなることもあります。安全上、大きな問題になりますので、注意が必要です。

チェーンブレーキの作動・解除の方法

図 3-1　チェーンブレーキの作動
前ハンドルを持ったまま、左手の甲でレバーを倒し、チェーンブレーキをかける

チェーンブレーキは、ソーチェーンの回転を止める（回転させないようにする）安全機構です。ハンドガード（ブレーキレバー／17、18頁・写真1-1、図1-3参照）を操作することで作動させることができます。ブレーキレバーの操作に連動して、遠心クラッチドラムに摩擦ブレーキが作動し、チェーンを止める機構になっています。

チェーンブレーキは、できる限り前ハンドルを持つ左手で操作します。作動させるには左手の手首を内側に捻るように動かし、手の甲を押し当ててレバーを倒します（図3-1）。解除時は左手親指を前ハンドルにかけたまま手を開き、他の指でレバーを引き戻します（図3-2）。このようにすることで、常に両手でチェーンソーを支えた状態を維持することができます（＊）。

チェーンブレーキとキックバック

図 3-2　チェーンブレーキの解除
前ハンドルを持ったまま、左手を開いてレバーを引き、チェーンブレーキを解除する

チェーンブレーキが作動する（作動してほしい）場面は、チェーンソーがキックバックを起こした場面です。

キックバックとは、その名称の示すとおり、チェーンソーが上方へ跳ね上がってくる現象です。キックバックは、ガイドバー先端上部1/4の部分が最初に木に触れると起こります。よく切れるチェーンソーほど激しく跳ねます。

この現象はソーチェーンのカッターが木に食い込むことによって止められるため、チェーンの回転力を逃がす方向、つまりチェーンの回転方向と逆の方向へガイドバーを動かすために起こる現象です。したがって回転を上げているほど大きく跳ね上がり、場合によっては人身事故を起こすことがあります。

このキックバックが起きた時に、前ハンドルを握る左手でハンドガードが押し出されると、チェーンブレーキが作動し、チェーンを止めてくれます。

キックバック危険ゾーン

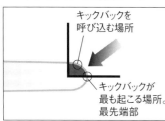

キックバックを呼び込む場所

キックバックが最も起こる場所。最先端部

図 3-3

写真 3-3

チェーンブレーキとエンジンの始動

チェーンソーメーカーの取扱説明書には、チェーンブレーキを作動させエンジンの始動を行うことと記されています。これは危険なエンジン始動方法である、「落とし掛け」を常用する人達がいるため、ＰＬ法との関係でメーカーとしては記さざるを得ないものと推察します（次頁コラム参照）。

チェーンブレーキの使用を殊更述べるのは、始動の際にチョークを引いた時、自動的にハーフスロットルになる構造だからです。チェーンブレーキをかけなければ、エンジンが始動すると同時に、チェーンが高速で回転します。危険な始動法・落とし掛けの場合には、大変危険な状況になります。

ただし、チェーンが高速で回った場合でも、しっかりホールドした状態のままアクセルトリガーを引けば、ハーフ状態が解除されます。

大事なことは、チェーンが高速で回転している時に、手を持ち替えないことです。

■チェーンソー始動時のチェーンブレーキ操作

チェーンソー始動時のチェーンブレーキ操作については、足で後部ハンドルを固定した状態であればその状態で行い、股（足）に挟んで始動する場合も股から外さずに行います。始動直後、両手でチェーンソーを持ち変えてチェーンブレーキを操作すること自体に問題があります。

なお、チョークを引いて始動する（エンジンが冷えた状態）時にチェーンブレーキを作動させるだけでなく、エンジンが暖まった状態でも始動のたびにチェーンブレーキを頻繁に作動させる人がいますが、チェーンブレーキを傷める元にもなります。チェーンブレーキはデリケートなものです。

では、始動後のチェーンが高速で回転しないようにするには、チェーンブレーキで防ぐのではなく、もう１つ方法があります。初爆した後にチョークを戻す操作ではなく、アクセルを強く引いた後に始動することです。アクセルトリガーを引けば、チョーク及びハーフスロットルが、自動的に解除され、始動と同時にチェーンが高速回転することはありません。

＊「ガイドライン」には、エンジンが回っている状態で、「チェーンソーを携行し、移動する前には、チェーンブレーキをかけ、ソーチェーンの静止を確認すること。」と示されています

チェーンブレーキを掛けると安全か？

エンジン始動の時、ブレーキが利いていれば、チェーンが回らない訳ですから、そのことだけ見れば安全です。しかし、チェーンソー使用全般においては安全なのでしょうか？

エンジンの停止、始動と繰り返すたびにガチャガチャやっていると、車のブレーキとは違い、ブレーキが甘くなったり、作動不良を起こすリスクがあります。

チェーンブレーキはあくまで緊急ブレーキです。キックバックを起こし、このブレーキが作動してほしい時に作動不良を起こしたとしたら、このリスクは遥かに大きいものがあります。

ちなみに、ここ数年、どこの機械屋、修理屋さんも、このチェーンブレーキの故障が非常に増えているということです。「チェーンブレーキを掛ける＝安全」、またそのように指導することが指導者にとって安全という神話になっているようです。

■落とし掛けは「禁止」

始動の際にチョークを引いた時、自動的にハーフスロットルになり、エンジンが始動すると同時に、チェーンが高速で回転します。これが「落とし掛け」の危険な理由の１つであり、エンジン始動の時、チェーンブレーキを掛ける指導につながっています。

こうしたことを踏まえ、筆者は研修会等では、落とし掛けによるエンジン始動の危険を伝え、その禁止を指導

しています。落とし掛けをやってみせ、そのリスクを実感してもらいます。そして安全なエンジン始動方法として、地面に置いて固定する方法、両足の間にチェーンソーを本体までしっかり入れてホールドして行う2通りの方法（次頁参照）を指導します。だからといって、エンジン始動時にチェーンブレーキを掛けさせないと言っている訳ではありません。安全な方法を推奨し、指導しても、そうしたい人にとやかく言うことはしません。

ただし、上記のようなリスクと、それによる事故については、自分自身の整備不良という扱いになる（自己責任）、ということをしっかり伝え、その人の判断に任せるという立場をとっています。

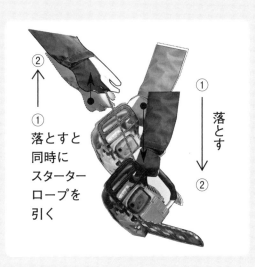

① 落とすと同時にスターターロープを引く

① 落とす ②

チェーンソーエンジンの始動方法

**バックハンドルタイプの
チェーンソーの始動**

写真 3-4

チェーンソーを地面に足で固定
して始動する方法。前ハンドル
を左手で、後ハンドルの下部を
右足でしっかりと固定する

写真 3-5

チェーンソーを足に挟んで固定
して始動する方法。前ハンドル
のカーブ付近をしっかり握り、
後部ハンドルを両大腿部で挟み、
チェーンソーを右に傾けるよう
にしてホールドする。
この時、後部ハンドルを大腿部
に接触させただけで行うのでは
なく、チェーンソー本体まで足
の内にしっかり入れ挟むこと

エンジンの始動方法は、原則として次の2方法で行います。

■ 1－地面に足で固定して始動 (写真 3-4)

① チェーンが障害物に接触しない安定した場所にチェーンソーを設置します。

② 前ハンドルを左手で握り上からしっかり押さえ、後部ハンドルの下部を右足
で確実に踏み、固定します。

③ この状態のまま、右手でスターターロープを引いて始動します。
この時、腕力でスターターロープを引くのではなく、膝を少し折り曲げ、腰を落
として、膝を伸ばしながら腕を引くようにすると、大きな力を掛けやすくなります。

■ 2－足に挟んで固定して始動 (写真 3-5)

① チェーンソー前ハンドルの曲がり（カーブ）付近を左手で持ちます。親指は必
ずハンドルの下側に入れ、しっかり握ります。

② 後部ハンドルを両大腿部で挟み、チェーンソーを右に傾けるようにしてしっ
かりホールドします。

③ この状態のまま右手でスターターロープを引いて始動します。

■ ハンディタイプ（上部ハンドルタイプ）のチェーンソーの始動
(写真 3-6、写真 3-7)

後部ハンドルとして後部に付いていないタイプ、それが本体上部に付いたハン
ディタイプのチェーンソーは次のように行います。上記1のように地面に固定し
て始動する場合、右足の膝でチェーンソー上部にあるハンドルを押さえ、右手で
スターターロープを引くか、右手で上部ハンドルを握り地面にしっかり押さえつ
けて左手でスターターロープを引いて始動します。

上記2のように足に挟んで始動する場合には、後部ハンドルがないので、両大
腿部で挟みにくいですが、チェーンソーを斜めに傾けることでチェーンソー本体
後部を挟み込むことが出来ます。チェーンソーが小型であるからと右手で上部ハ
ンドルを持ち、落とし掛け始動は避けるべきです。

**ハンディタイプの
チェーンソーの始
動**

写真 3-6   **写真 3-7**

基本姿勢

基本姿勢―横置きした丸太を切る

■チェーンソー操作の基本姿勢

　丸太を横置きにして上からの切り下げ、下からの切り上げは最も基本的な切断方法で、造材時の玉切りで必ず行います。この時、チェーンソーを使用する基本姿勢とはどのようなものなのでしょう。チェーンソーは、鉈・鎌のように右利き・左利きと、使用する人に合わせて選ぶことが出来ません。通常市販されているチェーンソーはすべて右利き用に作られています。したがって、前ハンドルは左手、後部ハンドルは右手で握り、同時にアクセル操作します。これは、右利きの者は教えてもらわなくてもほとんどそのようにします。

　立った姿勢では右利き用に出来ている道具ですから、身体の正面で使用するのは不自然になります。自然に構えた状態では、チェーンソーが身体の右側、ほぼ腰骨近辺に後部ハンドルが来るようになります。そして、右足が軸足、左足は前方へ踏み出した形になります。

右目には
ガイドバーの
左側面が見える
状態が重要

右目で
ガイドバーの
左側面が見える

チェーンソー
が身体の右側、
ほぼ腰骨近辺
に後部ハンド
ルがくるように
自然に構える

腕だけで支え
ず、身体に付け
てチェーンソー
の重さを預ける

右足が軸足、
左足は前方に
踏み出した姿勢
が基本

自然に構えて
ガイドバーを
見たところ
写真 3-9
ガイドバー右側面が見える状態では、顔の中心がガイドバーの真上にあることになり、非常に危険

写真 3-8　チェーンソー操作の基本姿勢
チェーンソーが身体の右側、ほぼ腰骨近辺に後部ハンドル。右足が軸足、左足は前方に踏み出した形になる。右目にはガイドバー左側面が見える状態が重要。万が一大きくチェーンソーがキックバックした時でも顔正面に当たることがない

また、こうした下半身の姿勢をとれば、上半身も斜め右向きになり、前記後部ハンドルが右腰骨に接触するか、腕であれば手首の後ろが接触します。この時、右腕・左腕の脇も身体に密着して脇が締まり、チェーンソーを支える腕の力を最も有効に働かせる姿勢となります。立った状態で、チェーンソーをこの姿勢で前に構えると両脇が締まっているので、キックバックが起こっても対処できる体勢となります。

そして、この姿勢をとっている時の顔の位置は背骨が伸び自然体ですから、意識的に覗き込まない限りガイドバーの上に顔の中心が来ることはありません。

では、この姿勢で作業者の目にはガイドバーのどの辺りが見えるかというと、特に右目にはガイドバー左側面が見えるはずです。

これは、チェーンソーを使用する上で大変重要な意味を持っています。それは、もし右目にガイドバーの右側面が映るのであれば、顔面中心部がガイドバーの上へ来ていることになります。反対に左側面が見える位置に常に右目があれば、万が一大きくキックバックした時、腕でその力を受けきれない場合でも、顔正面に当たることがありません。ガイドバーは、顔をかすめて右肩へ向かい、回転するチェーンが肩に当たる前にチェーンソーの本体が身体に当たり止まるか、仮に身体にチェーンソーが接触しても事故が軽減されます。

実際に、チェーンソーの右側に首を傾けて見る人達が非常に多く、大変危険です。常に首を左に軽く傾けてチェーンソーの左側から見る癖を付けることが重要です。繰り返し記しておきますが、右目でバーの右側面が見える顔の位置は、キックバックした時、バーが顔の中心に向かう位置です。しかし、条件によっては、そのようにチェーンソーを使用せざるを得ない場合もあります。例えば、受け口の斜め切り、受け口の修正等の場合です。そうした時には、常にチェーンソーの動きに対処出来る心構え、及び身体的構えが大事です。

中腰での基本姿勢

写真 3-10
折り曲げた左膝近辺で左腕を支え、右腕は右大腿部に肘、膝近くに手首の後ろが付くように、チェーンソーを確実にホールド。腕を両足（膝）に付けて支えることで、腰に掛かる負担も軽減する

丸太を横置き横挽きする基本姿勢（中腰、膝を着いた姿勢）

■中腰

チェーンソーを使用する時の中腰の姿勢は、前記の立ち姿勢から左右の膝を折り、腰を浮かせた状態となります。この状態では折り曲げた左膝近辺で左腕（肘）を支え、右腕は右大腿部に肘、膝近くに手首の後ろが付くように、チェーンソーを確実にホールドします。このように腕を両足（膝）に付けて支えることで、チェーンソーの安定という効果だけでなく、腰に掛かる負担を軽減できます。

この中腰の姿勢を取る時に注意することは、右足を右外側に大きく開かないで、わずか右側になる程度に斜め前に膝を折ることです。外側に大きく右足が開く（腰の右外）と腰が割れた形となり、右足が軸足の役目を果たさなくなります。またこの姿勢は、背筋を伸ばしても前屈みになりやすいので、顔の位置に注意する必要があります。

■膝を着く

前記による中腰の状態から右膝を更に折り曲げ、右大腿部を垂直にして地面に膝を着いた状態は、両膝を折り曲げて中腰の姿勢を取っている腰の高さとほとんど変わりません。したがって、腰への負担・上体の姿勢・チェーンソーの保持等から、無理して中腰姿勢を取るより、筆者は右膝を地面に着けることを勧めます。しかし、そのように指導しても、どういう訳かその時は行っても、膝が汚れるのを嫌うからなのか、いざ1人で立木に向かわせるとそうしないのは不思議なことです。

さて、この姿勢を取った時のチェーンソーの保持は、脇を締めて右腕を右腰骨に付けた「立ち姿勢」の形になり、左腕は中腰の時と同様になります。以上が膝を地面に着けた基本姿勢ですが、条件によっては全く逆に左膝を地面に着け右膝を立てた状態でチェーンソーを使用することがあります。この場合は、左腕が「立ち姿勢」での使い方になり、右腕は中腰時の使い方になります。

また、何かあった時にすぐ逃げられるよう、中腰で作業をするように心掛けている人がいるようですが、姿勢としては前屈みになり、下ばかりを見る形になります。周囲への目配りがしにくくなり、このことの方が安全上問題があるのではないでしょうか。写真3-11のような姿勢であれば、次のアクションを起こすのに何ら問題はありません。

膝を着く基本姿勢

写真 3-11
脇を締めて右腕を右腰骨に付けた「立ち姿勢」の形になり、左腕は中腰の時と同様にする。腰への負担・上体の姿勢・チェーンソーの保持等の面で、中腰姿勢よりもお勧めな姿勢

丸太を立てて横挽き

■輪切り

立てる丸太は、直径20～25cm×長さ1m程度のものを使用します。これは、底面を平らに切り、座りの良いようにして、何の支えもなく、そのまま立てた状態で使用します。直径を前記程度とするのは、これ以下のものでは安定が悪く、さりとて太すぎても安定が良すぎて訓練になりません。この、ただ立てただけの丸太ですが、これを立木に見立て、様々な想定をすることによって、チェーンソーを使用して行う伐木技術のほとんどのものが訓練できます。

まず手始めに、水平に2～3cmの厚さで輪切りを行います。これは、実際の伐木においても切り面を水平にすることが要求されるからです。もちろん、丸太の支えなしで行います。支えのない丸太は、切り込む速度とエンジン出力（エンジン出力コントロール）とのバランス、アクセルコントロール（安定したエンジン回転の維持）、水平を保つためのチェーンソー支持フォーム等基礎的訓練になります。また、丸太が支えられていないが故に目立てがしっかり出来て、切れ味がシャープでないと切れませんので、自分の目立ての良し悪しが問われます。

最初は、表刃（バーの下側）で行いますが、裏刃（ガイドバーの上側）でも行ってください。目的どおり出来るでしょうか？

チェーンソーの支持フォームはどうでしょう。チェーンソーが身体から離れ、両腕は締まりがなくがら空き状態になっていませんか？

安定してチェーンソーを使用するためには、後部ハンドルの後端が身体に接触

写真 3-12
良いチェーンソーの支持フォーム

写真 3-13
チェーンソーを腰より下で水平に使用する時は、親指でアクセルを握った方が、右腕と脇が締まり、操作が楽になる。腰より高い位置では、アクセルは人指し指で操作する

写真 3-14
中腰のフォーム
(輪切り水平切り)

写真 3-15
膝を着くフォーム
(輪切り水平切り)

写真 3-16
安定してチェーンソーを使用するために、後部ハンドルの後端が身体に接触する位に引き付け、右腕の脇を締め、左手は前ハンドルのチェーンソー底部に近い部分を横から握ると（○印に注目）、左脇が自然に締まる（70頁写真 C 参照）

する位に引き付け、右腕の脇を締め、左手は前ハンドルのチェーンソー底部に近い部分を横から握るように持ちます。左手で横から握るというのは、手の甲が横向きになると必然的に左脇が締まるからです。ちょうど目立ての時、手の甲が横から下向きになると脇が締まるのと同様です。このように左手を使うことで裏刃使用時のキックバックにも十分対抗出来ます。

左手で握る位置を、横にしたチェーンソーの真上にすると上から吊るす格好になり（バケツ持ち）、左脇が開き支持が不安定になります。その結果、水平の切り込みが安定しにくくなります。

■伐木訓練

これは全く実際の伐木手順を再現します（206頁参照）。輪切りは立てた丸太の高い位置で行いましたが、伐木ですから丸太の下を使用します。ほぼ平らな場所でこの訓練を行ってまともにならないのであれば、立木を対象とした時もまともになる訳がないのでしっかりと訓練を行うことです。

追いヅル切り（106頁参照）の訓練は、他の人に丸太の上部を支えてもらうと容易になります。追いヅル切りの訓練で重要なポイントは、チェーンソーを水平に使用することはもちろんですが、どの方向に正確に突っ込み切りを行えるかです。つまり、切り込む反対側に目印を付け、そこへ正確に切り抜く訓練をすることです。これが正確に出来れば実際の立木でも簡単に行うことが出来ます。

また、この訓練では、突っ込み切りがスムーズでなければ思うようにチェーンソーのコントロールが出来ません。これは、とりもなおさず目立てが目的どおり出来ているかをチェック出来る場にもなります。「安全な目立て」とはどういうものか、この訓練でよくわかるでしょう。

■丸太を斜面に立てる

平地における伐木訓練を重ね、その方法に慣れてきたところで、丸太を斜面に持って行き斜面に立てられるように鍬・スコップ等で、丸太の立つところだけ平らにし、斜面に立つ立木に丸太を見立てます。実際の伐木は、そのほとんどが斜面であるといっても過言ではありません。斜面におけるこの訓練は、立木をどの向きに倒すかによって足場を作り、チェーンソーをどのようなフォームで行えば水平に使用出来、安全に使いこなせるか、実際の伐木に近い訓練が可能となります。

様々な条件における玉切り

チェーンソー操作が上達してきたところで、再び丸太を横に置いて玉切りの訓練をします。この訓練では、径15〜20㎝、長さ2m程度の少し長めの丸太を使用し、両持ち・片持ち、そのどちらかわかりにくい状態、斜めに傾いた状態等々、いろいろな条件を人為的に作り出し、正確に切断する方法を学びます。

斜めになっている木を正確に玉切るのは、そう簡単ではありません。丸太にガイドバーをのせ、上下左右を目測して勘任せでは木は直角になかなか切れてくれません。

① 1度チェーンソー本体底部を丸太にのせ、

② ガイドバーに直角のマーカーがあるものはチェーンソーの真上から見下ろし、木とマーカーが平行になることを確かめ、

③ チェーンソーを左右に振れないように、チェーンが木に接触するまで自分の方へ引き寄せ、

④ そのままチェーンを回転させ切り込みます。

　この時、せっかく丸太に合わせたチェーンソーを絶対木から離してはいけません。木から離すと、再びチェーンを当てた時、必ず狂いが生じます。また、手前に引き寄せる時も素直に行うのが重要なポイントです。チェーンソー本体が木の上にのった状態は、ガイドバー側面と木がほぼ直角に近い状態だからです。チェーンソーの構造的特性を上手く利用することです。

　以上、丸太を使用して行う訓練のあらましです。是非この訓練を実践してください。

アクセルコントロール

　エンジンの回転を一定に保ちながら使用すること、つまり切断作業の途中でエンジン回転を頻繁に上下動させないような使用方法は、正確な切断をするためには大変重要です。

　例えば受け口の修正ですが、わずかな部分を切り取る場合にエンジン回転が安定していないと切りたくないところまで切ってしまいます。これはエンジンが低速から高速になるほどにエンジンのトルクがチェーンソー本体を勝手に動かしてしまうからです。

注意！　アクセルの操作方法

　エンジン回転の不安定な動きの原因は、アクセルの操作方法にあります。これはアクセル（トリガー）をただ指先で握り締めるように使用していることに問題があります。ちょうど自動車のアクセルを、床に踵を付けないで操作しているのと同じです。つまり、作用させる支点が遠くなるほど不安定になるのです。では指の支点をどこにするかというと、作用させる指先のすぐ近くの指の腹（人差し指、親指）です。そこをトリガーの真横のハンドル本体に押し付けた状態で、握るのではなく、後方へ絞るようにして固定していれば、エンジンは振れのない安定した回転を維持出来ます。

正確に玉切る方法

写真 3-17

1度チェーンソー本体底部を丸太にのせ（写真上）、チェーンソーを木から離さずに、手前へと素直に引き寄せ、チェーンを回転させ切り込む（写真下）。チェーンソー本体が木の上にのった状態は、ガイドバー側面と木がほぼ直角に近い状態だから、チェーンソーの構造的特性を上手く利用する

人差し指でのコントロール例

写真 3-18　良い例

アクセルの操作方法は、指の腹（人差し指、親指）をアクセルトリガーの真横のハンドル本体に押し付けた状態で握るのではなく、後方へ絞るようにして固定しながら操作する

写真 3-19　悪い例

アクセルトリガーをただ指先で握り締める操作では、アクセルコントロールが難しい。例えれば、車のアクセル操作を床に踵を着けないで行っていることと同じ理屈

親指でのコントロール例

写真 3-20　良い例

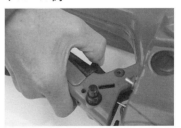

写真 3-21　悪い例

チェーンソー操作の上達法

ただ漫然とチェーンソーを毎日使用しているよりも、しっかり基本を学んで、たとえエンジンを回さなくてもチェーンソーを実際に持って、様々な姿勢を想定した姿勢訓練を暇を見つけて行っていれば、自己流で毎日使用するより、遥かに上達につながります。

例えば木を倒す時、重心はどうですか？　方向確認は？　伐倒方法は？チェーンソーは水平になっていますか？　チェーンソーの角度は？　切り込む時の注意は何が必要ですか？　チェーンソーの先の方はどのように確認しますか？ツルの残し具合はどうですか？　実際に切っては困りますが、家の柱相手でもいろいろ出来ます。とにかく、エンジンを回すことだけが上達の早道ではありません。エンジンを回さなくてもやれることは山ほどあります。こうしたことを小まめに行う心掛けと、実行が上達の最短コースです。

チェーンソーの持ち方と角度

前ハンドルのどの部分を持つことで、チェーンソーの傾きがどうなるかを、意識しながら練習する

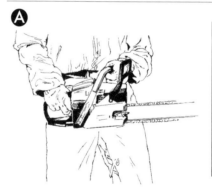

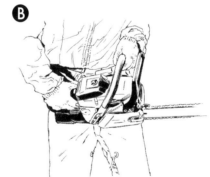

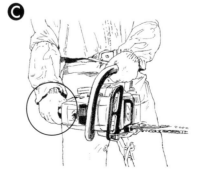

チェーンソーを水平に使用する時は、親指でアクセルトリガーを握る

4

伐木造材

安全な伐木作業とは？

　立木が倒れるのは、自然界ではごくありふれたことです。これは、人間が介在しない所であれば、誰もあずかり知らぬ事として問題にもなりません。しかし、人間の生活の場であれば、自然災害あるいは枯木等の倒木によって人間自身を含め様々な構造物等に損害を与えることから、それがどれ程危険であるか認識されます。

　この立木が倒れるのが危険である理由は、木そのものの丈が高く、重量があり破壊力が大きいからに外なりません。ちなみに、胸高直径15㎝、高さが10m少々の立木であっても、人1人を死傷せしめるには十分な重量を持っています。

　伐木は、倒れれば大変危険である立木を、わざわざ人為的に行うのですから、もとより危険極まりない行為なのです。こうした危険極まりない行為である伐木を「安全な作業」の「安全な」というように形容することが可能な根拠は、どこにあるのでしょうか？　例えば、航空機・自動車等々を考えて見ると、伐木などとは比べものにならない危険なものであると思うのですが、やはりこれ等も「安全な」という形容をしています。その根拠は、これ等がコントロール可能であることを前提としているからです。逆にいえばコントロール出来ないものは、大変危険だということです。では、伐木作業はどうでしょう。安全な伐木作業とはどういう行為なのか。それを定義付けるとしたらどのようなものとなるのでしょう。

安全な伐木作業の定義

　それは、立木と作業者の1対1の狭義の意味では次のように定義することが出来ます。安全な伐木作業とは、「作業者が、対象木を作業開始から、終了まで十分なコントロール下に置くこと」です。つまり、交通機関同様、コントロールが可能であるからこそ「安全な」という形容が出来るのです。しかし、これは作業者がコントロール出来る能力＝技術・技能・判断力を有していることが大前提でもあります。立木は、立地条件・林齢・樹種等条件が様々です。また、気象条件も更にそれに付け加わります。したがって、対象木がコントロールを許すのか、否かだけでなく、作業者の能力の高低によってもそれが変わってきます。

　リスクを減らすということは、単に作業方法だけでなく、立木と自分自身の能力との関係から、作業するかしないかを決めていくことも、重要な要素となります。ちなみに、この能力を身に付け高めるためには、単に見様見真似による経験、すなわち、伐木本数の積み上げでは伐木作業に慣れていくことはできても、安全で確実な作業レベルを上げていくことが困難です。しっかりした指導の下に正しい知識を身に付け、基礎訓練をしっかり行うことが大事です。何事も基礎がしっ

> 安全な伐木作業とは、「作業者が、対象木を作業開始から、終了まで十分なコントロール下に置くこと」

かりしていなければ、能力を大きく伸ばすことは出来ません。

　さて、これまで述べてきたことは、作業者本人に的を絞った事柄ですが、伐木作業を「安全に」実施する要件はそれだけではありません。それは伐木による他者及び物（対人・対物）に対して損害を与えないことも同時に含まれます。せっかく、立木を目的どおりに倒しても、他に損害を与えては「安全な」とはいえません。またミスにより思わぬことも起こり得ます。そうなるのであればなおさらです。

　人間にミスは付きものです!!　このミスとは、見落とし・忘却・誤認・錯覚等々様々な要因によります。こうした人間の属性をいかにコントロールしてリスクを減らすか、考えられ実施されているのが、リスクの発生する要所要所を重点的に確認・再確認する方法です。それがまさしく指差し確認です。これは、上記属性にその根拠を置いたミスを減らす（リスクを減らす）自己管理技術なのです。伐木作業も人間が直接関わる作業であるが故に、この技術を導入している次第です。

　一方に「安全」なる何かがあって、他方に技術があり、それを一体化させれば「安全な作業」が可能になるなどということはあり得ません。自己管理技術を身に付け、リスク判断の出来る作業者が、「安全な作業」を前提に組み上げた技術を応用・実現するところに「安全な伐木作業」が成立するのです。こうしてみると、伐木作業は様々な技術を組み合わせることで、安全を確保しているといって良いでしょう。したがって、山で作業しようという者は様々な技術を身に付け、それを実現出来る技能を磨くことなしには、「安全な作業」は怪しくなります。こうしたことを踏まえ、以後、伐木造材について順次記していきます。

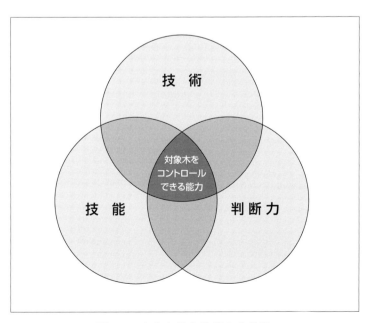

図 4-1　安全な伐木作業の大前提

伐採箇所の事前踏査

　伐木する林齢・樹種・地形等事前に踏査し全体的状況を把握しておくことは、安全に作業する上で大変重要な事前作業です。その折、伐り捨て間伐をするのか、間伐材を搬出するのか、あるいは皆伐して搬出するのかによって、作業をどのようにすべきかを頭に描きながら踏査します。

　上記の調査情報を基に次のような段取りをします（＊）。

①山割（主に皆伐の時は大事）

　作業者・作業班同士の安全確保のための、作業位置・作業手順を立てる上で必要になる。

②作業上注意すべき箇所・事態の確認・安全対策。

③風倒木・枯れ木等の処理方法。

④上記に必要となる機械・器具の用意等。

緩衝地帯

緩衝地帯

山割（縦割）　　　　　　　　　　山割（横割）※要注意

写真 4-1　山割

＊厚生労働省は労働災害防止を目的とした「チェーンソーによる伐木等作業の安全に関するガイドライン」（令和2年1月31日改正）で、事業者の責務として、伐木等作業、造材の作業を行う場合には定められた事項について調査し、その結果を記録すること、またその調査結果を踏まえて、作業計画を定めること等の実施すべき措置を示している。

写真 4-2
風倒木・枯れ木等の処理方法を事前に打ち合わせる

作業前の打ち合わせ

1　作業手順・人員の配置・特に注意の必要な（危険な）場所の確認

　数人を1グループとして作業に当たりますが、そのリーダーは他のグループのリーダーとの事前打ち合わせはもちろん、グループ内における安全確認・その方法等を明確に指示する必要があります。

2　同一斜面の上下での作業の禁止

　これは、労働安全衛生規則第481条にも明記されているとおり、極めて危険な行為です。たとえ同時作業でなくても作業している下側に入るということは、自ら事故を呼び込む行為で論外です。当然リーダーは、そうした行為等に注意を払わなければなりません（図4-2）。

図4-2
同一斜面の上下での作業の禁止

3　近接作業の禁止

　作業者間・作業グループ間の安全距離（樹高の2.5倍に相当する距離）を常に確保します。同一グループ内においての作業で他のグループに問題がなくても、同時に2本以上の伐木を行わないこと。リーダーは常にグループの人員の位置関係を個々人が確認し合って作業させるようにしなければなりません（図4-3）。

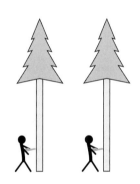

図4-3
近接作業の禁止

4　狭い沢（谷）の作業は危険

　伐倒方向が斜めで谷側に向かっていなくても、ツルの切断等で谷側に倒れることがあります。この場合、向かい側で同時作業をしていると、相手に向かって確認しにくいため、大変危険です（図4-4）。

5　作業中、作業者に不用意に近づかない

　チェーンソー等の使用中、相手に接近の確認をさせてからでないと危険です。これは、作業者が急に振り向いたり、チェーンソーの使用方向を変えた時に切られる危険性、作業者が他者の不意の出現で、作業ミスを起こし、怪我をする危険性等があるからです。

図4-4
狭い沢（谷）の作業は危険

6　転落・墜落・滑落の注意点

　山はどこにでも急斜面があります。そうした所で何かにつまずいても大きな事故になる可能性を持っています。細心の注意を必要とします。グループリーダーは、その注意を十分にしておく必要があります。

伐倒方向

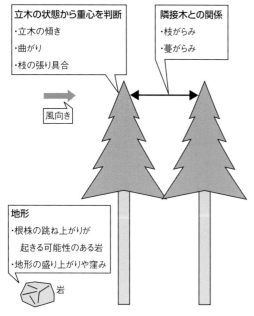

立木の状態から重心を判断
・立木の傾き
・曲がり
・枝の張り具合

隣接木との関係
・枝がらみ
・蔓がらみ

風向き

地形
・根株の跳ね上がりが
　起きる可能性のある岩
・地形の盛り上がりや窪み

岩

図4-5　伐倒方向を決める主な要素

　伐り捨て間伐の場合による伐倒方向は、次の作業に支障がない、安全で倒しやすい方向で良いですが、搬出を前提にした間伐、皆伐においては、伐倒後の作業性ということを十分考慮し、安全で確実に倒せる方向を選ぶ必要があります。そのためには、伐倒する立木の状態、すなわち立木の傾き・曲がり・枝の張り具合等から重心の位置を判断しなければなりません。また、それと同時に隣接木との関係（枝がらみ、蔓がらみの状態）、地形（根株の跳ね上がりが起きる可能性のある岩・地形の盛り上がりや窪み等は、割れや傷の原因にもなる）、風向き（伐倒方向の狂い）等も十分考慮する必要があります。これら木の状態・状況の判断は、伐倒方向を決めるのに重要であるばかりでなく、伐倒方法の選択（追い口切りで行うか、追いヅル切りで行うのか）にも大きな意味を持っています（図4-5）。

具体的な伐倒方向

　地形が比較的平坦な場合、伐倒方向は材の搬出方向の考慮以外には、掛かり木になりにくい方向を選びます。斜面の場合、作業性、重心の問題、伐倒後の枝払い作業等から妥当な伐倒方向とされるのが、横方向、斜め下方向が容易であろうということにされています（次頁・図4-6）。

（1）横方向
　重心がほとんどの立木で谷方向へ掛かり、多少「起こし木」（97頁参照）になることが多いので工夫が必要です。重心に大きな偏りがなければツルの幅はほぼ左右同じにしますが、谷側に偏っている場合には、同一幅であると相対的に山側が弱くなります。したがって倒れていく時、横向きに受け口をつくっていても斜め下方へ向かって行きやすくなります。また、ツルの厚さによってはクサビを打つ間に上方のツルが切れることもあります。これを防ぐ目的で山側のツルを厚く、谷側のツルを薄くつくります。こうすることで比較的倒しやすく、山側のツルを最後まで維持することが出来ます。ただ谷側が薄いことから、ツルの機能の性質上、若干山側に向かって倒れることもあります（96頁・図4-23参照）。

（2）斜め下方
　重心方向に近い方向となるため、伐倒そのものは比較的容易です。ただし、重心方向に倒すため、追い口切りでクサビを使用して倒そうとすると、十分にツル

をつくる所まで切り進む前に倒れ始め、割れの原因にもなります。したがって、十分にツルをつくる位置まで切り進んでも倒れることのない追いヅル切りで行う方が安全かつ確かです。

(3) 下方

　この方向は、重心方向そのものとなるため倒すのは極めて容易です。しかし、皆伐のように障害物のない状態では、倒れる時の速度が最も大きく伐倒木の折れ・ヒビ等、材の損傷が起きやすくなります。こうした場合には不適ですが、間伐の時、特に伐り捨てでは下方が開いていれば、非常に行いやすい方向です。

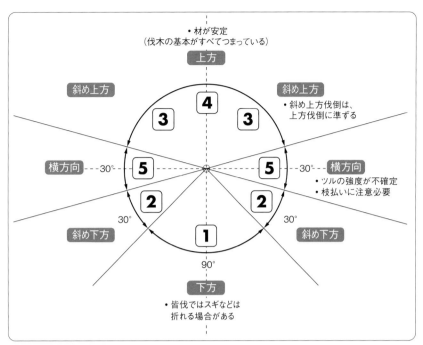

図 4-6　斜面における伐倒方向とその作業性

図中の①～⑤の番号は、立木の諸条件により、追い口切り、追いヅル切り等自由に使いこなす作業者から見た時の伐木の難易度を示した

＊なお、「チェーンソーによる伐木等作業の安全に関するガイドライン」(令和2年1月31日改正)では、望ましい安全な伐倒方向として、斜面の下方向に対して45～105度を原則とし、45～75度の斜め方向を望ましいとしている。

(4) 上方

　通常ほとんどが起こし木になり、最も体力の必要とされる方向です。この方向で特に注意することは、ツルの強度を十分保つように切り過ぎをしないことです。ツルが弱いと、クサビを打って木を起こしていく途中でツルが切れ、横あるいは後方へ倒れる可能性があります (97 頁参照)。山の傾斜角度によっては、倒れた元口が作業者に当たったり、伐倒木が滑落した場合、作業者を枝等によって巻き込む可能性もあります。したがって、上方伐倒はツルの強弱に十分注意しなければならない方向です。また、受け口を山側につくらなければならないため、切る位置が他の方向より高くなります。ただし、元口が根株についた状態で倒れていれば、枝払い作業において最も材が安定した状態であるといえます。

　上方伐倒は前述したように作業強度が高い方法なのですが、機械集材以前、人の手によって伐採して、山の斜面下方の架線盤台まで集荷しなければならないこと、造材・樹皮の利用等から普通に行われていた方向です。ですから出来る限り根株から、元口が外れないように、なおかつ割れ・裂けに気をつけ、ツルの強度を調節しながら伐倒していました。それ故に倒す時、倒した後の安全性に「先山」(※) 達の腕の見せ所があったのでしょう。

　しかし、近年集材方法の変化及び能率の重視ということから、前述の (1)・(2) のような伐採方向が主流になっています。

※先山…ここでは伐採の最前線で働く人

[①下方伐採] 重力に最も逆らわない方向。ツルの強度が左右同一とみなせるものが多い。ツルの幅を左右同一に出来る。急斜面であると倒れるスピードが最も大きくなる。追いヅル切りを行えば、作業者にとって労力、安全性の面で最も行いやすい。

[②斜め下方伐採] ほぼ下方伐採に準ずるが、重心に片寄りがある。ツルの幅を山側を厚く、強度を強くする必要があるが、労力、安全性の面でも①下方伐採に準ずる。

[③斜め上方伐採] 切り方は、ほぼ上方伐採に準ずるが、重心に片寄りがあり、その面では上方伐採よりツルつくりに難しさがある。クサビを打つ労力は上方伐採より小さくなる。

[④上方伐採] 全くの起こし木で、重力に最も逆らった切り方。クサビを打つ労力が最も大きく、その面で大変。ツルの強度はほぼ左右同一とみなせる。ツルの幅は左右同一に出来る。起こし木であることからツルの幅を厚くして、クサビを打つことで強度を確かめやすく徐々に切り進めることが出来る。伐木の基本を最も体現している。

[⑤横伐採] 谷側に枝葉が多く、重心が立木の外側 (谷側) にあるものが多い。また年輪幅も山側、谷側で違っているものも多い。従って山側、谷側のツルの強度の判断が最も難しく、山勘になりやすい面がある。このようなことから、的確な判断が要求される伐木において最も難しい方向。枝払いの時、最も転がりやすい方向で事故も起きやすい。

＊③、④はツルの強度判断ということでは順位が逆でも良い。

伐採前の準備作業

1 伐倒木の周囲の確認

① 小径木・草・笹・石など作業の支障となるものは取り除く。

② 掛かり木・隣接木との枝がらみ、落下の恐れのある枯れ枝、転倒の恐れのある枯損木等の把握と処理。

③ 伐倒の時、接触して跳ね返る恐れのある木・折損して飛んでくる恐れのある枯損木は、状況により処理する。

④ 伐倒木及びその周りの木に蔓類の巻き付いている木は、どのように巻き付いているのか確認し検討・処理する。

2 足場・退避場所の確認

① 伐倒木の周りを固める。チェーンソー作業をする上で、作業しやすいように足場をつくる（足場をつくるとは、斜面の場合、特に不安定な姿勢で作業しないように〈無理なフォームになるため〉、足を置く場所を鍬等を使い水平につくり、踏み固めること）。

② 退避場所（図4-7）・退避進路の整理（退避の支障となるものの処理）。

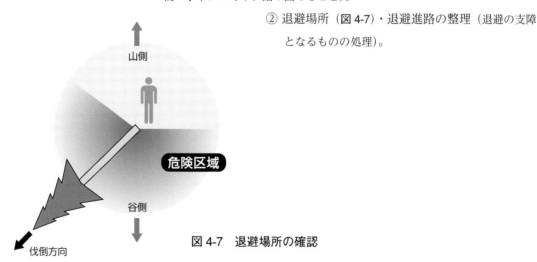

図4-7 退避場所の確認

確実な確認を

図4-8（次頁）のように図式化することが出来ますが、これをただ順番に行っていれば安全が確保出来るかというと、そのようなことはありません。同じ行うのでも確実な確認をしないのであれば、それは単なる儀式にしか過ぎません。これは儀式の手順ではないことを肝に銘じておかなければなりません。これは、安全に作業を行うために最低限行わなければならない確認事項を図式化したものです。安全に作業をするためには、指差し確認を

1度行っていても、伐倒本合図の後、手間取って伐倒に至らない場合は、前方・周囲の再確認を行って、再度合図を送り伐倒するというような慎重さが大切です。これは、時間の経過と共に、周囲から不用意に危険範囲内に入ってくる者がいないとは限らないからです。そうした可能性がある以上、不用意に伐倒を継続することは禁物です。伐倒作業は、確認に始まり、確認に終わる作業であるといって良いでしょう。

指差し安全確認の手順・合図

前記 **1**伐倒木の周囲の確認、**2**足場・退避場所の確認が終了し、伐倒に取り掛かる前にもう１度おのおのの準備作業の再確認＝指差し安全確認を行います。**図 4-8** にその手順を記しておきます（ミスを防ぐ自己管理技術）。

■伐倒前の指差し安全確認（図 4-9）

「**上方よし**」とは、枝がらみ及び蔓類がある場合、隣接木を巻き込んでいないかどうか、対象木上方、隣接木上方からの落下物の有無の再確認ですが、これはなによりも作業者本人の安全確保にあります。また、上方からの物に備えると共に、作業者にとって脅威となるのは、伐倒した木の衝撃により周囲にある物が飛来してくることです。

「**足元よし**」でこれから作業に当たる作業者自身の足場をもう１度確認し、角状に出ている灌木等あれば処理します。

「**周囲よし**」は、自らの防御と同時に、予定伐倒方向以外に倒れる可能性に備えて（横方向に倒れる可能性が特に多い）、伐倒木の２倍に相当する距離を半径とする円形の内側に不用意に他者が入っていないか、他者への備えをすることです。

「**前方よし**」は、伐倒予定方向そのもので、他者が入っていたら最も危険な場所です。前方が伐倒木の２倍以上見通せる場所にあれば、作業者の位置から確認できますが、伐倒木が届く範囲に窪地や段差がある場合は、前方を見通せる場所にいる人に遠くから確認してもらうなり、作業者が確認しに行く必要があります。また、この前方確認において、伐倒木の高さ、すなわち長さの目測を誤り事故を起こす例があるので注意が必要です。

以上の確認終了の後、「**退避方向よし**」で退避経路・退避場所を再確認します。退避経路・退避場所は、２～3m の範囲内で移動しやすく安全な場所（立木の陰）を設定すべきです。伐倒木から遠く離れるに越したことはありませんが、移動距離が長い程退避場所に着く前に木が倒れてしまったり、移動に余裕がないため、急ぐあまり転倒・滑落等を起こしやすくなります。

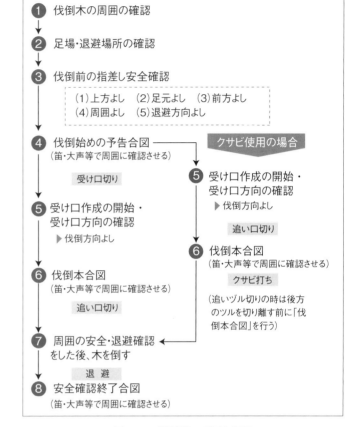

図 4-8　伐採前の確認手順

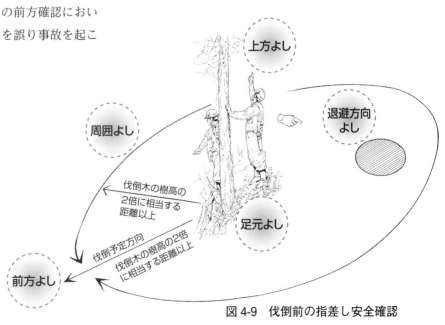

図 4-9　伐倒前の指差し安全確認

これら諸確認は、指をその方向に差し示しながら行うことで作業者が自分自身に確実に認知させる重要な意味を持っています。繰り返しますが、決して儀式的意味のものではありません。

安全距離

安全確認を行うに際し、大変重要なのが「安全な距離」ということです。

研修会において、筆者がよくするのが「安全な距離とはどれ位か」という質問です。すると誰もが、「樹高の２倍ないし、２倍以上」などとおうむ返しのように答えます。

しかし、この数字を単に覚えていれば、安全を確保できるのでしょうか？　絶対的数字は、どこまでいっても数字にしか過ぎません。

このように書く理由は、作業する現場で「いちいち樹高を測って行っているのですか？　そうではないでしょう」ということです。どこまでも目測、推定、勘頼りが実情でしょう。

人間の間違いを起こしやすい部分です（現実にはそれに依存しているケースが多い）。

したがって、目測をして、実際に倒した木との距離がどうなのかという意識を常に持って訓練をすることが大変重要です。

常に目測を長くとる方は問題ありませんが、短くとりやすい方は特に要注意です。こうした数字は後で何か起こった時に説明するための数字ではありません。

伐倒の補助器具

クサビ（矢）・斧・ハンマー等

①伐倒の基本的補助器具（クサビ）。
②チェーンソーが挟まれないようにするもの（クサビ）。
③クサビを打ち込む時に、叩くもの（鍬ハンマー）。

写真 4-3　クサビ（矢）と鍬ハンマー

木回し（フェリングレバー）

①掛かり木の処理に使う。
②クサビの代わりに使う（小径木でクサビの使用が困難な時有効）。

写真 4-4　フェリングレバー

スナッチブロック（滑車）・スリング

①チルホール等使用する時に使う。
②スナッチ・チルホールなどを据え付ける時に使う。

　日本の林業の世界では、「滑車」のことを「スナッチ」と呼び、一般化していますが、スナッチとは引っ掛ける鉤状の所をいいます。横文字で表記をするのであれば、「スナッチブロック」が正解です。この他に、集材機等に使われる滑車を「ヤーディングブロック」といいます。

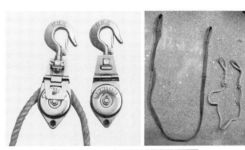

写真 4-5　スナッチブロック（滑車）・スリング・ヤーディングブロック

チルホール・ワイヤーロープ・ロープ

①伐倒の時、必要に応じて使用する。
②掛かり木の処理に使う。
③直引きしないで、必ずスナッチ（滑車）等を使う。

写真 4-6　チルホール

伐倒方法

伐倒方向・方法が決まり、退避場所・伐倒木周辺の整理が済めばいよいよ伐倒です。この伐倒には、追い口切り・追いヅル切りの2種類があります。しかし、これらはそのどちらも伐倒の最終段階の仕方です。その段階に至る過程はどちらも同じです。したがって、その共通部分から順を追って記していきます。

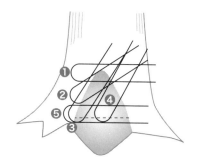

図 4-10
根張り切りでのバーの動き

根張り切り

■根張り

根張りと呼ばれる部位は、**図 4-10** を見ればわかるとおり、幹から根に繋がる樹幹から出張った部分です。

ここを、船を海上で繋ぎ止める錨（いかり）になぞらえて、錨と表現する方々もいます。この方が、立木が倒れないように、力の掛かる反対方向に引っ張って止めている部分であることが、よくわかる表現かもしれません。しかし、一般には根が張り出しているから根張りと表現されています。

根張りは、上記のとおり、立木が倒れたくないために、根を発達させたものです。この部分は、引っ張る力には強力な力を発揮しますが、その反対の力には極めてもろい性質があります（要注意）。このことは後述します。

写真 4-7　根張り切り
バーは図 4-10 の③の段階

■根張り切りの方法

小径木の伐倒では、根張りがあっても特に除去する必要はありませんが、径が大きく伐倒しにくい（チェーンソー操作がしにくい）ものは予めとっておく必要があります。それには次の事に注意してください。

① 偏心・腐れ・空洞・片枝など特異な物がある木は、根張りを切ってはいけないものもある。

② 追い口側（伐倒方向の反対側）の根張りは切らない。

根張りを切るには縦切りを行います。この縦切りは、通常のチェーンソーにとっては不得手な作業です。チェーンソーを上から水平状態（横から見て）で切り下げていくと、切り屑も細かく能率も上がりません。

ですから、**図 4-10** のようにその不得手を補う意味で❶最初水平に（普通にチェーンソーを持って上から切り下ろす状態）切り込んだ後、❷直ちに手元（エンジン側）を上げバー先端が下を向くように使用します。この時、急角度で行うほど、切り屑は大きく能率も上がります（エンジン回転を相当上げないとチェーンが回らなくなる）。この時、バー先端が土等を切らないように、注意して切り下げていきます。❸バー先端が、土・石等に接触する前に自分の方へその角度のまま5〜6cm引き寄せ、土・石等にチェーンが確実に接触しないようにした後、❹徐々に手元を下げながら切り進めて行き、根張りの2/3

写真 4-8
根張りを切り取ったところ

程度のところでほぼ水平状態にして、❺さらに最終点まで切り下げます。要は出来るだけ水平状態での縦切り断面積を少なくするということです。この縦切りが済めば後は受け口をつくり伐倒する時、チェーンソーの旋回操作に支障がない位置で横切りを行って根張りを除去します。

■ **根張り切りの位置**

根張り切りは、伐倒木の受け口をつくる所にあるか、伐倒方向に対して横方向にあるかによって切り口方向を変える必要があります。先に記したものは、伐倒方向に対して横向きに付いた根張りで、通常誰もが行う立木外周の接線方向、つまり根張りの切断面から立木中心線（根張りの中心と立木の中心を結ぶ線　**図 4-11**）とほぼ直角になるように縦切りするものについてです。

ところが、受け口をつくる側の根張りは、受け口をつくる時ほぼ除去されてしまう受け口真正面にあるものは別にして、受け口の正面から横にずれているものは一工夫する必要があります。例えば、**図 4-11**・**図 4-12** のような場合です。

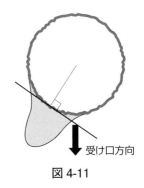

図 4-11

左右の安定ということからすると、受け口の幅はできるだけ広い方が良いわけですが、これをそのまま接線方向に切ってしまうと、受け口の深さを相当深くつくらない限り、受け口の幅を広く取りにくくなります。大径木であれば、受け口を深く出来ますが、小径のものほど深くはつくれません。そこで、根張りを縦に切る時、**図 4-13** の❼・回に示すように面倒でも 2 度にわたって行います。❼の実線で切断する時は、その方向を伐倒方向にほぼ平行に行い、回の実線で切断する時は、伐倒方向に直角に行います。

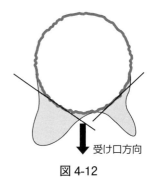

図 4-12

このように根張りを切断しておけば、そこに受け口をつくる時につくりやすいことと、受け口の幅を大きくすることが出来ます。受け口の幅が大きいということは、それだけ左右の安定性を増すことが出来、伐木作業の安全性向上の上でも大きな効果を持っています。根張りの除去をただ取り去れば良いとばかりに無邪気に行うのではなく、どの位置にあるのか、よく見て切るべきか切らざるべきかの判断と、どのように切り取る必要があるか考えて行ってください（**図 4-14**）。

また、根張りの位置が受け口方向に対して真正面にある時、斜め横方向にある時は、後述する樹幹に向かって根張りの筋状の巻き込みがあります（118 頁・**写真 4-32** 参照）。これはツルの強度に大きく関与するので注意が必要です。特に斜め横方向で山側にあるものはそうです。

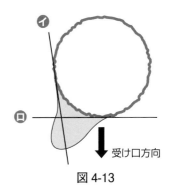

図 4-13

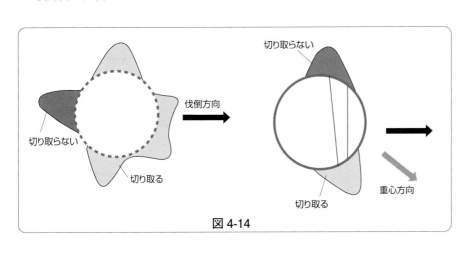

図 4-14

受け口

■受け口の概念

受け口とは、次頁・図 4-15 のとおり、伐倒する方向の木の側面を三角に切り取った部分です。では、なぜこの部分を受け口と呼ぶのでしょうか？　何を受けるのでしょうか？　実はある研修会で、全くの初心者の方がこのように質問をされ、その時の指導者がこの返答に窮してしまったということです。この答えとして「林業では昔からそうなっている」では答えになりません。

また、筆者があるプロに上記の質問をしたことがあります。その時の彼の返答は「斜めの面が下切りに当たるからでしょう」というものでした。しかし、これでは三角に切り取られた全体を説明したことになりません。

初心者の方の質問が、ものを知らないが故の単なる素朴な質問とは片づけられません。林業の世界では、こうした慣習的に表現したり、行われていることが多い傾向があります。つまり、概念として成り立っていないということです。

では、受け口は何を受けるのかというと、三角に切り取られた後方、追い口に対応する表現です。つまり、手鋸、チェーンソーでも良いのですが、切り込んで、切り進めて行く鋸道を受けるのです。

受け口は、後で様々な意味、内容、他との関係性を説明しますが、こうした内容等を持ったものだとすると、単なる名称ではなく、概念として昇華されて行きます。

■受け口位置の決め方

不用な根張りの除去が終われば伐倒最終準備、安全確実に伐倒するために極めて重要な受け口の作成に入ります。この受け口をつくるに当たり、最初に注意しなければならないことは、通常は材を出来るだけ有効利用するために、伐採点（追い口等を入れる位置）を出来るだけ低い位置に求めることです。伐採点を低い位置に設定するためには、受け口の作成、特に下切りの位置は更に低い位置に設定します。したがって、チェーンソーの後部ハンドルの旋回状態（斜面山側で使用する場合）の確認をしてから追い口（伐採点）位置を決定し、目印を付けてから受け口の下切り位置を決定するのも一法です。

また、小径木の伐倒においても、受け口の下切りを極力下げることが、クサビを使用して倒すに当たり大変大きな意味を持ちます。それは、小径木の場合低い位置に設定する程、伐根直径は当然大きくなります。それが大きくなるということはクサビを打ち込む深さを増し、クサビがツルに当たるまでの距離をわずかでも大きくすることが可能になるからです。このようなことも考慮して、受け口をつくるのも工夫の１つです。なお、根曲がりが大きい場合には、伐採点を実際上それ程極端に下げる必要はありませんが、訓練を目的の１つとしている場合には出来るだけ下げて行くことを心掛けてください。

■受け口注意事項（図 4-15）

①受け口をつくる目的は、伐倒方向を確実にするためと、伐倒の際、材の裂け（割れ）を防ぐため。

②受け口の深さは、標準として直径の 1/4（25%）とする（受け口の深さは、通常 1/4〈25%〉程度を目安にしますが、伐根直径・樹種・樹形・地形・枝の張り具合・木の傾き・伐倒方向等で異なり、なにがなんでも 25%、あるいは 30% でなければならないということではありません。伐根直径が小さい場合には 20% 前後でも可能です。20〜30% の範囲で判断することです）。

③大径木の場合は、直径の 1/3 以上でも良いこともある。

④裂けやすい木は、直径の 1/2 位でも良い。

⑤受け口の下切りは、樹芯に向かって水平に切る（場合によっては下から斜め切りすることもある）。

⑥受け口の斜め切りは、30°〜45° とする。

⑦受け口の両端より下側に、隅切り（オノ目）を入れる。

⑧芯切りは、割れを防ぐため大径木では入れておくと安全。

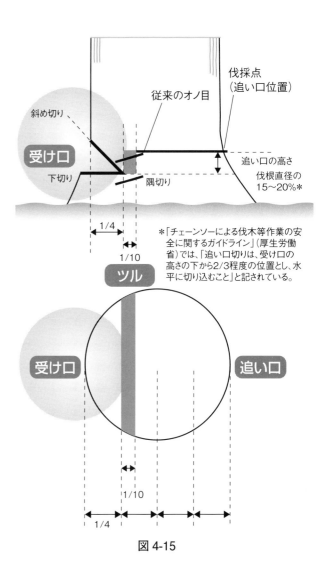

図 4-15

受け口　斜め切り　下切り　隅切り　従来のオノ目　伐採点（追い口位置）　追い口の高さ　伐根直径の 15〜20%*　ツル　受け口　追い口　1/4　1/10

*「チェーンソーによる伐木等作業の安全に関するガイドライン」（厚生労働省）では、「追い口切りは、受け口の高さの下から 2/3 程度の位置とし、水平に切り込むこと」と記されている。

各部名称（用語）の由来・意味 ①

■伐採点（追い口位置）

図 4-15 のように位置が追い口切りであれば、立木を実際に伐り倒すために、最初に切り込む伐採開始位置です。だからこそ「伐採点」というのです。追い口点とはいいません。追い口切りであれば、後方からということで、受け口の真後ろに印を付けますが、後述する突っ込み切りを行う追いツル切りでは、左右どちらかの側面に印を付けます（この方が、受け口との位置関係がわかりやすい）。

ただ、最初に付ける伐採の開始位置（伐採点）は、あくまで暫定的なものです。取り敢えず、次の進行のために付ける印ですから、受け口をつくり、その高さに関係なく、何が何でもそこに決めたからそこから切り込むということではありません。受け口をつくった後で、再度確認しなければならない位置です（誤解しないこと）。

■弦（ツル）

図 4-15 下図の円で描いてある縦の黒塗り部分の名称です。本書では主に「ツル」と表記していますが、実は見てのとおり、前方の円弧の部分を弓、黒塗りの部分を細い紐状ではありませんがそれに見立てて、「弦（ツル）」といっています。まさにその形から付けられた名前です。後方から切り進んで行き、受け口斜め切りの手前に切り残した所です。この部位を説明するのには、まさしく切り残した所ですから、そのとおりですが、その機能、意味を含む概念とはなりません。後述する「追い弦（ツル）切り」という方法がありますが、筆者は、前の切り残しを「前弦（ツル）」、後方の切り残しを「後弦（あとツル）」と表現します。単に切り残しでは、表現しにくくなります。

漢字は表意文字です。その中に意味が詰め込まれています。安易に表音しない方が良いと思うのですが。

各部名称（用語）の由来・意味 ②

■隅切り・斧目

本書に時々出てくる用語で斧目（オノメ）というのがあります。これは昔、斧で立木の側面に切り込みを入れたところからこのような名称が付けられました。

では従来、斧でどこに切り込んでいたのかというと、追い口切りの鋸道と、受け口下切りの間、すなわち、弦（ツル）そのものに斜め下（樹幹に対して30〜45°）に向かって、右側あるいは左側に入れられていました。それも木が倒れ始めてからです。これは木の倒れる方向を見極めて、一方の弦（ツル）の強度を落とすことで変えようとしたからです。

これは、木が動き出し、倒れる方向がわかるようになってから行うのですから、大変危険なことです。そもそもこうしたことは、受け口の方向が確実に出来ていないからにほかなりません。したがって、斧目とは、伐倒方向を変えるための操作であるなどという解説をすることにもなるのです。

しかし、本書で出てくるこの用語（斧目）は、従来の目的と方法が全く違います。まぎらわしいことですが、慣習的に使用されているため、「隅切り」という用語の後にカッコ付きで使用しています。

さて、隅切りの目的とは、何もしない状態で木が倒れ、弦（ツル）が引きちぎれる時、材（元玉）の側面が引き裂けるのを防止することにあります（材の保護）。

この材を保護する方法でドイツ、スウェーデンでよく行われているのが、弦（ツル）の横から両側にガイドバー半分程度までの幅で、弦（ツル）そのものに予め切り込みを入れておくというものです。確かにこうしておけば、引き裂けを防ぐことは出来ます。

しかし、それではせっかくつくった弦（ツル）の強度をわざわざ落とすことになります。そこで、安全上も問題なく、弦（ツル）が切れるまでその強度を保ち、弦（ツル）が切れる時に、引き裂く張力を受け口下切りの更に下で遮断出来ることがわかったため、この方法を採用した次第です。

■会合線

図4-16中の会合線という用語を「エゴウセン」と読む方がいますが、「カイゴウセン」と読みます。

最近、林業関係では、この用語が一般化し、市民権を得ているようです。しかし、従来この部位の用語名は明確についておらず、人によって呼び方がまちまちでした。

例えば、接合線であるとか接続線、あるいは結合線等々です。およそ20年前、筆者が会員のための教本を書いている時、この部位について、林業界では明確な用語が存在しないことがわかり、どうしたものか色々思案しました。もちろん、上記3種の用語でも決してはずれてはいません。

けれども、この3種の用語では、語句のそのものの意味に、偶然の要素が入ることを排除できません。受け口のこの部位が偶然そうなったのでは困ります。元々、受け口そのものが目的をもち、意識的につくられなければならないのです。そうでなければ、正確につくるなどということも出来なくなってしまいます。

そこで、目的意識的（主体的）を語句そのものが体現する表現を捜した結果が会合です。例えば、艦船同士が遠く離れていても、指定された地点（海域）・日時にそれぞれが独立して、目的意識的（主体的）に集結する場所を会合地点、会合海域という表現で今も昔も使用しています。また、何人もの人に連絡が届き、場所・日時が指定された会議をする場合も会合といいます。つまり、独立して、目的意識的に接触することです。偶然ではありません。これが会合線という用語の始まりです。

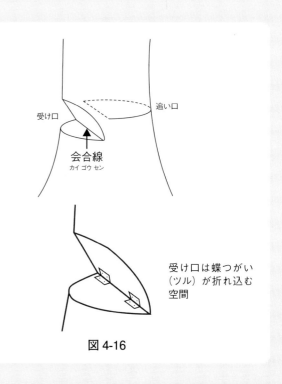

図4-16

■受け口をつくる目的

まず「受け口注意事項（85頁）」①の「受け口をつくれば、何故伐倒方向を確実に出来るのか」は、後述するツル（蝶つがい）をつくるために必要であると共に、木がツルを支点に倒れる時、ツル（蝶つがい）が折れ込む空間を必要とするからです（前頁・図4-16）。扉の蝶つがいの間に物が挟まっていては、扉が閉まらなくなるのと同じで、伐倒はちょうどこの扉が閉まるのと同じ原理です。ですから、伐倒された木が目的の所に倒れないということは、この蝶つがいの取り付け位置を間違えているからです（ずれたり、傾いている状態）。これでは扉ならば目的の所に収まりません。それは大工、あるいは建具屋の腕が悪いということになります。

■受け口の深さ

②・③・④は、前記したように倒れやすくするためには、受け口の深さは深い程良いということになります。したがって立木が倒れて行く時、左右の最も安定する所といえば、木の幅の最大の所、すなわち中心部ということになります。しかし、実際には立木の太さ、木材の利用度、伐倒に必要な道具類の使用・能率・安全性を考慮した上で経験的にこのようなもの（直径の1/4）となります。

④の裂けやすい木の場合、追いヅル切り（後述）を使います。

■受け口下切りの応用

⑤の（場合によっては斜め切りすることもある）は、元口が跳ね上がるのを防ぐ目的で、受け口下切り前端部の角を大きく切り欠く「角切り」を同時に行ってしまう場合があります（写真4-9）。また、受け口斜め切りを材の有効利用という観点から大きく取りたくない時、その分だけ受け口の開きを斜めに切り上げることでカバーする方法もあります。しかし、水平に下切りをしても、なかなか最終線をつくれない人が、この方法を取ることは勧められません。

ちなみに、前述している受け口のつくり方は、水平に切り込む方を下切りとし、その上方から斜めに切り下げる上方に口を開いたものです。しかし、受け口のつくり方としては、この方法が一般的なものですが、この方法ですと使用すべき材の有効利用という観点からは必ずしもベストとはいえません。それは、どうしても造材時の切り落とし部分を大きく必要とするからです（根曲がりの場合は問題外）。

そこで、この切り落とし部分を最小限にとどめるため、大径木で立木の状態によっては水平の切り込みに向かって、下から斜めに切り上げる下方に口を開いた受け口をつくることもあります（図4-17）。これは、受け口の機能としては前記のものと全く同じです。この方法を使用出来る場合には、水平の切り込み部分を通常より更に下へ下げることが可能となり、そのことによって伐採点も下げることが出来ます。材の有効利用ということに的を絞れば有効な方法です。しかし、この方法は立木の立地条件等から実施できる場面が少ないのも事実です。

■受け口斜め切りの角度

⑥の 30°〜45°という角度は、木が倒れて行く時、ツルが抵抗し曲げられ、斜め切り部分が下切り部に当たり引きちぎられ始める角度です。

角度が浅すぎると、確実に倒れる方向が決まらないうちに上・下の切り口が接

写真4-9　角切り

元口が跳ね上がるのを防ぐ目的で、受け口下切り前端部の角を大きく切り欠く

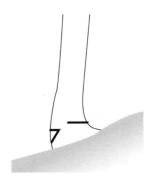

図4-17

下方に開いた受け口は材を有効利用することができるが、実施できる立地条件は限られる

写真 4-10

受け口の下切りの高さが1cm下の所にオノ目を入れる。幹に対してガイドバーの角度は30°〜45°とする

写真 4-11

オノ目は元口の引き裂け防止のために行う

写真 4-12　オノ目が利いた伐倒

触し、そこが支点になってツルが早く切れてしまいます。その結果、方向が狂い、思わぬ方向へ行く可能性が出て来るのです。また、それが引き抜けの原因にもなります。

　反対にあまり大きい角度になると、斜め切りによって材の利用度が落ちるのは当然ですが、上下の切り口の接触が遅れ、ツルが引きちぎれてくれないため、割れの原因になると共にツルをつくる位置の判断を誤り、ツル部分を切り過ぎる恐れがあります。また、切り口全体が大きく見えることから、十分に深さを取っていないということも起こります。これは、特に根張りを除去しながら同時に受け口をつくろうとした時によく起こります。実質的に受け口の深さが浅くなり、材の割れの原因になるので十分注意しなければなりません。

　こうした様々な用件から、ほぼこの程度の角度であろうと決められているのが30°〜45°です。実際には、50°程度の開きでも大きな問題となることはありませんが、普段から 30°〜45°はどれくらいか角度計等使用して、チェーンソーの前ハンドルを持つ位置（70頁参照）を訓練しておく必要があります。こうした訓練は、何もチェーンソーでいつも木を切っていなければ出来ないというものではありません。実際に木を切り倒す時のまさに基礎訓練です。こうした原理を理解した上でのイメージトレーニングも大事なものとなります。要はそれを心掛けることが上達の近道です。

■隅切り（オノ目）（写真 4-11）

　⑦は、手鋸・オノを使用し伐採していた頃、オノで切り込みを入れる所からオノ目（隅切り）といわれていました。現在では、チェーンソーを使用して立木に対して30°〜45°程度の角度で、受け口前方か後方からツルの下両端にオノ目を入れます。一方の根張りを取り除き、ツルの片側に表皮が付いていない（材が見えている）場合、表皮のある側に切り込みを入れます。この操作は、一方の根張りが除去されるとツルの端の張力が減少するので、他方の工作されていない方のツルの下部に切り込みを入れることで、両方のバランスを取ることです。オノ目の目的の1つです。

　しかし、そもそもオノ目を入れる操作で重要なポイントは、材の保護ということにあります。通常割れと称されるもののほとんどが、この隅切り（オノ目）を入れないことによる元口側面の引き裂けです。せっかくの材も傷物になり、造材の際に切り落とすことになってしまいます。元口から数十cm、ひどい場合には

隅切り（オノ目）の位置

　切り込む高さは下切りから上で入れるとツルの強度が落ち、下切り（受け口）位置から3cmも4cmも下ではその効果がなくなります。また、深さが深くてもツルの下に十分な幅で正確に入れないと、やはり効果がありません。これらに注意して切り込んでおけば、ツルの強度を低下させず倒れていく材の側面に働く張力を、この切り込みのところで遮断することが出来ます。この事が結果として、元口・元玉の保護につながるのです。プロと称する人達に、この操作をする人が極めて少なく、材を傷つけることに無関心なのは残念なことです。

　材の保護とは、後述する「芯切り」だと短絡して考えている人もいますが、仮に芯切りをしてあっても「隅切り」をしてなければ引き裂けは簡単に起こります。前記したように短時間で出来ることですから、受け口をつくった後にすぐこれを行う癖を付けておくことです。

1m以上切り落とします。切り落とされた材は、元玉とはいえません。単価も極端に下がりますので、根曲がりで切り落とす以外直材であるならば出来る限り材を大事に、商品として送り出してやる必要があります。それが材の有効利用ということにもつながります。時間的にはそれ程長時間必要とされる作業ではありません。

　さて、オノ目の位置と深さ・幅ですが、位置は受け口の下切りの高さか1㎝下の所から前記した角度で、チェーンソーのバー幅半分から最大でも2/3程度の深さでツルを中心に、ツルの幅の2.5～3倍程度の幅で入れます。オノ目の深さは、深く入ったようでも、斜めに入れるため意外に浅くなるので注意することと、木の太さによっても異なり、細ければ浅く、太ければ深く、また切り込む角度が30°の場合は深めに、45°の場合は浅めにします。

図 4-18　芯抜け
材を利用する上で商品価値が下がる

写真 4-13　芯切り
突っ込み切りで芯を抜き、芯抜けを防止する

■芯切り

　⑧では、大径木やそれ程径の大きくない木でも、伐倒方向前方に切り株・石・

受け口の注意点

　②の受け口の深さについてですが、注意しなければならないのは直径の25%とか30%という深さは、どの位置からなのかということです。それは、83頁・**図4-13**に記してあるように、受け口をつくる側に根張りがある場合、それを切り取ってほぼ幹と一致したところです。根張りがない場合は、そのまま幹が基準ということになりますが、根張りがあるとそれを含めた深さにする人がいますので気を付ける必要があります。

　以上、受け口をつくる時の注意を重ねて記しましたが、慣れた者が1回でほぼ所定の受け口をつくるのを見て、誰でもそのように出来るのかというと決してそういうことではありません。相当慣れた者でも方向を1回で決められるということはないのです。皆伐ならば伐倒方向の1m程度の左右の振れは大した問題になりませんが、間伐、それも材を搬出するような場合には、後で大変苦労することになります。したがって自分の目的とする所へ正確に倒すためには、正確な受け口つくりが必要になります。決して1回で勝負しようなどと考えないことです。手直しは正確に倒すための絶対的に必要な条件です。

　では、どのような手順を踏めば良いのでしょうか？通常、受け口は下切りから始めて斜め切りを行いますが、逆順で斜め切りをして、下切りを行うことでも受け口はつくることができます。どちらの方法でも良いのですが、伐倒方向・下切りの高さ・受け口の深さ等、伐採点（追い口位置）から考えると、水平下切り・斜め切りにはそれぞれの特性があります。一方は横挽きで他方は縦挽きという違いだけではありません。前記した受け口の要点から、水平下切りは、下切り高さを出来るだけ低い位置

に、伐採点（追い口位置）を低い位置に設定しやすく（これは肉眼で確認できる）、反対に斜め切りから始めた場合、それを設定しにくい特徴があります。しかし、伐倒方向を決めやすいということでは、斜め切りの方が水平下切りより優っています（ガイドバーに対して直角方向を取りやすい）。また、斜め切りの場合、切り始める前にチェーンソーを30°～45°の角度でエンジン側を持ち上げ、バー先端を下に立てるようにしてやれば下切り会合点がおよそ確認出来ます。

受け口斜め切りの位置で、伐倒方向に直角になるようにして幹にガイドバーを合わせる。この時前ハンドルの握り位置を斜め切りの角度に合わせて保持していれば、そのまま斜め切りを始めることが出来る

バー先端を下方に動かすことで、下切り会合点が確認出来る

図 4-19　合理的で正確な受け口の
　　　　つくり方

写真 4-14
受け口をつくる。十分に修正し直す
ことのできる深さ・高さで設定する
ことがポイント

写真 4-15
チェーンソーのスパイクを使用し固
定。○の部分

写真 4-16
受け口を修正する。まだ十分直す余
裕がある

地形の盛り上がりがあり、そこが支点となって材の割れ・芯抜け（前頁・**図4-18**）が予想される場合には、突っ込み切りで芯を抜いておく（前頁・**写真4-13**参照）必要があります。ただ、この芯切りは、何でも行えば良い訳ではありません。芯切りを行うということは、ツルの強度を落とすということにほかなりません。したがって行う場合に十分なツルの強度を保つことはもちろんですが、樹種・地形・伐根径等によって深さの加減や行うかどうかの判断をする必要があります。また、芯切りをしたからといって⑦にも記したように、隅切りをしておかなければ引き裂けの防止になりません。

■**合理的で正確な受け口のつくり方**（図4-19）

　下切りが先か、斜め切りが先か、それぞれの特性を活かして、合理的で正確な受け口をつくるにはどのようにしたら良いのでしょうか。

①まず情報としてほしいのは、受け口の深さすなわち、下切りと斜め切りとの会合点です。

②下切り・斜め切りを同時に決めることは出来ないのですから、下切り位置の設定から入ります。地面すれすれでも良いのですが（土・石等取り除き、根回りを下げてあっても同じ）、後で修正が必要な場合を考えて、チェーンソーが使用できるギリギリの所から 2 ～ 3㎝上げたところで、水平下切りを始めます。

③ただ、会合点近くまでいきなり行ってはいけません。1 ～ 2㎝程度の切り込みで止めます。この切り込み位置が決まれば、その延長線上に会合点があることになります。位置が決まれば目測しやすくなります。

④次にその位置から上に伐根直径からおよそ割り出した受け口の深さ、例えば直径30㎝ならば8㎝程度です。水平下切りの8㎝上から45°の角度で斜めに切っていけば受け口の深さは、ちょうど直角二等辺三角形ですから8㎝にすることができます。これは、目測で行いますから8㎝前後ということになります。もちろん斜めに切り始めるに当たり、方向確認はきっちり行い、前記したように会合線位置を確認しておきます（最初は、最終会合点より前方、この場合深さ6㎝程度。上記③で、下切り位置にチェーンソーで切り込みを入れたのですから、ついでにチェーンソーをそのまま、6㎝程度上にずらし、斜め切り開始位置に1 ～ 2㎝の切り込みを入れておけば斜め切りの位置を迷わなくて済みます。また、その切れ込み位置から斜め切りを始めることで、チェーンが逃げにくくなります）。

⑤そして最終会合点に向かって切り込みますが（この時、根張り縦切りと同じように行う）、会合点まで 1/4 程度を残して一時止めます。

⑥次に最初設定した下切り位置から水平に切り込み、斜め切りと合う位置よりわずか手前で止め、再び斜め切りを行います。

⑦この繰り返しで合わせていく訳です。

　この時、チェーンソーのバーの前方と元の方が大きく狂わないように気を配らなければいけません。前方と手元を同時に揃えるということは大変難しいことですから、手元を合わせる所まで進めたら、チェーンソーのスパイクを使用し、元の方をしっかり固定しておいて前方を次に合わせるというようにすれば合わせやすくなります（**写真4-15**）。付属している器具を上手に使用することです。こうして合わせて行っても、最後に切り取られる木片がぴったり切り合わないため、

なかなか外れないことが多々あります。しかし、だからといってチェーンソーを使用し無理に合わせようとしないで、ハンマーや斧で打ち付け木片を割って外すのも工夫です。木片が割れて取れてくれれば、切り込み過ぎを防ぐことが出来ます。こうして取れた後ならば、合わせが不均一であっても肉眼で確認しながら修正できます。これで一応受け口のようなものが出来ます。

　しかし、まだ方向及び深さを確認し修正していく必要があります（もちろん正確に出来ていれば、敢えて直す必要はありません）。したがって、前記したように修正しても、まだ十分直す余裕を持てる深さ・高さに設定することが大事です。そうした余裕を設定しないまま受け口をつくろうとすると、手直しを幾度かするうちに直径の半分以上切り込んでしまうことがあります。重ねて記しますが、手直し・修正は決して下手の証明ではありません。それは、安全・確実に伐倒及びそれ以後の作業を効率良く行う近道です。

■受け口作成の実際

　これまで受け口の意味・注意点等を述べて来ましたが、伐倒方向決定後、実際どのように受け口つくりを行うか、以下記しておきます。

①ほぼ、伐倒方向が決まった後、倒す木を背にして倒すべき方向を向いて立ってみます。前方の倒したい位置（伐倒ライン上の位置）に切り株・立ち木・石等なんでも良いのですが、とにかく目印になるものを決め、背にした立木の中心、特に根元から目線で前方の目印に向かってラインを見ます。もしそこに石灰でラインを引いたなら、まさしくそれが伐倒ラインです。

②しかし、山で実際のラインを引く訳には行きませんので目線で追います。けれども、目を離せばまたわからなくなりますから、立ち木の根元1〜2m程度の所へもう1つそのライン上におよその目印、草でも枯れ枝でも見つけておき、後でそこへ棒でも立ててもう1度確かめるか、適当な長い棒があれば、立った位置で、目線で追ったライン上に根元から前方へ向かってそれを置くのもわかりやすい方法です。

③以上伐倒ラインが設定できれば、後はチェーンソーで斜め切りを行う時、斜め切りの位置（高さ）を決めたところで、ガイドバーが幹にぴったり付くように当て（チェーンソーを斜めから正規に持った状態。前ハンドルのバケツ持ちではない）、そのガイドバーの側面と伐倒ライン上の目印、あるいはライン上に置いた棒と直角になるようにチェーンソーを設定します。

④チェーンソーがライン上と直角に設定されたら、再度チェーンソーを斜めにしてそのまま斜めに切り込み、後は先に説明した要領で受け口をつくります。ガイドバーが幹にぴったり付きやすいようにと、チェーンソー前ハンドルの頭に当たる所を持って方向確認した後、左手を前ハンドルのカーブ部分に持ち替えて、チェーンソーを斜めの角度にすると方向が変わってしまいます。ですから、最初からカーブ部分を左手で持ち、木に引き付ければ、木にバー平面がぴったり当たります。方向確認後、チェーンソーを動かさないでそのまま傾ければ、狂いが少なくなります。

⑤こうして取り敢えず受け口が出来たら、前方へ行って受け口を見ます。

⑥棒を置いてあれば、それと受け口の会合線とで直角を確認し、合っていれば

伐倒方向の確認

写真 4-17
受け口①に直角の方向に手を振り上げる手が②の位置までは目線はそのまま

写真 4-18
③の時に目線を上げる

写真 4-19
ガイドバー先端を受け口会合線に直角に当て、伐倒ラインを見る

　OK、そうでなければわずかずつ修正して再確認します。

　この他に、チェーンソーのガイドバー先端を受け口会合線へ直角に当て、伐倒ラインを見る方法もあります。この場合、ガイドバーの向いている方向が木の倒れて行く方向です。手近にある物が、そうした確認する道具として利用出来ます。とにかく「勘頼り」は避けることです。

　さて修正ですが、例えば片方を1㎝切り込むだけなのに、切りたい方を2㎝切り、反対を1㎝切るなどということは感心しません。よほど修正の余地があれば別ですが、再度ミスをすればやり直しをしなければならないからです。その内に伐根の半分近くまで切ることになります。それでは、切りたい方を端だけ切ればいいのかというとそうではありません。一方を1㎝切る場合でも斜め切り、下切りを切り進めて片方を1㎝、もう一方は元の切り口に合わせなければいけません。これは、慣れないとどうしても切り込んでしまいますから注意して行います。また、チェーンソーが切れないと思うような修正は困難です。

　こうしたラインの設定、受け口の方向設定も慣れてくれば一連の動作として短時間に行うことが出来ます。先述したライン上の目印、その目印に向けての「曲出し（直角設定）」はプロでも行っているのです。一見すると適当に「勘頼り」で、手っ取り早く行っているように見えても、しっかり行っています。ただ、目線で追ったライン上で、適当に見つけた物を目印にしているのです。敢えて棒を立てたりしないだけで、それをしっかり頭の中へ入れてあるのです。木の枝・石・草・コケ、何でも目印になります。一見しただけでは、これはこのようにと行わないし、話さないから余計にわからないのです。プロといわれる人達にも、上手な人・下手な人がいます。これは大抵目印の設定が上手いか下手か、目印をすぐに忘れてしまうのか、全くの勘頼みかでそれが決まります。

受け口方向に倒れない理由

　受け口は、伐倒目標に向かって正確につくられているのですが、そのとおりに倒れないことが多々あります。受け口が正確につくられていれば、正確に倒せるのではなかったのか？という批判を受けそうですが、伐倒方向の正確さは受け口が正確か否かだけの問題ではないからです。受け口をどのように正確につくっても、左右のツルの強度の違いによって方向が変わってきます。つまり、立木の持つ諸条件、更には気象条件（風・雨で枝葉が濡れている等）によってツルの左右バランスの違い、つまりツルの強度判断を誤るからにほかなりません。

■年輪幅による影響
　例えば、立木の芯が偏っている場合、一方の年輪幅が広く、他方が狭くなっています。そうした立木に受け口を入れツルをつくった時、ツルの一方が年輪幅の広い方、他方が狭い方にたまたまなってしまうと、ツルの幅を同じ厚さにつくっ

た場合、年輪幅の広い方の強度が相対的に低下してしまいます。この状態は、ツルが薄くなっているのと同じことで、この立木はツルの厚い方、すなわち年輪幅の狭い方へ引かれることになります（**図4-20**）。

では、このような状態の立木の癖をどこで見たら良いのでしょう。切り倒してみれば確かにわかることですが、問題はそうする前にどこでわかるかということです。それは、受け口の下切りです。立木は、受け口をつくる限りでは倒れませんので、その下切りをよく観ることです。年輪幅ぐらいはおよそ観ることが出来ます。ただし、それには下切りを水平にきれいに切ってあることが大事です。

ツルの強度

強 ＞ 弱

図4-20
年輪幅の狭い方へ引かれる

■根張りによる影響

立木の持つ性質の例としてもう１つ上げると、既に根張り切りのところでも触れ、後でも触れる根張りの樹幹への巻き込みです。これは、根張りがどこに付いているかで、その危険性を把握出来ます。しかし、危険性はわかっても残念ながらどの程度ということはわかりません。したがってツルを厚めにつくって、様子を見ながら行うより外に仕方ありません。この巻き込みが強いと、立木を傾けるまではそれ程強く現れませんが、倒れ始めてある程度の角度になった時、急にツルが剥がれるように欠けていくため、始めの頃は正常であるのに倒れながら斜めに方向を変えて行きます（118頁・**写真4-32**参照）。

このほか、重心の問題等、受け口方向に倒れない、まだまだ多くの要因があります。

■ツルの高さの差

次に人為的な影響を上げておきます。受け口の方向を正確にということは、会合線の向きが目標に向かっていれば良いというのではなく、下切りが水平で、斜め切りも歪んでいないということです。これはどういうことかというと、下切りが水平でない場合、追い口がいかに水平であっても、下切りと追い口との幅の広い方、つまりツルの高さの高い方へ立木が引かれる傾向を持っています（ツルの厚さが左右同一の場合。**図4-21**）。その高さの差が小さければ、それ程大きな振れとなって現れませんが、追い口まで逆に斜めになっていたのでは高さの差が一層大きくなり、こうした傾向が更に顕著になります。

ツルの高さに差があるとこうした傾向を持つ理由は、ツルの高さが高い方が制動力が強く働いて弱い方を引くことと、ツルが切れるまでの時間が反対側のものより遅れるからです。斜め切りが、歪んでいる場合も前に張り出している方が先にツルが切れやすく、その反対側へ倒れやすくなります。受け口の下切り及び追い口はどのような条件であっても出来る限り水平に、斜め切りが歪まないように求められるのは、このようなことが根拠になっています。

切り方が相当いいかげんでも目標の所へ倒れることがありますが、そうしたことで勝手に自信を深めないことです。それは、それぞれのマイナス要因が互いに相殺しあって、そのようになった、つまり偶然にそうなっているものと理解すべきです。これでは、到底コントロールして伐木しているとはいえません。安全に作業するということは、諸々のリスクを１つ１つ潰す作業であるともいえます。

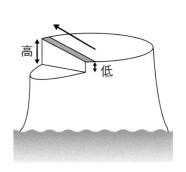

図4-21
ツルの高さが高い方向に立木は引かれる

伐 倒（基本 1）

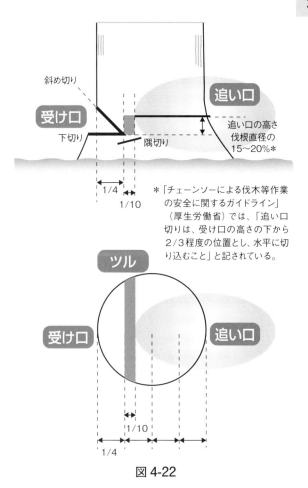

斜め切り

受け口

下切り

追い口

隅切り

追い口の高さ
伐根直径の
15～20%*

1/4

1/10

＊「チェーンソーによる伐木等作業
の安全に関するガイドライン」
（厚生労働省）では、「追い口
切りは、受け口の高さの下から
2/3 程度の位置とし、水平に切
り込むこと」と記されている。

ツル

受け口

追い口

1/10

1/4

図 4-22

追い口切り

■追い口の高さ（図 4-22）

　追い口の高さは、通常受け口下切りから 2/3 程度という表現を
されています（＊）。この場合、斜め切りの角度は関係なく、下切
りからの寸法を表現しているだけで、その根拠も何もない数字にし
か過ぎないのですが、更にそれに輪を掛けたように、高さは何cmな
のかと絶対値で表現することを求める方々がいます。しかし、受
け口斜め切りが 30°の場合と 45°の場合では異なりますし、まし
て伐根直径が小さければ低くなり、大きければ高くなります。し
たがって、およその比率で表現するということになるのです（図
4-22）。「受け口」（84 頁）の項で記してあるように、あまりに高過
ぎては材の有効利用になりません。また、ツルをつくる位置もわ
かりにくく、切り込み過ぎることにもなります。反対に低過ぎると、
ツルが折れ曲がる余裕もなく切断してしまいます。これは、樹種
によっても違うので難しい選択を迫られます。

　そこで、下表に受け口の斜め切りを 45°とした時、伐根直径に
よってどの程度になるのか、また斜め角が 50°、60°であってもこ
の割り出し方は下切りからの高さになるので有効となります。つ
まり、どのような直径の木、どのような斜め角であっても有効で
あるということです（重要）。

斜め角45°

伐根直径	受け口の深さ25%	受け口の深さ30%	追い口の高さ（深さ25%）	追い口の高さ（深さ30%）
20cm	20×0.25=5cm	20×0.3=6cm	5×60%=3cm	6×60%=3.6cm
30cm	30×0.25=7.5cm	30×0.3=9cm	7.5×60%=4.5cm	9×60%=5.4cm
50cm	50×0.25=12.5cm	50×0.3=15cm	12.5×60%=7.5cm	15×60%=9cm
60cm	60×0.25=15cm	60×0.3=18cm	15×60%=9cm	18×60%=10.8cm
70cm	70×0.25=17.5cm	70×0.3=21cm	17.5×60%=10.5cm	21×60%=12.6cm

伐根直径に対する割合

伐根直径	伐根直径×15%	伐根直径×20%	伐根直径×25%
20cm	20×15%=3cm	20×20%=4cm	20×25%=5cm
30cm	30×15%=4.5cm	30×20%=6cm	30×25%=7.5cm
50cm	50×15%=7.5cm	50×20%=10cm	50×25%=12.5cm
60cm	60×15%=9cm	60×20%=12cm	60×25%=15cm
70cm	70×15%=10.5cm	70×20%=14cm	70×25%=17.5cm

　前頁の上の表は受け口の深さ（斜め切りの高さ）の60％を追い口の高さとしたもので、下の表が伐根直径に直接15〜25％を掛けたものです。これらを見るとほぼ、受け口の高さに関係なく伐根直径に15〜20％を掛けたものが、受け口下切りからの追い口を決める高さになることを示しています。これはどういうことかというと、45°に斜め切りしているつもりでも、50°を超すことが往々にしてあります。当然、受け口の高さが相当高くなり、そのまま受け口下切りから2/3程度に設定したのでは、これまた追い口の高さが相当高くなります。したがってそうした受け口の高さを基準に取ることなく、およそ伐根直径（伐根直径は、根張りを取り除いた時の伐採点における直径）を手の幅等で推定出来れば追い口の高さを設定できます。

■追い口の切り込み

　追い口の高さ（伐採点）が決まったら、1度伐採点と予想される所へチェーンソーを軽く回し木に傷を付け、受け口下切りの位置と比較して確かめます。こうすれば、追い口の高さをより確実にすることが出来ます。ところで、この追い口の高さを確認する目印は、どこに入れたら良いか色々と意見が分かれますが、受け口の真後ろに付けることを勧めます。それは、目印を付けて確認するだけならば受け口の横、ちょうど追い口切りをする中間位の所の方が、受け口下切りと見比べやすいことは確かですが、後方から追い口を入れる場合には不向きです。この横に目印を付ける方が良いのは、後述する追いヅル切りの場合です。また追い口切りでも後方から行うのではなく、横方向から扇状に切り進める場合です。しかし、この横方向から扇状に切り進める方法は、チェーンソーの水平を出しにくく、鋸断面を斜めに切りやすくなります。

　したがって、後方から確実に水平を出し（切り込みを少し入れた程度では、水平状態の確認後切り直しが容易）、ある程度会合線に平行に切り進めた後、手元側を先に切り進め、スパイクで手元を固定し、バー先端を扇状に切り進める方が無難です。後方から入れる場合でも、まともに水平を出せない人が横方向からならば、水平に切ることが出来るなどということは恐らくないでしょう。

　以上、伐採点の確認が出来れば、再度チェーンソーを目印に付けた傷の所へ当て、切り進めます。

　木にガイドバーが入り、切断後方にクサビを軽く打ち込んでもチェーンに接触する恐れがなくなれば、早めにクサビを打ち込んでおきます。重心が後方に掛かっているような木の場合、特に早めにクサビの打ち込みを行っておかないと、ガイドバーが木に挟まれ苦労することになります。また、だからといってあまりに早く打ち込むと、クサビでチェーンを押し付けたり、クサビの先端をチェーンソーで切ったりとトラブルが起きます。そのタイミングをよく把握する必要があります。通常クサビは、大・中2本以上使用しますが、最初に打つクサビは小さい方で十分です。2本以上打つスペースのない小径木の場合には、大きい方1本で行うこともままあります。

■ツルの厚さ（強度）

　ツルの厚さをどの程度に決めるかは、樹種の違いや同一樹種であっても林齢・

伐採時のチェーンソー先端の確認方法

　研修会場で、「伐倒方向である受け口の方向からチェーンソー先端を確認しながら伐り進めるのは危険」、「受け口側は、倒れて行く方向で危険であるから受け口と反対側（後方）から常に確認すること」という指導に出くわすことがあります。こうした指導を聞くたびに、伐木とは何なのかを解っているのだろうかと不安になります。

　確かに、受け口をつくり、追い口を切り始めたところで、受け口前方をうろつくなどはもっての外です。しかし、こうした指導の根底が、「受け口をつくれば即自動的にそちらに立木が倒れていくという考えなのか、単に「受け口方向＝危険」と考えているのかは定かではありませんが、ことはそう単純ではありません。

　例えば、木の重心方向とは反対方向に倒す「起こし木」での伐木を考えてみましょう。受け口は重心方向とは反対方向につくることになります。受け口をつくり、追い口を切り進めて、もしツルを切り過ぎたとしたら、倒れやすいのは、受け口側でしょうか、それとも重心方向、即ち受け口の裏側でしょうか？

　このように、受け口の反対側から確認することが常に安全だといえない場合もあります。この場合には、見えにくい後方から確認するよりも、会合線および追い口最終線がよく見える受け口側から確認し、ツルをつくる方が確実です。

　一方で、受け口方向からの確認が危険だといえるのは、重心方向に伐木する時です。受け口は重心がかかっている側につくることになります。これを受け口の反対側から追い口を入れ、切り進めていけば、傾きの程度にもよりますが、ツルをつくる前に重心側に動く可能性大です（大変危険です）。

　このような傾いた立木を、追い口切り一辺倒で行うこと自体

が大いに問題です。例え後方（追い口側）から確認していても、立木が動き出してしまう危険とは隣り合わせです。

では、こうした立木をリスクを少なく処理するにはどうしたら良いのかといえば、後方に強力なアンカー（追いツル）をつくる「追いツル切り」という方法でしょう（106頁参照）。

この方法で後方に、20〜30％の切り残しのアンカーをつくっておけば、少々傾いた木でもそこに腐りや亀裂がない限りは動きません。したがって、受け口側から確認しても問題にはなりません。

ただし、その安全の確保のために、突っ込み切りの後、必ず受け口側のツルから先につくります。絶対に後方のツル（追いツル）からつくってはなりません（107頁参照）。

伐木を経験したほとんどの方々は、立木は1本として同じものがない等々と言います。正にそのとおりですが、そう言いながらも前述のように「受け口側からの確認は危険」という発想・実践がワンパターンになるのは解せないことです。

そもそも伐木は、対象とする立木の持つ条件・状態の判断に基づき、処理方法を決定することから始まり、その方法によるリスクも同時に判断して行うべきもので、短絡的な当てはめは通用しない（それ故に事故が多い）作業です。いかがでしょうか？

成長率等によっても大きく異なり、「この程度です」というようには決められません。木が軟らかくツルとしての強度が弱い場合は厚く、粘りがあって木が倒れる時、制動力が大きければ薄くします。例えばヒノキとスギですが、ヒノキに比してスギは軟らかく粘りがないため、ヒノキの倍以上のツルの厚さを必要とします。しかし、木の強度は実際木にチェーンソーを入れてみなければわからないことが数多くあります。したがって、受け口、根張り等を切る時は、その硬度、強度に気を配りながら行う必要があります。

ツルの厚さは一般的に図4-22にも示してあるように、伐根直径の1/10程度を一応の目安とします。しかし、チェーンソーを入れ切り進むに当たり安全性を考慮するならば、目的とする切断最終点に向かって一気に切り進むのではなく、その手前で一時止め、クサビを打ち、ツルの強度を確かめながら行う必要があります。この時、ツル部分として切り残しをどの程度にするか、すなわち鋸断最終位置をどこにするか、切り過ぎを防ぐことからも単純に「勘」だけに頼らず、予めナタで木に目印を付けるなり、目印になる物を置くなりすることも工夫です。

■ツルの形状による伐倒方向の違い

伐倒する立木の上方を視認するのは、既に記したように上方の蔓・枝の絡み・落下物等の安全上の事柄だけでなく、木の傾き・枝張りによる重心位置の確認も大事な要素です。それは、安全に倒すためツルのつくり方を色々工夫する必要があるからです。重心がほぼ中心部分にあれば、ツルの厚さは左右同じ厚さにすることで通常問題ありませんが、この状態の木でツルのつくり方の違いが伐倒方向にどのような影響を与えるのでしょうか？　次に記しておきます。

ツルの一方が厚く、他方が薄いちょうどクサビのようにつくると、当然厚い方が抵抗が大きく制動力も大きく働きます。反対に、薄い方は全くその逆になります。したがって、立木が倒れ始めると、薄い方のツルから切れ始め、ツルの厚い方へ引かれる形になり、目的の伐倒方向よりツルを厚くつくった方へずれて倒れて行きます（図4-23）。この性質は、上記のような標準的な立木では不都合を生じます。しかし、現実の山は傾斜が様々で、こうした標準的な立木の方が少なく、重心が一方に偏っているものがほとんどだと思った方が良いでしょう。ですから、この性質をよく心得て上手に使うことが、逆に安全に倒すための重要な技術となります（101頁・図4-30ほか参照）。

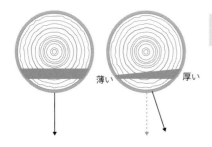

図4-23
ツルを厚くつくった方へずれて倒れる

追い口切りによる傾き木の伐倒

■重心方向へ倒す場合

重心方向へ追い口切りで伐倒しようとする時、特に気を付けなければならないのは、ツルを所定の状態につくる前（追い口で切り進めている途中）に、木が倒れ始めることです。こうした状態になっているにも拘わらずチェーンソーを回し続け、目的とするツルに出来るだけ近付けようとする人がいます（これが多い）。

これは、切り残し部分が大きいと材が割れやすいことを知っているからです。しかし、こうした行為は自ら事故を呼び込むもので、まさに自殺行為です。プロと認ずる方々であれば、プロとしての資格が当然問われるでしょう。

　では、追い口切りで行う場合にはどのようにすべきか？　それは、通常より高い位置に追い口を求め切り進みます（図4-24）。ツルをつくる厚さは、若干厚めにし、切り込み過ぎに注意して行います。高い位置に追い口を求めるのは、多少とも木が縦に剥がされて行く時の制動力を利用しようとするものです。この制動力によって切り進めて行く途中で倒れ始めるのを出来るだけ防ごうというものです。こうした場合、始めにクサビを打ち込むなどということは禁物です。クサビは、左右の安定のために差し込んでおく程度とします（2本入れるスペースがあれば2本、なければ1本）。追い口を高い位置にとっても、倒れ始めが所定のツルをつくる前に起こったならば即刻退避することです。このような木は、後で記す追いヅル切りという技術を使用することを勧めます（106頁参照）。

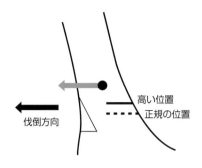

図 4-24
重心方向に倒す場合、追い口は通常より高い位置

■重心と反対側へ倒す場合（起こし木）

　起こし木の伐倒は、実際これまた非常に数多くあります。この場合、クサビを使用して行うべきか、チルホール等牽引具を併用して行うべきか、その判断に迷うところです。これは、大きいクサビを使用してそれが70〜80%程度入った時、ほぼ重心が中心の位置、つまり起こしが完了する状態の傾き木であるか否かがおよその目安になるでしょう。それ以上であると思われる場合は、迷わず牽引具を併用すべきです。以下、クサビを使用した場合について記します。

　起こし木は、程度にもよりますが2本以上のクサビを使用しても大きな労力を必要とします。追い口（受け口下切りからの高さ）も通常より低くします（図4-25）。もちろん、受け口下切り以下にすることは論外です。これは、重心側に倒す場合とは反対に、木が縦に（ツル部分の追い口側最終点）引き裂かれて開いていく時の抵抗力を少なくすることと、「テコ」を使用した時に支点と力点が短い程、大きな力を発揮出来るからです。これらのことが木を起こしやすくするのです。ただこうした起こし木は、木の傾き（重心重量）によるテコとしての働きから、ツルに上方へ引き抜く力が大きく掛かり、クサビを打っていった時、更にツル部分に掛かる力は何倍にもなります（クサビを打つと木が開くだけでなく、同時にツルを引き抜く力が働く。クサビが木を開く作用、働きをするための支点になるから。〈図4-26〉）。したがって、直径の1/10程度でいいだろうと安易にツルをつくると、倒す側（伐倒方向）に倒れるのではなく、ツルが途中で切れて後方へ倒れるということも往々にして起こります。これも大変危険です。

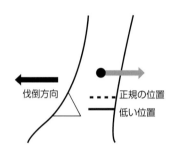

図 4-25
重心と反対側に倒す場合、追い口は通常より低い位置

　では、この状態になることを防ぎながら伐倒するにはどのようにしたら良いのでしょう。それは、追い口を入れ切り進む途中、チェーンソーが挟まれる前にクサビを打ち込むことは既に記しましたが、それから先数cm切り進むごとに、2本以上のクサビ（2本以上使用するのは、ツルの左右安定のためばかりでなく、クサビ1本当たりに掛かる荷重を減らし木を起こしやすくするため。また起こし木の場合、木の圧縮によりクサビが木に埋没して利かなくなる可能性がある）を交互に打ち、木が起きていく状態を確かめながら切り進み、クサビの打ち込みを繰り返していきます。この時、木が起きないのにむやみにクサビを力任せに打つのではなく、切り

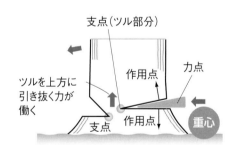

図 4-26
起こし木でのクサビの使用は、ツルを上方に引き抜く力が働くので注意が必要

進む深度と木の動きに気を配って行います。

　要はクサビを打ち込んでも木の傾きが変わらなければツルが強いという訳ですから、更に切り進み、木が起き始める点を慎重に探っていくということなのです。最終的にもう少しというところでは、チェーンソーを使用せず手鋸でツルの強度調整をしながら、更にクサビを打ち込んで倒します。

　ちなみに、クサビを打つ時に注意しなければならないのは、立木の上方の振れにタイミングを合わせてクサビを打つことです（これは、起こし木の時だけでなくクサビを打つ時、常に考慮すべきこと）。それは、立木の上方が倒す方向へ振れて行く時に打つということです。反対に振れる時に打ったのでは、クサビは効率良く利きません。昔よく行われていた上方伐採は、この手法です。

クサビ（矢）

写真 4-20
伐倒の補助器具・クサビ（大・中・小）。大・中（小）２本は最低携行する。チェーンソーの場合は大・中（これを大・小という）

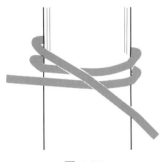

図 4-27

　既にクサビの使用については記してきましたが、次に移る前に、改めてクサビの必要性、使用方法等を記しておきます。

　これは、昔から木を倒す時、特に大径木・起こし木の伐倒に欠かせない必携用具として用いられてきました。硬い材質のカシの木が材料として多く使用され、小さいものから大きいものまであります。形は、片面が平らでもう一方を傾斜を付けた片刃のナタのようにしたものとか、両刃のナタのように両面傾斜を付けたものがあります。そのどちらもハンマー・斧の頭のような固いもので打ち付けるため、クサビの頭に鉄の「たが」を取り付けられ、割れや頭の崩れるのを防ぐ構造になっています。

　また、クサビの大・小はもちろんですが、クサビの厚さを色々につくり、切り口の開きに応じて使い分けています。現在でも木のクサビは使用しますが、強化プラスチックで作られ、打ち込んだ反動で飛び出してくるのを防ぐように、ハズレ止めを付けたものも売られています。

　クサビは、極めて単純な形をしていますが、ハンマー等で打ちつけた時の運動エネルギーを、傾斜を付けた面に直角の方向へ木に食い込む摩擦を利用して、大きな力を発生させる変換装置ということができます。したがってクサビは、木を

大径木伐倒時の牽引具使用法

　牽引具使用（主にチルホール）に当たり、大径木及び広葉樹等では、１台で伐倒方向に引くのではなく、２台で左右に傾くのを防ぎながら行うことを勧めます。もし１台で行う場合には、前方（倒れる方向）それぞれ50～60°程度の角度で左右にトラスを取り、その緊張度を牽引具の緊張度に合わせながら行うことです。もちろん牽引具・ロープを使用する場合、ブロック（滑車）で方向を変えて行わなければなりません。トラスの緊張は、それぞれ人員を配置して、立木等に（ワイヤーロープ等）１～２周巻き付け、手に持っているワイヤーロープを、巻き付けてあるワイヤーロープに被せ、押さえて引き締めて持っていること（**図4-27**）。

倒す時ばかりでなく、割れにくい木を縦割りする時や、使用するクサビの材質は異なりますが大きな岩石を割る時にも利用されます。そうしたことから、その力の発生がいかに大きいものか知ることが出来ます。

　さて、単純な形ではありますが、こうした大きな力を発生する優れもののクサビを伐倒に利用する時は、大・小2本以上使用することが原則です（2本使用出来ない径級の木もあるが、携行するには大・小2本は最低限必要。ここでいう大・小は、大・中のこと）。

　このクサビの目的は次の4点です。

　第1の目的は、木の重みで鋸道が狭められ、チェーンソー・手鋸が挟まれないようにすること（鋸道の確保）。

　第2の目的は、切り進めていった時、立木を安定させること。

　第3の目的は、立木の重心を移動させ、伐倒方向を確実にして倒すこと。

　クサビは、大きな力を発生させることは前記しましたが、反面開く広さはそれ程大きくありません。しかし、立木は根元から先端まで、15m、20m というように相当の高さがあります。この高さがあるお陰で、たとえ根元の開きがわずかでも先端部を大きく動かすことが出来るのです。先端部が大きく動くということは、立木の重心も大きく動くということです。この重心移動が、伐倒には大事なことです。

　第4の目的は、ツルの強度を測る道具として使えること。

写真 4-21
鋸道の確保、立木の安定を目的にしたクサビの使用

■クサビ使用の注意点

　2本以上のクサビを使用すべきことを記しましたが、これは次頁・図4-28のように左右の安定というだけでなく、1本のクサビを打った瞬間にそのクサビが飛び出した時、もう1本入っていれば木の戻りを防ぐ事が出来ます。もし、1本だけの場合は、クサビが抜けた時、木が完全に重心を移動させる前の状態であれば、元の状態に戻ります（起こし木の場合は、そうなる）。これは非常に危険です。戻る力・反動が大きいとツルを引きちぎり、反対方向に倒れていく可能性があります。したがって最低2本使用することは、極めて安全の問題とも密接に関係しています。例えば小径木で起こし木の場合、大きいクサビ1本分の余裕しかないことがあります。こうした時、くれぐれも打ち込みに注意を払わなければなりません。また、もう少しで起こしが完了するという時、ツルにクサビが当たって飛び出すことがあります。大変危険ですので、十分な注意が必要です。

写真 4-22
立木の重心を移動させ、伐倒方向を確実にするためのクサビの使用

■大小のクサビの使い分け

　市販されているクサビは、大・中・小と3種類ありますが、チェーンソーを使用する場合、鋸道が広いので大・中2種類で十分です（ここでは大・中を大・小として記す）。大・中・小の小は鋸道の狭い手鋸の方に適します。しかし、それでも入りにくければ、グラインダーで先を削っておくと入りやすくなります。

　さて、大・小（大・中）のクサビは、どのような特性があるでしょう。このようにいう理由は、使用に当たり、その特性を理解して使用しているとは思えない方々がいるからです。こうした方々に大・小どちらのクサビの方が大きい力を発揮出来るか問うと大きい方と答えが返って来ます。それは、厚く、長く作られて

いるから大きな力を出せると思い込んでいるようです。これはとんでもない誤解です。クサビは同一の力で打った時、薄いものほど食い込みやすい訳ですから、必然的に大きな力（木を起こす能力）を発揮出来ます。つまり急な坂を登るより、緩やかな坂の方が登りやすいのと同じです。

したがって、最初に使用すべきクサビは、小さいものを使用し、大きいクサビの傾斜と一致するまで開いてやるのが正解です。大小2本使用であれば、より強く打って行くべきは小さい方で、大きいものはそれに付いて行くように打つべきです。手持ちに、大小2本ずつあるとしたら、最初に小さいものを2本入れ（クサビ2本使用でも）ある程度口が開き、一方を打って一方が緩んだら、そちらを大きいものに交換し、大きい方を打ち込んで小さい方が緩んだら、それも大きいものと交換するという使い方も、クサビの特性を利用した方法です（クサビの差し替え）。大小のクサビを並べて、小さい方の厚さと大きい方の厚さが一致する所はどこか比べれば、小さいものでどこまで開いたら大きいものが入りやすいか理解出来るでしょう。

■傷めたクサビの利用

クサビは、打つ角度が適正でないと、先端から1/3程のところで折れてしまったり、鋸道確保のために差し込んだものをチェーンソーで切ってしまう等で、結構傷めます。そうした時、折れたものは使用不能ということで、捨ててしまうのがほとんどだと思います。しかし、特に大きいクサビがそのようになったら、捨てるのは「もったいない」話で、それを何とか再利用出来ないかを考えてみてはどうでしょう。

伐木で、大きいクサビを打ち込んで行った時、もう少し打ち込めば何とかなるというところで、先端がツルに当たってしまった経験を持っている方がいると思います。この時、先端1/3がなければもっと入るのにと思ったことでしょう。まさに、先端1/3がないものが折れたクサビです。折れた先を削り直して厚く短いクサビとして持っていると大変便利です。新品をわざわざ切ってつくるより、有効利用になります。チェーンソーで傷めたものもこうして再利用を考えてみてください。

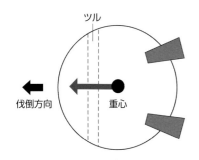

図4-28　クサビの使用例1

■クサビの使用例1（図4-28）
重心が中心部にある場合

クサビは、出来る限りハの字に離して重心を移動させる所に、ハの字の延長線が向くように使用します。

■クサビの使用例2（図4-29）
重心が中心から外れてはいるが立木の内側にある場合

クサビBは、鋸道が開いていく時、重心部が更に外側に移動しないようにする目的も持っています。これは、別の見方をすると、重心と反対側のツルの補強をするのと同じことです。クサビA・Bは交互に打ちますが、クサビAは主に鋸道を確保すると共に、重心を大きく前方に移動させるのに使用し、クサビBは上記の目的からクサビA程強く打たないことです。あまり強く打ち込むと、ツルの厚さによってはツルを引きちぎることもあります。

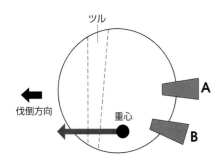

図4-29　クサビの使用例2

ツル厚さが左右で異なることについては、次項「クサビの使用例3」を参照のこと

■ クサビの使用例 3（図 4-30）

枝葉が片側に集中した木や傾いた木で、鋸断面の外に重心がある木

　この例のような木を、斜め上方・横伐採をする場合、重心反対側のツルを強化し重心側に倒れるのを防ぎ、なおかつクサビを打って行く時、ツルが強過ぎないように調節する目的で、クサビのようにツルをつくります。重心が中心部にあれば、ツルの厚い方向へ倒れますが、重心が外側にあるため、それと抵抗して矢印方向へ倒れます。通常であれば否定されるツルのつくり方ですが、使いようによって大きな武器になります。

　クサビの使用法は**例 2** と同じですが、大径木になるにしたがって **B1・B2** のように重心側クサビの数を多く使用します。**B1・B2** は、重心重量を引き受けるクサビです。ツルが薄い方ですから、打ち過ぎてツルを切らないようにすることはもちろんですが、さりとて、あまり軽く打っていたのでは、効果がありませんので、ある程度強く打って重心荷重を引き受け、重心を移動させる必要があります。**クサビ A** とのバランスを考えて打つことです。図では、**B1、B2** は小さいクサビを描いていますが、鋸道が開けば大きいクサビと換えます（クサビの差し換え）。

　ちなみに、重心側クサビを強く打ち過ぎないこと、特にツルに近い方のクサビ、この例では **B2** を強く打ち過ぎないことです。ツルに近いものほど、ツルを持ち上げる力が作用しますので要注意です。

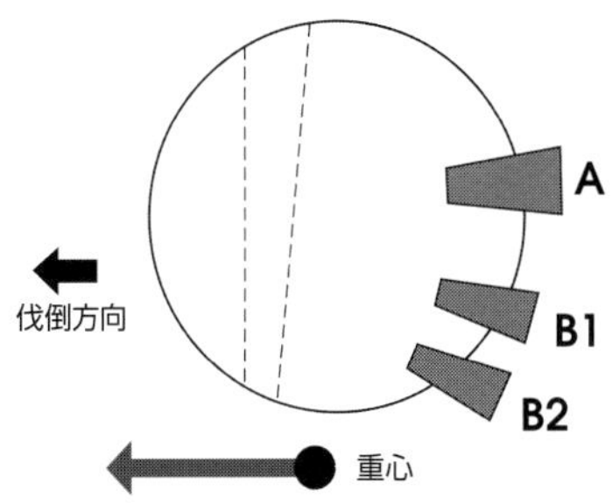

図 4-30　クサビの使用例 3

■ クサビの使用例 4（図 4-31）

重心が伐倒方向の反対側で、しかも鋸断面外側にある場合

　この例の場合も基本的に**例 3** と同様ですが、重心が外側にあり、起こし木であることから、鋸道の確保を**クサビ A**（**B1** でも可能）で行った後は、**クサビ B3** から打ち始め、**B2 → B1 → A** という順に打っていきます。起こし木であることから**例 3** よりも**クサビ B**、特に **B1・B2** は強く打っていく必要があります。**B1、B2** は鋸道が開けば上記と同様、早めに大きいクサビに差し換えます。もちろん、重心を移動させなければと、薄い方のツルを切る程**クサビ B3** を打ち過ぎてはいけません。

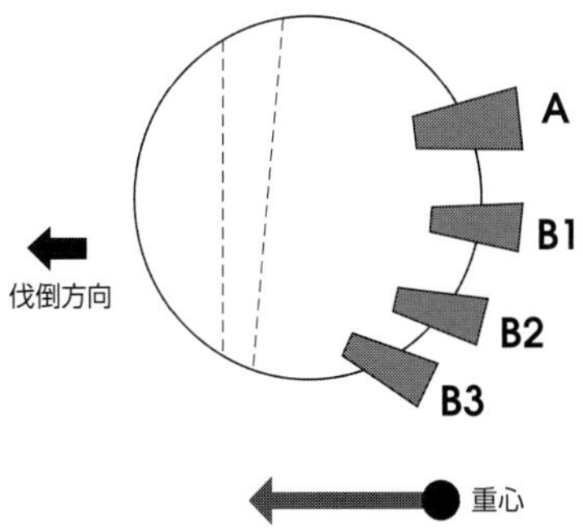

図 4-31　クサビの使用例 4

■ 注意—クサビ打ち込みの力加減

　クサビを使用する上で、次の事に注意してください。

　クサビを打つ力加減は、記述中にあるように強くとか、弱くという表現より外に表記しようがありません。例えば、この程度の立木であれば○○ kgf の力で、というように表現することは出来ても、実際には実行不可能です。打つ人、打つ用具の質量等でおのおの異なります。したがって、作業者本人が自分自身の力加減を実際に行って、知っておくことが大切です。

　ちなみに、打つ用具は軽いものより重いものの方が効果が大きくなります。クサビの打ち方は、腕の力で打つのではなく（クサビから外れやすい）、振り子のように用具の重さ、つまり振り上げた反動を利用することです（楽に正確に打てる）。芯を正確に打つためには、いきなり打ちつけるのではなく、打撃の角度（当たった時の握った手の位置）や距離を軽く当てて測り（足の位置も重要）、徐々に強く打つことです。

■**注意─重ね矢は危険**

 1本のクサビでは追い口が開ききらないということで、上下に2本のクサビを重ねて使用するのは危険です。クサビは、2枚重ねると角度が急角度になり過ぎて木との摩擦が減少すると共に、クサビ同士の摩擦が少ないことから上下どちらか一方を打った時、もう一方が飛び出して来ます。これは、起こし木で起こしきれない場合特に危険です。1度起きかかった木は、突然クサビが外れることによって元に戻り、その反動でツルが切れ後方へ倒れる危険性があるからです。ただ、

重心の移動 ①

 伐倒は、重心を移動させること、すなわち、立木を伐倒方向へ傾けることによって可能になることは理解出来たと思いますが、**図4-32**のように外側の**重心a**を**クサビB**を打つことによって**c**に移動させ、**クサビA**を打つことによって**b**へ移動させて伐倒が成立する訳ではありません。もし**クサビB**を打って重心**a**が**c**に移動するのであれば、この立木は中心に向かって起き上がって行かなければなりません。この立木が起き上がるということは、薄い方のツルは既に切れていなくては不可能です。実際にそのようなことは起こりません。重心の移動で倒れることは事実ですが、重心**a**は**d**に向かって移動することで立木は倒れるのです。傾いている木は、ツルが付いている限り倒れるまでやはり傾いています。

 したがって、重心側に打つ**クサビB**は、既に記してきたように切断部に代わって重心重量を引き受け、重心反対側のツル補強と考える方が合理的です。解説書によっては、重心**a**が**c**に、そして**b**へ移動するように記してありますが、くれぐれも勘違いしないことです。倒れるという結果からそのようにイメージすることは可能ですが、事実とは違います。

 また、ツルをクサビ状につくるのは、単に伐倒方向より右寄りに向かう（ツルの厚い方に向かう）性質のみで制御するということではなく、重心反対側のツルを十分厚くつくることによって、鋸断面の外側にある重心重量に倒れるまで十分抵抗でき、なおかつもう一方を薄くつくるのは、追い口が開きにくくなるのを避けるためです。これは、重心重量に大きく抵抗する必要がないからです（**図4-33**）。このように考えた方が、これまた、合理的です。ただし、薄くするといっても、クサビを打って簡単に切れるようでは危険です。

 ツルをつくる厚さですが、どの程度が一般的かなどということは不可能です。したがって、薄い方を直径の10%に取ったら、厚い方を15%・20%・25%程度というように厚く残し、クサビを打ってみてツルの強度を確かめながら、ツルの厚さを徐々に補正して倒すことです。くれぐれも、この程度でよかろうなどと勝手に決め付けてツルを1度につくり、倒そうとしては大変危険です。

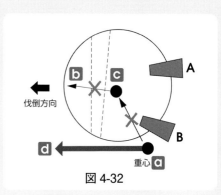

図4-32

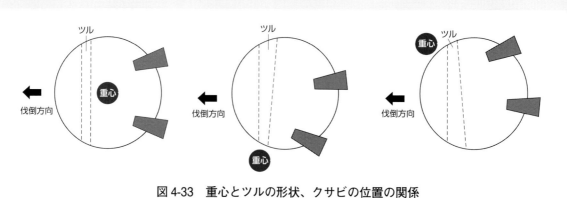

図4-33　重心とツルの形状、クサビの位置の関係

重心が伐倒方向へ移動し倒れかかってはいるけれど、枝が隣の枝に接触した状態で止まっている木で、絶対に戻り木にならない時は大きな効果を持っています。しかし、飛び出して来る危険性は常にありますから、そのクサビに当たっての怪我には十分注意する必要があります（重ね矢はしないこと）。

重心の移動 ②

　伐倒は、基本的に重心を移動させること、すなわち重力を利用することで成り立つことは既に述べましたが、重心とは何か、その重心はどこに、そしてどのように移動していくのか、重心の移動をもう少し考えてみましょう。

　まず、**図 4-34a** を見ると明らかに垂直から向かって右側に傾いているので、重心が右に移動していると感覚的によくわかります。

　では、重心とは何なのか？　この木のどこにそれがあるのでしょう？　まさしく重心とはこの字句のとおり、重さの中心です。この木の全質量（重量）が掛かっている中心です。では、この木の重心は木の先端ですか？　それはないでしょう。もしそうだとすると、全重量が先端にあることになります。感覚的には木が傾くから、重心移動であると思えますが、それはあり得ません。

　わかりやすくするために、この傾いた木を前後左右全く偏りがなく、まっすぐに立っているものとしましょう。この状態で、全重量は根元の中心に掛かってはいませんか？

　こうした木を伐倒するということは、重心を移動させ

るということですから、根元の中心にある重心はどのように、どこまで行くのでしょうか？

　これまでは、立った状態の木を考えて来ましたが、これは一時置いて、この木が倒れ横になった状態について考えてみましょう。

　もし、この木をクレーンか何かで吊り上げたら、根元と先端の間に平衡を取れる1点があるはずです。そこがこの木の全重量が掛かっている重心です（**図 4-34b**）。この横になった木を、元に戻したとしたら、根元の中心に掛かっていた全重量は、横になったこの木の全重量と全く同じです（**図 4-34c**）。

　伐倒の際に起こる重心の移動とは、この全重量が傾きに応じて移動し、移動することでまた傾きを大きくするというものです（**図 4-34d**）。別の言い方をすると、この重心の移動は根元の中心から傾くに従って、傾きに応じて木の心を先端に向かって上って行くと考えればわかりやすいかもしれません。先端に向かって上っていく重心は、最終的に倒れて水平になった時の重心位置が終着点で伐倒完了となります。

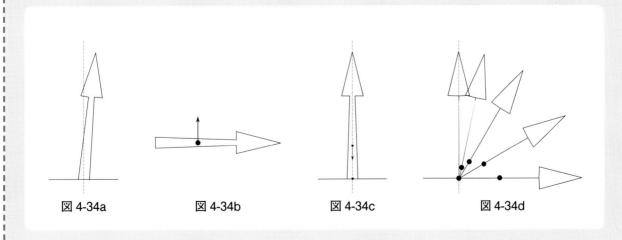

図 4-34a　　　　　図 4-34b　　　　　図 4-34c　　　　　図 4-34d

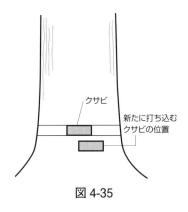

図 4-35

写真 4-23
突っ込み切りで新たにつくった鋸道にクサビを打ち込むことで先のクサビを持ち上げる

写真 4-24
木のスペーサーを差し込み、クサビを打ち込んだ状態

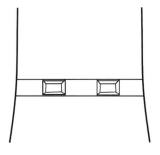

図 4-36a

■注意―重ね矢のリスクの避け方（1）

　前記の重ね矢のリスクを避けるために次のような方法もあります。ただし、これはクサビを 2 本以上十分に使用出来る径級の立木の時に有効です。

　これは、クサビの先端がツルに当たって、それ以上入らない時、あるいはクサビがすべて入ってしまっている時、図 4-35 のように打ち込まれているクサビの 2 ～ 3 cm 下、それも打ち込まれているクサビの全体の幅ではなく、その半分程度掛かるぐらいで（全面的にクサビの下を切り抜くと、圧力でバーが挟まれる）新たに打ち込むクサビ幅より少し広めに、チェーンソーで突っ込み切りを水平か、わずか斜め下に向かって行います。この時、くれぐれも突っ込み切りの深さを確かめて行うことです。これは、深く入れ過ぎると、ツルを切り抜いてしまう恐れがあるからです。

　こうしてつくられた鋸道にクサビを打ち込み、割れた木と共に先に打ち込んであるクサビを持ち上げます。この方法は重ね矢のような飛び出しはありません（写真 4-23）。

■注意―重ね矢のリスクの避け方（2）

　上記（1）で述べた方法は、もう少しで何とかなりそうだと思われた時の方法の 1 つです。この方法では、大きいクサビを打ち込んでも、持ち上げる高さは 2 ～ 3 cm 程度です。もちろん、これだけ上げることが出来れば、木の先端はかなり大きく動きます。

　しかし、打ち込んだ大きいクサビをギリギリまで打ち込んでも起こしきれない木や、上部の枝が他の木の枝に接触して、大きいクサビで追い口を目一杯に広げても何ともならない、あるいは大きなクサビを 2/3 程打ったら、ツルに当たってしまって起こしきれない等々、手持ちのクサビを普通に使用していたのではどうにもならない状態があります。

　こうした状態の木に対して、それではロープを用意しよう、あるいはチルホールで何とかしようということになりそうですが、その前にもう少し知恵を絞ってみてはどうでしょう。既に述べているように、重ね矢をしたくないのであれば、クサビ同士でなければ良いのではないでしょうか？　つまり、追い口の木の面に木を重ね、その上にクサビを打ち込むという方法であれば、木と木ですから面が染み、滑りにくくなります。その上にクサビを打つ訳ですから、打ち込む上下の幅も、最初にクサビを打ち込んだ時の鋸道と同じ幅にも出来ます。

次に具体的にその方法を記します。この方法は、クサビを 2 本以上使用出来る木に有効です（1 本しか打てない木の場合は、掛かり木状態でクサビを抜いても戻り木にならないものであれば可能）。

　図 4-36a のように、2 本クサビが入っている場合、一方を抜いて、口を開いている追い口の下切り部分に、木でつくったスペーサー（パッキンともいう）を奥まで差し込み、スペーサー上部の開いた隙間に、その時の状態によって大・小クサビを打ち込めば、追い口は開いて行きます。追い口が開き、隣のクサビが簡単に抜けるようになったら、そちらにもスペーサーを入れ、同じようにクサビを入れ打ち込みます。この時は、左右交互に打ちます。ただし、木の状態を観ながら、クサビは目一杯打ち込まないこと。これは、まだ木を起こしきれない時に一方の

クサビを再度抜いて、スペーサーの交換をしてと、更に追い口を広げなければならないからです（**図4-36c、写真4-24**）。

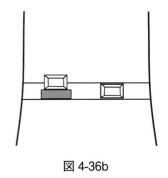

図4-36b

したがって、こうした状況の時ばかりでなく、クサビの差し換えが必要な時にはクサビを目一杯打たず、打ち込む余力を残しておくことが大事で、後で苦労しません。

ではスペーサーは、例えばプラスチックのクサビのように既製のものがあるかといえば、そのようなものはつくられてもいないし、もちろん売ってもいません。追い口の開き具合に応じて、現場で自らつくる必要があります。作業者は、チェーンソーを持って仕事をしている訳ですから、そのチェーンソーを使えば可能です。倒す木の周辺にスペーサーをつくれそうな木はありませんか？　なるべく堅い木の方が良いのですが、とにかく、追い口の大きさに合わせた厚さのスペーサーをつくらなければ、仕事は進みません。追い口は開いて、ちょうど三角定規のような形になっていますので、スペーサーも三角の形をしたものをつくるべきです。丸太を**図4-37**のような形に切れば、そのような形のものが出来ます。このスペーサーは厚さを変えて2～3個つくり、利用します。これもまた現場で必要に応じてつくる道具です。そしてその前に、こうしたものをつくる知恵は最大の道具です。

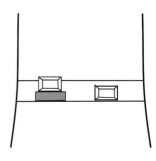

図4-36c

最後に、適当な丸太を探して、不用意に傾いた木の前方エリアに入らないことを付け加えておきます。

■一般的なクサビ使用が困難である立木

出来る限り伐採点を低くしても、通常のクサビ使用が困難な立木は、クサビ以外の方法を考えてみる必要があります。それは、テコを応用して立木を傾ける用具フェリングレバーの使用です。

図4-37
追い口の開き具合に応じて三角の
形をしたスペーサーを手づくりする

フェリングレバーは、受け口をつくり追い口を入れてクサビを打つスペースがない場合大変便利な用具です。市販されているものは、木回しとしても使用出来るようになっています。受け口をつくり（伐根直径10～12cm程度であればチェーンソーで鋸道を入れるだけで良い）**図4-38**のように1の所へ半分程度切り込みを入れ、そこへレバー先端を差し込み、次にその10～15mm下部を2のように切り込み、レバーを持ち上げて倒します（レバーを下げて傾けばそれでも良い）。

次に通常の切り方ではクサビの使用が難しく、かといってレバー頼みではこれまた大変だという立木はどうすれば良いのでしょうか？　こうした立木は、ロープを使用するのも1つの方法です。しかしあえてクサビの使用という難しい条件で考えてみてください。

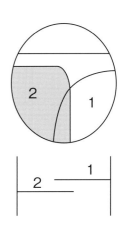

図4-38
フェリングレバーを1の切り込み
に入れ、レバーを持ち上げて倒す

これまで、受け口をつくり、次に追い口を入れてクサビを打つという順序で伐倒していましたが、これは、何が何でもこの順序でなければならないという訳でもありません。その逆でも伐倒は可能です。クサビを打って倒す時の状態は、まさしく受け口・追い口が出来ています。したがって、受け口をつくる前に追い口を入れ、チェーンソーが挟まれる前にそれを引き抜き、クサビを打ち込んでおいて、それから受け口をつくります。

この時、注意すべきことは、前述したようにチェーンソーを挟まれるまで切り込まないことと、受け口をつくる時に下切りを先に入れ、追い口最終線との間（ツルになる部分）を十分確保した後に斜め切りを行います。これを逆にして斜め切りから始めると、ツルとして残す部分がわかりにくくなります。また、追い口から切り始めるため、この方法は方向を定めにくいという欠点を持っています。

伐倒（基本２）

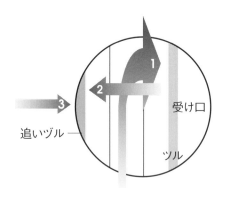

写真 4-25
矢印の部分が伐倒の最後に切られた「追いヅル」部分。根張り等を活用する

図 4-39
1で突っ込み切りをし、通常のツルをつくる。次に2で後方に追いヅルをつくる。3で最後に追いヅルを切り離す

追いヅル切り

　この伐採方法の最大の特徴は、通常つくるツルの外にその反対側すなわち、伐倒木後方にもう１つの切り残し部分「追いヅル」（図 4-39）をつくることです。この方法は、後方にツルを残すことで伐倒のすべての準備が完了し、最後にこの切り残し（後方のツル）部分を切断するまで、立木が倒れる心配がありません。したがって作業者は、心理的にも余裕を持って作業出来、周囲の確認、余裕を持った退避行動を取れるという極めて安全性の高い方法です。

　また、それ故正確にツルをつくることが出来ます。その結果、伐倒方向が安定し、芯抜け・割れの防止にも大きく寄与します。この方法は、昔、斧が伐採の手段であった頃、大径木を倒す時に行われていた「三つ目切り」・「鼻緒切り」と同じです。斧で三方から中心に向かって穴を開けて行き、穴がそれぞれつながり、3点に切り残しが出来ることからこのように呼ばれます。立木に穴を穿つ方法であるために、手鋸では絶対に不可能な技術でしたが、遠い昔に編み出された技術が、チェーンソーの登場に伴って再び復活することが出来たのです。チェーンソーは上下の刃の使用はもちろん、その特長として突っ込み切りが可能だからです。追いヅル切りとは、チェーンソーの突っ込み切りを最大限に活用して行われる伐倒技術です。

　次に図 4-39 と写真 4-26 を示して具体的に説明していきます。

　根張り切り、受け口つくりは既に記してあるので省きますが、追い口切りの時

追いヅル切りの手順（写真 4-26）

①受け口をつくり、オノ目を入れる

②突っ込み切りを行う

③まず、通常のツルをつくる

⑥最後に追いヅルを切り離す

⑤鋸道にクサビを軽く打ち込んでおく

④追いヅルをつくる

③で受け口側からチェーンソーの先端を確認している理由は、95 〜 96 頁コラムを参照のこと

と少し違う点は、後方に根張りがあればそれを切り取らないで追いヅルとして有効に利用することです。この根張りは、必ずしも真後ろでなくてもかまいません。左右にずれていても追いヅルとして利用出来ます。

　以上の事に注意して受け口つくりを行います（**前頁写真①**）。次は、切り込む位置です。追い口切りでは、受け口の真後ろに追い口の位置決めの目印を付けると述べましたが、後方にヅルを残すため後方ではなく、側面に付けます。この側面に付けた目印の高さの確認後、その位置からガイドバー先端を当て突っ込み切りを行います（**写真②**）。この時、前方のヅル及び後方のヅルとして残すべき部分に切り込まないように、予めチェーンソー先端を出したい位置に、正確にチェーンソーをコントロールしなければなりません。したがって、その訓練が必要です。また、方向だけでなく、チェーンソーが水平に使用出来ていないと、先端が出て来た時、受け口の下切りより低くなったり、予定の高さより高くなり過ぎたりしますので、これまたチェーンソーを水平に使用する訓練も必要になります。

　ただ、この突っ込み切りの段階で高さが合わない時は、切れている幅がチェーンソーのバー幅程度ですから、もう1度気を取り直し、チェーンソーの水平確認をしっかり行って、同じ入り口から突っ込み直しておくことです。これが、後のトラブルを未然に防ぐことになります。

　バー先端が出た後は、追い口切りと同様のヅルをつくるために切り進め、所定のヅルが出来たら（**写真③**）、後方へそのままバーを送り後方のヅルをつくります（**写真④**）。これらの作業がすべて完了すれば、後は周囲の安全を確認し、合図を送って後方のヅルを切り離して倒すのみです（**写真⑥**）。

　以上のことからこの伐採方法は、重心側に倒す時に大変便利な技術です。しかし、だからといってこの技術は、重心側に伐倒することばかりに限定されるべきものではなく、工夫次第で、広く適用できる汎用性を持っています（後述）。

三段切り

　この方法は、基本的に追いヅル切りです。通常、追いヅル切りは、追い口位置ないし上方で追いヅルを切断しますが、この場合、追い口位置より低い位置で後方から追い口切りのように切り進め、後方のヅルを切り離します。**図 4-40** のよう

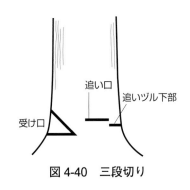

図 4-40　三段切り

（図中ラベル：追い口、追いヅル下部、受け口）

注意！ 　**追いヅルの逆順は不可**

　追いヅルをつくる順序を逆にしてはいけません。突っ込み切りの後、追いヅルをつくり、前方のヅルを所定の所まで切るというように、順序を逆にしてはいけません。これは、追いヅルを先につくった場合、追いヅルの厚さによっては追い口を切り、前方のヅルを完全につくり終える前に、後方のヅルが切れる可能性があるからです。正しい順序で行った場合、仮に後方のヅルをつくっている途中でそのヅルが切れても、そのまま退避行動が出来ます。もちろん立木は、所定のヅルがつくられている訳ですから、何ら問題はありません。

に受け口・追い口・追いヅル下部と三段に切ります（下駄切り）。この切り方は、追いヅル切りで追いヅルつくりのミスを極力避けるため、十分に追いヅルの厚さを確保し確実にします。

　図4-40では、説明のために追いヅル下部の追い口に近い位置を描いていますが、三段切りの真骨頂は、風倒木や重心が大きく傾いた木を対象にした時です。こうした木の前ヅルをつくる時、特に気を付けなければならないのが、ツルを薄くし過ぎて、傾いた木の荷重でガイドバーが挟まれないことと、追いヅルの厚さを十分に確保することです。

　そして、三段目の追いヅル下部に入れる切り込みも、追い口位置のすぐ下にいきなり入れないで、出来る限り下方に離して切り込みを入れ、1回目で木が動かないようならば、また3〜4cm上で入れ、それでも動かなければまた上と、手探りするように動き出す場所を探すことです。これはまさにわからないものに手を出す時の鉄則です。

　また、三段目の切り込みの時に注意することは、上記のことだけでなく、木が剥がれる時の「ビシッ」という音を聞き逃さないことです。この音がしたら、さっさと逃げることです。退避後でも木がまだ動かないようなら、最後に切り込んだ鋸道にクサビを打ち込むのも一手です。退避しやすい姿勢で行います。

　こうした回りくどい方法を取らなくとも、通常の追いヅルを厚くつくれば問題ないと思えるのですが、どうしてでしょう？　それは、後方に都合の良い強力な根張りがあれば追いヅルを厚くつくることができますが、そうしたものがなく、傾きが大きく、直接樹幹で追いヅルをつくらなければならない木の場合、材の切り込みを少なくしようとするのか、目測を誤るのか、追いヅルの厚さを薄くしがちです。そうした立木に対しては、この三段切りは大変有効です。

追いヅル切りの訓練

　追いヅル切りは、前記したとおり後方にツルを残してあることから、よほどの切り過ぎをしない限り、追いヅルを切り離すまで絶対に倒れません。このような極めて安全で優れた技術であるにも拘わらず、実際の伐採作業現場ではあまり見かけません。不思議なことです。それは何故なのでしょう？　曰く、そうした切り方は知っているが面倒くさい。曰く、そんなことをしなくても木は倒れる。曰く、時間が掛かる。曰く、日頃行っている慣れた方法（追い口切り）の方が安心だ。曰く、その方法を使用する木はたまにしかない。曰く、知識としては知っているが、実行したことがない。以上が現場であまり見掛けない理由のほとんどでしょう。

　この技術を使わなくとも木を倒せることは事実です。しかし、安全・確実ということは、どうなるのでしょう。そんなことをしていたのでは時間が掛かる。果たして、本当でしょうか？　根張り切り、受け口つくり、これは追い口切りと全く同じです。後は、突っ込み切りと最後の追いヅルの切断が違うだけです。もし時間が掛かったとしても何分ではなく何十秒の差でしょう。筆者の経験から言え

ば、それ程大きな差はありません。

　にも拘わらず、伐倒作業の中へ日常的に取り入れられないのは、結局のところ、しっかりした訓練をしていないということと、この技術の活用は、傾き木に限られるという先入観があるからなのでしょう。後者の先入観なるものは、とんでもない誤解です。

　この方法を伐倒の項の後半で記述したのは、特殊的で難しく、まれにしか使われない技術だからではありません。それは、各作業要素、すなわち根張り切り・受け口つくり・隅切り・突っ込み切り・追い口・各種チェーンソーワーク等、すべてがこの技術の中に入っているからに外なりません。したがってこの技術を訓練しておけば、自ずと伐倒のすべてが身に付くということです。安全・確実を標榜する諸兄は訓練の中で是非とも身に付けて欲しい技術です。優れた技術も、ただ知っているだけでは何の役にも立ちません。それが必要な時、即座に使用できてはじめて技術の技術たる所以があります。

　では、どのように訓練したら良いのでしょうか。まず始めにすることは、重心側に倒す時、使用する技術だという考え方を頭から取り除くことです（最初から何も知らなければ、その必要はない）。それが出来れば、重心側に倒せるおあつらえ向きの立木を探すなどという発想は必要ありません。訓練とは、もともと想定の上に成り立つものです。例えば、消防の訓練は、実際に火事がなければ訓練出来ないのでしょうか？　軍隊はどうでしょう。訓練するために常に戦争を用意するのでしょうか？

　極端な例ではありますが、実際にそれぞれの事態を起こさなければ訓練出来ない訳ではありません。これらすべて、想定することで訓練をします。したがって伐倒も想定することで可能になります。

■気象条件での伐倒を想定

　強風下における伐倒は、誰が考えても危険ですから作業することはありません。多少の風程度では作業は可能です。しかし、そうはいっても時々強弱の波があります。そうした状況下で樹齢が高ければ、当然樹高があり風圧も強く受け、振れが大きくなります。立木の状態は、多少の起こし木ということにしましょう。起こし木であっても、風によって伐倒タイミング（ツルをつくる途中で倒れ始める）が大きく狂います。このような場合、安全性を考えれば追いヅル切りで行うのがより良い選択です。

　さて、伐倒の準備がすべて出来て、追いヅルを切り離すだけとなりました。この状態では、まだ立木が風を受けて揺れていても倒れる心配はありません。しかし、ここまではそうですが、ツルを切り離せば当然考えられるのは、起こし木であることからツルを切り離すと同時にチェーンソーが挟まれるか（この確率が高い）、風によってそのまま倒れていくか、挟まれた後倒れていくかです。これでは、全く風任せということになってしまいます。

　そこで、せっかくクサビという有効な道具を携行しているのですから、追いヅルを切り離す前に、小さいクサビを1本支障のない位置で、出来るだけ重心側で倒れる方向へ向けて、軽く打ち込んでおきます（写真4-27）。こうしておけば、後方へ重量が掛かり挟まれることもなく、倒すにはツルを切り離した後で、その

写真 4-27
追いヅルを切り離す前に、重心側にクサビを1本軽く打ち込んでおく

クサビを打つか、それだけでは不安があるならば、ツルの切り離しを上方から斜めに切るのではなく、追い口の位置にチェーンソーを入れ、追い口と連結するように切り離し、もう1本大きいクサビを入れて交互に打てば、全く追い口切りと最後は同じです。

ただし、注意しなければならないのは、重心側に自然に倒れていく時のツルの厚さより、起こし木であることから厚くしなければなりません。追いヅル切りであっても、それぞれの立木の状態によってツルの厚さを加減するのは、追い口切りの時と同様十分考慮しなければなりません。

以上のことは、想定の上で行っている訳ですから、実際に気象条件が良好であってもかまいません。それこそ訓練には最適です。

どうでしょうか？　ほんの一例ですが、何ら問題のない立木であっても、想定することによって、技術の利用度が大きく広がることが理解出来たでしょうか。旧態依然と、この方法は、こうした状態にのみ使用する云々という紋切り型の考え方を1度問い返すことも必要です。

さて、上記の例は、追いヅルであるにも拘わらず（追いヅルには、クサビは不要という考え方からすると）、携行しているクサビを使用することで、悪条件を克服する訓練方法を示しました。しかし、このクサビを有効に利用する方法は訓練ばかりでなく、実際、自然に倒れていくであろうと思われた木であっても、時として読み違えて追いヅルを切り離したとたんに、チェーンソーが挟まれるということが起こります。したがって、確実と思われるような立木であっても、このような方法を実践で活用しようと思う皆さんは自分に癖を付ける意味で、重心側に1本クサビを入れてから追いヅルを切るようにしてください。これは特別ハンマー等で叩かなくとも、外れさえしなければ手で差し込んでおくだけでも安心です。その程度のことは、特別時間が掛かる訳ではありません。

まずは安全です。気配りです!!

追いヅル切り・三段切りの応用

■斜面上の根曲がりのない、
　出来るだけ材の有効利用を図りたい立木の伐採

斜面に立つこのような木は、斜面が急になる程、次頁・図 4-41 のように、根元が斜面上方と下方では相当の高低差があります。普通に伐倒するのであれば、ぎりぎり上方の地際か、根張りの周囲をわずか掘り下げる程度です。それでは、まだ相当伐根の下部が残ります。大径木程、もっと下まで何とかならないものかと思うものです。

こうした時、上方の根張りを地際から更に、土を切らないようにチェーンソーを立て深く切り込み、受け口もそれに合わせて低い位置につくります。切る方法は、土を避けるため追いヅル切りで行います。突っ込み切りで根張り切りのところまで切り込み、後は追い口を切り、追いヅルを後方の土を被った部分につくり、

クサビを重心側に入れツルを離します（図4-41）。

　このように記しますと、いたって簡単そうに思えますが、根張りを切る深さ、及び突っ込み切りの深さ、ツルつくり等、通常に比べ遥かに難しい条件になります。それは、直接肉眼で確認出来にくい所があるからです。そこで、どうしても勘頼りということになりやすいのですが、何とか確認できる方法を以下に記しておきます。

　土に潜った根張りの深さは、切り込み位置からガイドバーの長さでほぼ確認出来ます。また、受け口をつくる側の根張り部分の土を予め掘っておいて、その深さまで先に先端を出し、後方へ平行移動させるように切り込めばより確実です。問題は、切り込み過ぎて下部の土を切ることですが、こればかりはどの位置かはっきりしません。切れば、土が切り屑に入るからわかるであろうとしかいえません。注意することです。これで、根張り切りは良しとするところですが、これでは突っ込み切り、ツルつくりの時にチェーンソー先端が見えません。そこで面倒でも、もう1度切り込み位置からクサビ状に切り込んで鋸道を広げておき、突っ込み切りの時のバー先端が見えるようにしておきます。そのため、溝の中の切り屑は、出来るだけ取り除いておきます。受け口つくりの時に支障のある土は、根張り切りの際に土を掘ってあれば問題ありません。ただ樹皮の中に入っている土も、表皮を取り除いて取っておきます。そのままだと意外に刃が切れなくなります。

　下切りと斜め切りが山側の部分で土の中に入ることになるため、根張り切りをしたところで合わせるようにします。コッパは、叩いて外すことです。受け口が出来た時、山側（見えにくい方）の合わせ位置が全く上からでは確認出来ないので、根張りを切った所に合わせた位置の目印を付け、ツルの幅の目印もついでに付けておきます（根張り切りの時、土の上の部分を先に切り取っておくと付けやすい）。例えば、山側の合わせ位置の真上の見える位置（鉛直方向になる位置）にチョークで目印を付けたり、棒を立てるなどを行って、全くの勘頼りにならないよう見える化を図ります。こうしておけば、追い口を切り進めツルをつくる時に便利です。上方（山側）の根張りを大きく切り込みますので、山側のツルは相当厚くつくる必要があります。この応用は相当熟練を要します。

　　　＜注＞この伐倒方法は、追いヅル切りの応用ということで記してありますが、上
　　　　　　方の根張りの前（受け口側）の土を取り除くだけでなく、後方の土も同時
　　　　　　に取り除き伐採点が十分露出すれば、追い口切りで行っても何ら問題あり
　　　　　　ません。

■風倒木・極端に横張りをした木（図4-42）

　このような木は、倒す時大変危険です。追い口切りで倒そうとすれば、追い口を入れ始めた途端に倒れ始め、ガイドバーの入っている所から大きく割れてしまいます。またそのスピードも極めて速いために退避する余裕を失ってしまいます。こうした危険な立木を処理するのにも追いヅル切り、三段切りは大変有効です。
①まず、自分の安全な場所を確保することから始めます。急斜面であれば、作業
　しやすいように足場（丸太等でつくる）をつくって置くことも必要です。そし
　て切る位置は、何が何でも根元である必要はありません。それは最も作業し
　やすく、退避姿勢を取りやすい所を切断位置と決めれば良いでしょう。

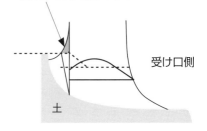

根張りの上だけ先に取っておく。目印はそこに付けやすい

受け口側

土

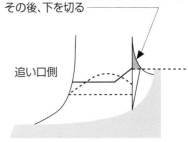

下部まで切り込む前に先に取っておく。その後、下を切る

追い口側

図4-41

地際の材を活かすために追いヅル切りを応用する。
会合線の深さは、受け口の前から棒状のもので計り、樹幹の同じ位置から棒の長さで受け口位置の目印を根張りの切り口に付ける

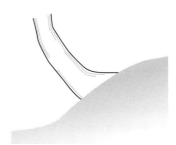

図4-42

危険な立木の処理に追いヅル切りは有効

②切る位置が決まれば次は受け口です。この受け口もまっすぐ立っている木同様つくり方によって傾いている真下か、左右どちらかに向かって倒れます。どのような方向へ向けたいのか決めてつくらなければなりません。深さは、木の径にもよりますが、追いヅルとして残す部分、つまり追い口を切っていても倒れようとする立木に十分抵抗できる部分を確保出来るようでしたら、通常の立木と同じで良いでしょう。しかし、それを残しにくい径であるならば、当然のことですが、浅め（受け口の深さ）につくることです。決め手は、張力に抵抗出来る部分をどれだけ残せるかですが、これは樹種によっても異なり大変難しい判断を迫られます（この判断は、樹種それぞれの性質をよく知っている必要がある）。

③とにかく、受け口が出来たら次は突っ込み切りです。上記しているように、判断に決定打がなく読めない所が多い訳ですから、切り込む位置も追いヅルを最大限に残すことを前提に、受け口に近くなるように決めます。もちろん方向は、しっかり定めて切り込みミスのないよう慎重に行います。

④こうして切り込みが終了すれば、追い口を徐々に切り進めていきます。しかし、通常の立木と違って反対側に顔を出し、ツルをつくる位置を確認しながら行うのは大変危険です。したがって、その確認は、ガイドバーを1/3程度引き抜いて受け口の会合線と平行になっているかどうかで行うか、反対側に回って（回る時、木の下をくぐらない）切り進めておいてから、元に戻ってツルをつくります。この時ガイドバーの先端を不用意に切り込む事に注意しなければなりません。

⑤そして、最後にツルの中心部の切り残しがないように、1度チェーンの回転を止め会合線との平行状態を確認します。直接肉眼で確認出来なくとも、こうした間接的な方法にも慣れておくことが大切です。さてツルの幅ですが、あまり厚くする必要がないということで、ギリギリまで切らない方が良いでしょう。これは圧縮される側ですから、樹種によってはうっかり切り過ぎてすれすれまで持っていくと、ガイドバーが挟まれる可能性があります。

⑥ツルが出来た後は、そのまま追いヅルつくりになりますが、これもどの程度で良いかなどという数字はありませんので、慎重に切り上げて行きます（木の傾きにもよるが30％前後）。あまり深追いは禁物です。深追いをして、ビシッというような音がするか、ヒビが入るのが見えたら即刻チェーンソーを引き抜いて退避するか、チェーンソーはそのままにして退避することです。

⑦さあ、最後のツルの切り離しです。作業を始める前、伐倒直前の周囲の安全確認は当然ですが、倒れるスピードが非常に速く、大きく跳ねたり、転がる危険性がより高い訳ですから、念には念を入れてください。ツルの切り離しは、通常行う上方から根元に向かって斜めに切り込むのではなく、根元から追い口へ向かって切り込むようにします。これは、通常どおり上方から根元に向かってツルの切り離しを行うと、木が離れる時にチェーンソーを跳ね上げる危険性があるからです。これでも不安であれば、追い口位置から根元側に4～5cm離した所で、追い口切りに平行に木が離れるまで切り進める三段切りを行う方がより安全です（「三段切り」・107頁参照）。この応用も、相当熟練しないと難しい危険な作業です。

■**太い枝の切り離し**（図 4-43）

枝の下部に受け口の切り込みを入れ、突っ込み切りをしても十分上部に切り残す余地のあるものは、追いヅル、三段切りを応用して行えばより安全です。

枝の下部に入れる受け口の切り込みは、伐倒時の受け口ではなく、単なる切り込みです。それは、下部に伐倒時の受け口と同じ受け口をつくり、上部から切り落とそうとすると、「風倒木・極端に横張りした木」の時のように切り始めた途端に割れて、幹に向かって枝が振り子のように落ちてくるか、割れない場合でも、ツルを中心に受け口方向へ回転して幹に当たります。作業者を直撃する可能性が高く大変危険です。

出来るだけ枝が張った状態のまま落ちてくれることが最も望ましいのです。そのためには、通常の受け口のように大きく口を開けず、ただ切り込みを入れるだけにすると、枝を切り離す時、切り込み部がすぐに接触してテコの支点になり、ツルを引きちぎってくれます。

この下部の切り込み最終線に直角の方向へ枝が振れますので、方向を確実に決める必要があります（ガンマークのあるチェーンソーは、ガンマークの利用も有効）。その確認は、チェーンソーの傾き、すなわちエンジン側、バー先端との上・下関係で行います。突っ込み切りの位置も「風倒木・極端に横張りした木」と同様、追いヅルの厚さも同じようなつくり方です。一気に引きちぎって落ちて欲しい訳ですから、ツルは出来る限り薄くつくります。誤まって挟まれないようにするために、下部の切り込みにクサビを入れておくのも工夫です。

追いヅルの切り離しは、「風倒木・極端に横張りした木」と同様です。自分の安全を十分確保するのはもちろん、木の周囲の確認を十分行うことは絶対条件です。

　　　＜注意＞こうした応用も出来るということで示してきましたが、「安全に」とはいっても、大きな危険が付きまといます。簡単に手を出さないことです。

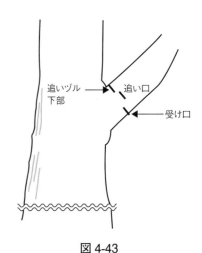

図 4-43
太い枝の切り離しに追いヅル切りは有効

突っ込み切り

追いヅル切り、三段切りを行うには、突っ込み切りは絶対に必要な技術です。それ故、ここでチェーンソーの操作法を記しておきます。

突っ込み切りは、斧で切り開けるのと違って、必要以上に他の部分を傷付けることのない、チェーンソーならではの優れた方法です。

しかし、ガイドバー先端を使用するため、キックバックの危険があります。キックバックとは、その名称の示すとおり、チェーンソーが上方へ跳ね上がって来る現象です。これは、ガイドバー先端上部 1/4（**図 4-44**）の部分が最初に接触した時起きます。また、よく切れるチェーンソー程激しく跳ねます。それは、食い込みの良いカッターであればチェーンの回転力が、この食い込みによって止められるためこの回転力を逃がす方向、つまりチェーンの回転方向と逆の方向へガイドバーを動かすのです。したがって回転を上げている程大きく跳ね上がり、場合によっては人身事故を起こすことがあります。

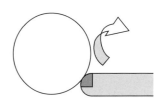

図 4-44
バーの先端上部 1/4 が接触するとキックバックが起こり危険

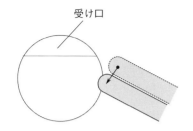

受け口

突っ込み切り
❶バーの先端下部を最初に当てる

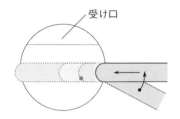

受け口

❷次に突っ込み切りをしていく方向
と一致するようチェーンソーを移
動する

図4-45

写真4-28　突っ込み切り

図4-45を実践したところ。バー先
端下部を最初に当て（写真上）、突
っ込み切りする方向と一致させる
（写真下）

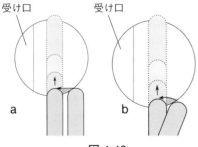

受け口　　　　受け口

a　　　　　　b

図4-46

立木の径が大きく、突っ込み切りの
スペースに余裕がある場合の2つの
やり方

　このようにキックバックは大変危険な現象ですが、そのメカニズムを理解し、それを克服して安全に突っ込み切りを行うにはどのようにしたら良いのでしょう。

　前述したようにキックバックを起こすのは、先端上部1/4の部位ですから、そこを最初に接触させないようにチェーンソーを使用することです。したがって最初に当てる部分は先端下部にすれば良いということになります。次の手順で行います。

①つまりガイドバー先端をいきなりまっすぐに突っ込んで行くのではなく、図4-45 ❶のように突っ込んで行く方向に対して、左に手元を持っていき、先端下部から切り込みます。そして、❷先端全体が木の中へ入って行くにつれて、突っ込み切りをして行く方向と一致するようにチェーンソーを横（右方向）に移動させます（写真4-28）。

②この時、腕だけでチェーンソーを操作するのではなく、常に作業者の安定して力を出せる中心（右の腰骨付近）にチェーンソーの後部ハンドルが位置するように保持し、身体全体を突っ込んで行く方向が正面に来る所まで移動させながら行います。この身体を移動中に注意しなければならないのは、先端が木の中へ入っている状態であっても、先端上部を木に強く押し当てないように行うことです。もし、先端上部が強く押し当てられるとガツガツと切り込んだ木の中でキックバックを起こし、切り進めるのが困難になります。それを防ぐためには、チェーンソーを移動させている最中であっても、ガイドバー下部方向（図4-45 ❷のガイドバーの黒丸）へ引くように力を掛けておきます。ただし、あまりに力を入れ過ぎて横へ切り込んではいけません。

③こうして方向転換が出来た後は、まっすぐ慎重にガイドバーを押し込んでいきます。この方法は、脚の位置をそのままにして腰の重心移動（左右）でガイドバーの方向を変えるもので、余分な所を切ることなく1点に集中出来るため、受け口が左右どちらにあっても支障がありません。

　しかし、立木の径が大きく突っ込み切り以外の所を少々切っても突き進めるスペースがあるものであれば、次のようにしても可能です。

　これは図4-46aのようにバー先端の下側（表刃）が常に木に接触するようにバーを向かって右側から左側に平行移動させ、目的の所まで来た時に前方へ送り出すものです。あるいは、図4-46bのようにチェーンソーの後部ハンドルを右の腰骨付近に接触させ、そこを軸にバー先端を向かって右側から左に扇状に回転させて目的の位置に持って行くことも出来ます。

　これらの方法は受け口の後方にバーを移動させられる余裕がある時と、受け口が向かって左側にある時はミスなく行えますが、受け口が逆の右側にある時はツル部分を切りやすいので注意しなければなりません。突っ込み切りを上手に出来るかどうかは、最初の切り込みでキックバックをいかに起こさせないかです（これは目立ても大きく左右する）。以上は、伐倒時におけるチェーンソー操作（横向き）です。

　これまで追い口切り、追いヅル切り、その応用等ガイドバーの届く範囲の立木について述べて来ました。それでは、ガイドバーの届かないものはどうするのかということになりますが、いつまでたっても木が倒れませんので、それは後述に回すこととして、取り敢えず木を倒すことにしましょう。

　道具類を片付け（退避通路には道具を置かない）、周囲の安全を確認し、合図を送り（笛か、それがなければ大きい声）、クサビを打ちます。この時、常に立木の動き（時々上方も見る。顔面を大きく上に向けて仰ぎ見るのではなく、横目で見る。スギの場合は、折れた枝が眼を直撃する事故が多々あり、特に注意が必要）に注意して行います。さあ、木が動き始めました。大きく傾くまで、待っていてはいけません。さっさと、予め決めておいた退避場所へ避難します。ゆっくり動き始めているのですから、慌てずに行動してください。慌てて、何かにつまずいて転んだのではかえって危険です。

　木の倒れ方はどうでしょうか？　よく観察しておくことです（ただし、観察は退避場所で行うこと）。後で参考になります。木が倒れて行くのを見て、「良かった、良かった」では何にもなりません。

写真 4-29　突っ込み切り
図 4-45 を作業者側から見たところ

写真 4-30
受け口をつくった時のコッパを会合線に沿って置くことで、突っ込み切り方向の目安となる

横になった丸太の突っ込み切り

　横になった丸太を突っ込み切りで玉切りする場合は、前頁・**図 4-45** で示す横方向のチェーンソー操作を立った姿勢で、上下方向のチェーンソー操作として行います。

1）したがって、チェーンソー先端下部を最初に接触させるためには、手元（エンジン側）を下げた状態で行い、先端部が入るにしたがって手元を所定の位置まで徐々に引き上げ、前方へ押し込んでいきます。

2）エンジンは、先端部分がほとんど木の中に入ってからフルスロットルで行います。

3）そして、バー先端が反対側に突き抜けた後すぐにチェーン回転を止めないで、ガイドバー下部へ5～10mm程度先端部を切り進めるようにします。それは何故かというと、突き抜けと同時にチェーン回転を止めると、カッターが木に食い込んだままの状態になり、引き抜くのが大変困難になるからです。ガイドバーが先端に向かってテーパー（先細り）になっているものは、特にクサビ状に入ってしまうため引き抜くのが大変です。

伐根の点検

木が倒れた後、必ず伐根の点検をしてください。伐倒のすべての履歴がそこにあります。以下要点を箇条書きにし、必要なものは説明を入れます。

■伐倒の状況と伐根の観察

伐倒が終わった時、倒れる時の状況と伐根を観察して、伐倒方法をチェックし、自らの伐倒技術の向上と安全の確保に役立てます。

倒れていく時、素直に倒れて行くようであれば、その限りではツルが利いていると見て良いでしょう。それが倒れていく途中、方向が重心側へ傾いていくようですと、その反対側のツルが切れて利かなくなっています。

また枝が他の木に接触しただけで回転するように倒れて行くのであれば、枝の側のツルが利かなくなっています。こうした状態を見るだけでも、ツルの強度を判断出来ます。

■受け口・追い口・芯切り・追いヅル・オノ目の観察

受け口・追い口・芯切り・追いヅル・オノ目などが、適切かどうか観察します。
①伐倒方向は、予定どおりか（木の曲がり・重心方向・ツルの残し方により変わる）。
②受け口の方向を確認する。下切りは水平か、下切りと斜め切りの会合線の一致は良いか。
③追い口の位置・切り込み方（水平か、ツルは予定どおり残っているか）は、良いか。

追い口の位置、切り込み方（水平）は、ほとんど問題ないが、途中から下へ曲がって切れている。こんな切り株を見掛けたことがあると思います（図4-47）。
最初は水平に切り込みが入っているのに何故でしょうか。

もともと、チェーンカッターの刃長が左右違っていれば必然的に起こる現象です。この場合は、エンジン側から見て右側の刃長が短くなっています。またガイドバーレールが片減りしていても起こります。

しかし、全くそうした問題のない、正常なチェーンソーでも使い方で切曲がりが起こります。よく切れるチェーンソーならば、スパイクを木に当てそこを支点に、エンジン回転とソーチェーンの切り込みスピードをコントロールしながら、後部ハンドルを右手でテコのように操作するだけで素直に切れていきます。この時、左手は、前ハンドルに添えておくだけで十分です。ところが、右手で後部ハンドルに力を入れるだけでなく、左手にも力を入れて切り進めようとすると、徐々に下へ向かって切れ込んでいきます。この左手に力を入れて切り進めようとすることが問題なのです。

チェーンソーの構造上、伐倒する時、前ハンドルを持つ位置はチェーンソーの横になります。したがってガイドバーの側面に棒を付け、20cm以上離れた所に手を掛け横に引っ張ったのと同じ事です。この力がガイドバーを捻って鋸道を曲げてしまうことになるのです。ガイドバー上側（裏刃）を使用して切

写真 4-31
伐根を観察することで伐倒技術の向上と安全確保に役立てる

伐根の点検
☐ 伐倒方向は予定どおりか
☐ 追い口の位置・切り込み方は良いか
☐ 芯切りは適切か
☐ オノ目は利いているか
☐ ツルの大きさは良いか
☐ 引き裂け・引き抜け等していないか

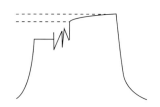

図 4-47
切り込みの曲がりはなぜ起こる？

り進める場合は、上記と反対に押すことになり、やはり下へ向かって曲がっていきます。

　これを防ぐため、左手を前ハンドルに添えるだけでは不安ならば、スパイクと後部ハンドルでテコのように使用する時（表刃の場合）、切り進める方向へ引くのではなく、反対に軽く押し返すように、また反対にガイドバーの上側（裏刃）を使用する時は、軽く引くような感じで使用することです。

　余談ですが、ガイドバーを出来るだけ長く使用したいために（スパイクの分だけ短くなる）、せっかく付いているスパイクを取り外す人を見掛けますが、少ない力でガイドバーを押し進める器具であると共に、安全装置としての機能も持っています。これは、切れないチェーンソーを無理矢理、テコを利用して切り込むためのものではありません。要は上手に使いこなすことです。

④芯切りは適切か。

伐倒の諸条件により、行って良い時と悪い時があります。

⑤オノ目は利いているか。

オノ目を入れたところで、ツルの下部が欠け取れていれば効果があったことになります。もし、ツルが同じように端まで引きちぎられていれば、効果のなかったことになります。これは、オノ目を入れる位置が下切り部より下過ぎるからです。

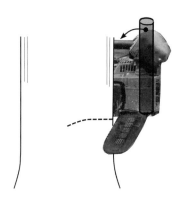

図4-48　切り曲がりのイメージ

■ツルの状態の確認

ツルの働きは、作業者の命を守る大切なものです。

①大きさは良いか。

②裂け・引き抜け等していないか。

・ツルが曲げられ、全体的に引きちぎった後が残されていれば、目的どおりに利いていたことになります。それが片側に集中しているのであれば、その反対側は切り込み過ぎか、後述するツルの欠けが発生します。

・切り株にちぎった部分が一切確認されず、受け口会合線の位置で欠けたようになっていれば、ツルの機能を全く果たしていません。明らかに切り込み過ぎです。もし重心の偏った木であれば、まともに倒れていないはずです。

・ツルは確実に引きちぎられ機能しているが、ツルの形は中心部で厚く残っていれば、これは中心部の切り残しで、倒す時に相当抵抗が大きかったと思われます。こうした状態のものは、引き抜けを起こしやすくなります（芯抜け）。もし、中心部に特に長く糸状にちぎれたものが残っていれば、それはまさしく引き抜けです。

　切り残しは、追い口の切り終わり、すなわちツル作成の最後にチェーンを止め、一方の（エンジン側）追い口最終点にガイドバーをしっかり接触させ、反対側と一致するのか確認していない証拠です。

　ちなみに、この確認及び追い口を切り進めて行く時、反対側を視認するために顔を出すのは、追いヅルあるいは追い口の起こし木であれば受け口側からでも良いですが、その視認をしている時に動き出す可能性がある木は後方から行うべきです。最も、そのような木は追いヅルを使用すべきですが。

・ツルの厚さは、通常ならば十分あるはずなのに、引きちぎれた後が少なく後

方へ斜めに欠けて取れたようになったものがあります。どうしてそういうことになるのでしょう？

　それは根張りの向きにあります。木の幹に年輪があるのと同様、根張りにもそれが広がり、根にも当然存在します。根張りには、年輪が変形した形であります。そうして形成されている根張りは、立木を支えるために根張りと反対側に木が風等で傾く力、すなわち張力に強く抵抗出来るように木質部が特にスジ状、繊維状に出来ています。このいわゆるスジが根から幹に向かって湾曲して延びている（巻き込んでいる）ために、例えば、右曲がりに湾曲していれば、左に力が掛かって行く場合には強く抵抗出来るのですが、右に引っ張られる場合は、スジ（年輪）とスジ（年輪）の間で剥がれて抵抗力が極めて小さくなります。

　こうした根張りが、受け口をつくる時、ツルを形成する前側にあると、斜めに欠ける状態が非常に起きやすくなります。そうした状態のものは、一気にツルをつくらないで余力を十分取っておく必要があります。

このように伐根の点検は、様々な情報を提供してくれます。ツルの厚さ、すなわちその強度を判断する上で、初めて入る山の最初に切り倒す数本は特に大事です。同じ樹種でも成長率、樹齢によって大きな違いがあるからです。

12 時方向

写真 4-32　根張りの影響を受け、ツルが欠けた例
（時計でいう）4 時方向にあった根張りを切り、伐倒は 8 時方向（横伐採）をねらったが、受け口を大きくつくりすぎ、根張りの繊維の向きが弱い所にツルをつくったために、伐倒の途中でツルが欠け、10 時方向（谷）に木を飛ばしてしまった事例

枝払い

枝払いの注意点

　伐倒した木の枝払いの注意点は、次のとおりです。

（1）枝払いする材とその周辺を点検し、材の安定を確認の上、足場を確保し行うこと。

（2）転倒・転落の恐れがある材の上での枝払い作業は行わない。

（3）枝払いは、原則として山側に立って行い、元口から先端へ向かって行う。

（4）枝は材面に沿って、切り口が平滑になるように切ること。

（5）長い枝は1度に切り落とさず、幹から30cm以上の所で1度切り、次に根元を切ることにより、枝の裂けや跳ね返りを防ぐ。

（6）伐倒した時、地面との間で押さえられて弓状になっている枝は、切り込みを入れて反発力を弱めてから根元を切る。

（7）枝払い作業は、キックバックの危険があるガイドバーの先端で枝を切らないようにする。

（8）枝を切っている最中に、ガイドバーの先端が木や他の枝に接触しないようにする（キックバックの恐れあり）。

（9）同時に2人以上で、同一の材の枝払いをしない。

写真 4-33　枝払い
枝は材面に沿って、切り口が平滑になるように切る

■材の安定確認

　（1）における材の安定確認は、極めて重要な事項です。例えば、斜面に対し横向き（斜め上、斜め下も勾配が急になるにしたがって横向きと同様）に倒した時です。これは、いつ転がっても不思議ではない不安定な状態です。それが斜面上に溜まっているというのは、下になった太い枝が支えになり、辛うじて保っているというに過ぎません。

　このような方向に倒した場合、既に記してありますが、倒れた後も切り株に付いているのであれば、伐倒後直ちに切り離さないで、材の安定に一役買わせる必要があります。しかし、倒した後すぐに株から切り離すことを当たり前のように行っているのを見掛けますが、これは、少なからず、安定を保証してくれるものを捨てているのと同じです。わざわざ危険を増長させる行為です。

　ただし、倒れた後、付いている部分がごくわずかであれば、枝払い作業中に外れて転がる危険がありますから、予め切り離し、次の状態のものと同じ扱いをすべきです。

　倒れた時、ツルが切れてしまったのであれば、これは仕方ありませんから、簡単に転がりそうであれば人為的にそれを行い、材の安定状態の確保をすることです。

　また、それが困難であれば、ロープ・ワイヤー等で上方の切り株に結んでおくのも安全性を高める工夫です。こうした状態の材を枝払いする場合は、元口から目に付く枝を片っ端から切らないで、材の安定に大きく働いている枝（大抵、下枝）を最後にすべきです。

■枝払いは山側で元口から先端へ

（3）は、支えの枝を切り離した途端に材が転がり、材の下で作業をしていればその下敷きになる危険性が極めて高くなるのですから、当然と言えば当然なのですが、どういう訳か、それを平然と行っている人、行おうとする人がいます。チームリーダーは、最大の注意を払うことです。実際に枝払い作業中の事故が非常に多いことを頭の中へ入れておく必要があります。

伐倒に関わる作業の中で、伐倒そのものより、この枝払いが最も時間を要し重労働です。したがって、チェーンソーを腕力だけで支えないで、出来る限り材にそれを預け、枝の状態により切り下げ・切り上げをテコを利用して行うことです。

■長い枝は２度切り

（5）は長い枝は１度に切り落とさず、幹から 30㎝以上のところで１度切り、次に根元を切ることにより、枝の裂けや跳ね返りを防ぐことが出来ます。また、枝が短く軽くなっているので、切る方向を誤った場合でもバーが挟まれたり、その結果、チェーンを外してしまうということも防げます。このチェーンが外れるという事故は、バーが挟まれそうになった時、それを防ごうとチェーンを回転させたまま無理に引き抜くからです。

また、２度切りの１度目の時に、チェーンソーを材から離し、腕だけで持って行う人達を多く見掛けます。この時も**写真 4-34** のように後部ハンドルを材に密着させて行うと身体の負担が少なくなります。さらに、この操作法は、後部ハンドルを木に密着させホールドしているため、裏刃の使用によるキックバックの抑止にもなります。

写真 4-34
長い枝は１度に切り落とさず、幹から 30cm 以上の所で
１度切り、枝の裂けや跳ね返りを防ぐ

■枝払いの訓練

（9）は、材を支えている枝を払い、材が動いても本人は危険回避体勢を取れますが、他の者は不意の動きでそれが出来にくくなるからです。

しかし、訓練を主目的とした場合、数人で班を作っているため、１人に枝を払わせて他の者が見ているのでは能率が悪いということで、平坦で材が全く安定していれば時として２人で枝払いをすることがあります。こうした極めて安定した状態であっても、材を挟んで同一の方向を向いて作業したり、同じ側であっても前後して作業したりしてはいけません。これは、先の者と後の者が間を置いていても、先に進む者は後方の様子を確認出来ないため、いきなり後退した時等、大変危険です。後方の作業者のチェーンソーで切ってしまう恐れがあります。

もし行うのであれば、材の同じ側にあって技術レベルの下の者は元口から先へ、上の者は先から（少々やりにくいが）元口へ向かって行うことです。そして、下枝になって支えているものや互いに接近した時の枝払いは、レベルの高い者に任せることです。

大径木の伐倒

大径木の追い切り

■（1）伐根直径がバーの長さの 1.5 倍程度で
　立木の両サイドでチェーンソーの使用が可能なもの（図 4-49）

①後方の伐採点（追い口位置）から 1/4 程度水平に切り込みます。

②次いで反対側に回り、先に切り込んだ位置から、ガイドバーの上側（裏刃）を使用して、ツルをつくる少し手前まで切り込んでおきます。

③こうしてガイドバーの届かない所を処理してから、また最初の切り込み位置へチェーンソーを移し、追い口を切り進みます。この時、クサビを打ち込めるようであれば、早めに打ち込んで鋸道の確保をしておきます。

④後は、切り進むにしたがって徐々にクサビを打ち、ツルをつくり、左右のツルの調整をして倒します。

　ツルの強度を大きく取る必要がある時は、引き抜け・割れの予防に芯切りを行っておくと良いでしょう。ただし、その深さは周囲の状態、立木の状態によって考慮する必要があります。

　また、引き抜けが起こるのはツルの中心部ですから、芯切りは、そこをツル幅を少し越す程度の深さで十分です。むやみに深く入れないこと。

■（2）斜面、障害物で片側がチェーンソーの使用が出来にくいもの（図 4-50）

　このような立木では、（1）のように反対側へ回って、チェーンソーを使用出来ません。

①図のように後方から追い口を 1/4 程度切り進めます。

②初めの鋸道へガイドバーを合わせ、立木の横から前方のツルに注意して、ガイドバーの届かない所を切り進めます。

③後は、（1）と同様です。

　しかし、この場合に気を付けなければならないのは、ガイドバーがツルとして残さなければならない部分に届いてしまう時です。切り込む前に、ガイドバーをどの程度前方へ出せば届いてしまうか、よく確かめておくことです。ガイドバーへ目印になるような物を常に付けておくのも便利です。

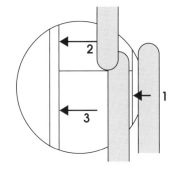

図 4-49

図のチェーンソーで切り込む順序 1 は 2 のチェーンソーの向きと同一でも可能。また 1 から 2、3 を入れ替えた方法でも同様

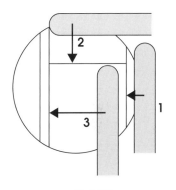

図 4-50

後方から切り込んだ後、2、3 が逆でも全く同様、おのおのの条件によって使い分ける

注意！　　最初の切り込み

　最初の切り込みを横からにしても良いのですが、追い口の位置を決めにくいので、最初は必ず後方伐採点を決め、基準になる切り込みを作っておくことです。こうしておけば、横からの位置や追い口を切り進める時もわかりやすくなります。

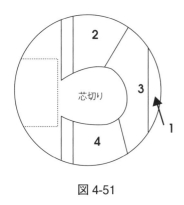

図 4-51

■（3）伐根直径がバーの長さの２倍程度（図4-51）

切り方は、(1)、(2) と同じですが、ツルの中心部に切り残しが起きやすいため、引き抜け予防と同時に、この補正を兼ねて芯切りを十分行っておく必要があります（この時の芯切りと、(1) の芯切りを混同しないこと）。

■（4）伐根直径がバーの長さの２倍以上（理論上、最高限度３倍、実質2.5倍程度）

このような木は、追い口を切る前に受け口を大きくつくり、チェーンソー本体が受け口の中へ入るように、受け口下切りを大きく欠き取り（図4-51 の点線部分）、突っ込み切りで後方、側面からガイドバーが届かない部分を切り抜いておきます。後は（1）、(2) と同様です。大径木の分割切り（追いヅル切りも含む）は、ガイドバーの長さ以内の木を切るのと違い、鋸道のくい違いが起きやすくなります。

したがって、切った後は下駄状（125頁・**写真4-35**）となりますが、あまりの違いでなければ大きな問題とはなりません。鋸道の一致にばかり気を取られないことです。

以上、伐根直径がガイドバーの長さより２倍以上の大径木の伐倒について述べましたが、これは基本的に追い口切りになります。

大径木とは

これまで大径木云々と度々出て来ましたが、大径木とは一体どの程度の木をそう呼ぶのでしょう。その基準は、何か客観的にあるのでしょうか？

実際、その客観的基準なるものは明確にありません。およそこの程度であろうと主観的に表現されているのが実情です。主観が大勢を占めれば客観的ということかもしれませんが、必ずしもそうとはいえません。実際に、プロとして伐採に従事している人達であっても、それぞれ大径木と称するのは何cmから表現するのかと問われれば、答えはまちまちになります。例えば、プロ達であれば伐根直径70cm以上は、大方大径木と呼ぶでしょうが、そこそこに伐木が出来るという方々では、伐根直径40cmを超える木は大径木と映るでしょう。

そこでここでは受け口をつくり、追い口を入れ、ツルをつくった時、クサビをどの程度打ち込めるかで判断することにします。

伐根直径40cm（根張りを外した後の径）の場合、受け口を直径の30%とすると12cm、ツルを20%程度からつくり始めると8cm、40〜48ccクラス（チェーンソーの排気量）のガイドバー幅を最大9cmとすると後方に11cm余裕が出来ます。しかし、これが11cmあってもクサビを調整しながら打ち込んで行く幅を5cm取ると6cmしか残りません。これを十分とするかどうかは、人によって異なるでしょう。

では、伐根直径45cmの場合はどうかというとおよそ後方に14〜23cm残ります。上記同様クサビ分を引くと10cm近く残ります。

伐根直径50cmでは、後方に16〜25cmとなります。ちなみに、45cmのガイドバーを使用しても、45cmの木ではバーが十分届きません。したがって、ここでいう大径木とは、伐根直径45cmを超えるものを指すことにします。伐根直径45cmの木は、根張りも含めれば50cmを優に超えます。

それでは、小径木はどうするのかというと、およそ伐根直径20cm程度までとします。したがって、中径木は、その中間と判断して良いでしょう。ただ、1〜2cmがどうのとあまりこだわる必要はありません。

大径木の目安　ここではクサビをどの程度打ち込めるかで判断

伐根直径 （根張りを外した 後の径）	受け口 （直径の30%）	ツル （20%程度から つくる）	ガイドバー巾	残り	大径木
40cm	12cm	8cm	9cm	11cm	△
45cm	13.5cm	9cm	9cm	14〜23cm	○
50cm	15cm	10cm	9cm	16〜25cm	○

大径木の追いヅル切り

■ガイドバーが届かない木の追いヅル切り

　ここからは、追いヅル切りの項（115頁参照）で、後述としたガイドバーの届かない木は、追いヅル切りではどうするのかを述べます。

　ガイドバーが届くかどうかは、使用するチェーンソーのガイドバーの長さにもよります。ガイドバーの長い、短いについてはここでは置いておき、届かないガイドバーで追いヅル切りをする場合、どのようにせまり、処理するのかを述べて行きます。

■大径木の追いヅル切りの手順

①両側面に伐採点の目印を付ける

　ガイドバーが届かない木の追いヅル切りの場合、追い口切りと大きく違う点は、受け口後方両側面に別々の突っ込み切りを行うことです。追いヅルをつくる所ですので、121頁の**図4-49**、**図4-50**の追い口を示す1番のような切り込みを付けられないことです。ではどうするのか？　両側面から別々に突っ込み切りを行う訳ですから、まず両側面に伐採点の目印を付ける必要があります。伐根が少々段違いの下駄状になるのはやむを得ないとしても、あまりにも行き違いが大きいのでは、クサビで木を起こして行く時に抵抗が大きくなり、感心しません。出来る限り行き違いを小さくするのに越したことはないのです。

　そのために絶対に必要になるのが、両側面に付ける伐採点の目印の位置です。それには、受け口下切りから高さを計り、両側面に目印を付けます。両側面に付けた目印を結んだ線を確認し、前からでも後ろからでも水平になっていれば大きな行き違いにはなりません。したがって、この目印を水平に揃えるためには、受け口下切りを出来る限り水平につくっておくことが大切です。

　最初に片側に伐採点を決め、目印を付け、その高さを受け口下切りからどれだけあるのか計り、それと同じ高さにもう一方の受け口下切りから、反対側面に目印を付けます。ここでいう計るとは、スケールできっちり計るということではなく、周辺にある木の枝等を最初に決めた伐採点位置に合わせて切るなり、折るなりして作れば事足ります。この寸法を出したものを、もう一方の下切りの隅に立てて、水平を観て、反対側面に目印を付ければ良いのです。

②ガイドバーが届かない長さを確認する

　さあ、目印が出来たら、次は突っ込み切りです。と言いたいところですが、少し待ってください。最初からガイドバーが届かないことをわかっていたとしても、それがどれ位届かないのか再度確認しておく必要があります（伐根直径の最大の所で、スパイク部分を除いたガイドバーの長さで確認する）。例えば5cm、または10cm、いや20cmなのか、実際に足りない長さを確認したら、両側から入れるガイドバーの重なり幅を確保するため、足りない長さに更に5～6cmを足します（木の中に切り残しが生ずる可能性がある）。

　どうせ両側から突っ込むのだから、そんな必要はないのでは？と思われるかも

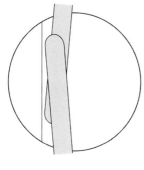

図 4-52

しれません。しかし、その発想は両側からガイドバーを目一杯突っ込めば事足りると思っているからにほかなりません（研修会ではそうする人がほとんど）。それでも構わないのでは？という声が聞こえてきそうです。

　もちろん、それは両側から突っ込んで、前ヅルをつくるための追い口最終線を左右一致させられることを前提にしての話です。両側からガイドバーを目一杯使用した時に起こしやすいミスは、ガイドバーの先端部で反対側のツル部分を切り込んでしまうことです。両方共これを行ったのでは、所定のツル幅を確保できなくなります。なぜこのようなことが起こりやすくなるかというと（先端が見えていないということにもなりますが、それは置いておいて）、受け口会合線にまっすぐな細い棒を入れ、会合線の位置をわかりやすくしておいても、チェーンソーの手元のわずかな角度の振れでもガイドバーはそれなりの長さがあり、先端が思っている以上に大きく動くからです（図4-52）。

③「ガイドバー全部を突っ込み切りする側」を決める

　これを出来る限り防ぐには、ガイドバーを目一杯突っ込み切りして、追い口最終線を決めるのは木のどちら側からか（右か左か）を決め、反対側は足りない長さ分を突っ込みすることを、突っ込み切りをする前に決めておく必要があります（木の立地、倒す方向、作業位置の難易度による）。

④最初に「ガイドバーの足りない長さを突っ込み切りする側」から追いヅルをつくる

　それが決まった後、最初に突っ込み切りを行うのは、足りない長さを突っ込み切りする側からです。およそ5cm程度足りないのであれば、ガイドバーの重なりを5cm見て10cm分ガイドバーにチョークで目印を付けるか、ガイドバーに文字等が入っていればそれを目印にして切り込み、所定の深さの1/3〜1/2程度入った所で、1度ガイドバーの水平状態を確認し、良ければ決めた深さまで入れます（図4-53の❶　多少深いのは構わない）。そして、その突っ込み深さを維持したまま、前ヅルをつくる少し前まで受け口会合線に入れた目印（コッパないし、素直な細い棒）に平行になるように切り進め、取り敢えず前ヅルとします（❷この時ガイドバー先端を受け口側に送り過ぎないこと）。

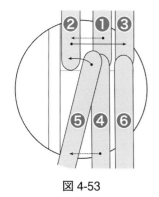

図 4-53

　ここまで出来れば、そのままガイドバーを後方に進め、後ヅル＝追いヅルと目される所まで切り進めてこちら側は終了します（❸）後方に切り進める時は、多少突っ込み切りが深くなるのは構いませんが、ガイドバー先端をやはり後方に振り過ぎないことです。

⑤「ガイドバー全部を突っ込み切りする側」の前ヅルをつくる

　これで足りない側が出来ましたので、いよいよ勝負する反対側に回り、目印を付けた伐採点から所定の方向に突っ込み切りをします。

　こちらは、目一杯ガイドバーを入れる側ですから、特に1/3程度入った所でガイドバーの水平状態確認をきっちり行います。こうして目一杯切り込んだ所で（❹）、ガイドバーの元、先端を同時に2〜3cm受け口に向かって切り進め、その後、先端部が後方に振れないように注意し（追いヅルとして残す部分に切り込む恐れが

ある）、ガイドバー元部のみを受け口に向かって切り進め、予定している追い口最終線の少し前で止め、そこでスパイクを木にしっかりと食い込ませます（❺スパイクを食い込ませる時、チェーンを止めてから行うと、次にチェーンを回そうとした時に刃が食い込んで行かなくなるので、チェーンが回転している間に食い込ませておく）。そして、食い込ませたスパイクを中心に、扇状にガイドバー先端を受け口側に向かって切り進めて行きます。

　この切り進めて行く過程で大切なのが、会合線の方向を示す目印（コッパ、細い棒）とガイドバーの向き（角度）が平行になっているのか、まだガイドバーが後方を向いているのか、ガイドバー元部1/3程度を時々木から引き出して、方向確認をしながら追い口最終線に持って行くことです。木の中を観ながら、あるいはガイドー先端を観ながら作業する訳ではありませんので、山勘で行ってはいけません。

⑥追いヅルをつくる

　追い口最終線まで決まれば、あとはチェーンソーを軽く回しながら（鋸道にある切り屑をかき出しながら）、ガイドバーを突っ込み位置まで後退させ、この時も追いヅルをつくる位置までガイドバーの元を先に進め、スパイクを食い込ませてから、先端を後方へ、角度を確かめながら送り、追いヅルをつくります（❻）。

⑦追いヅルを切り離して伐倒する

　これで木を倒す準備が出来たことになります。後は周囲、前方等再確認して、クサビを打ち、追いヅルを切り離して倒します（図4-53）。

写真 4-35　大径木の伐根
伐倒の際には鋸道の一致ばかりに気をとられないこと。矢印の位置に鋸道のくい違いが生じているが、大きな問題とはならない

造材・玉切り

造材とは

造材とは、伐採した木を使用目的に応じて長さを決め、切り離すことです。

切り離された木材は、「玉」と呼ばれます。例えば、根元から一番玉・二番玉…というようにです。特に根付き一番玉は、根玉と呼びます。このような玉に切り離す作業（切断）そのものは、玉切りと呼びます。

切り倒された木は、地形によって様々な状態にあります。したがって切り離しに際し、横になった木の上・下でどのように圧縮されているのか、張力が働いているのか、切り離した後に材がどのように動くか想定して行わなければなりません。例えば、圧縮されている側を切り込み過ぎれば、バーを挟まれ抜き取るのに苦労します。また、張力が働いている方を切り過ぎると引き抜けや割れを生じます。

このようなことに注意して切断しても、自分自身の作業位置が不適切であれば、切り離した材の落ちた所が足の上であったり、転がった途端に下敷きになったりと大変危険です。したがって斜面の下側で作業しないことはもちろんですが、危険が予想される時は、ロープ、ワイヤー、丸太等使用し、材が動き出さないように対策を立ててから行ってください。

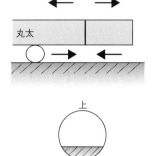

図 4-54
片持ち材の力のかかり方

■切り離し方

図 4-54 のような片持ち材は、上方が引っ張られ、下方が圧縮されています。したがって下方からガイドバーを挟まれない程度に切り上げてから、上方からフルスロットルで一気に切り下げます。これは、ゆっくり切っていると引き抜け・割れを起こしやすくなるからです。このように片側から少し切り込み、反対側へバーを移して切り離すのが一般的に行われている方法です。しかし、これは上下の切り込みをよほど合わせないと、行き違いを起こして段違い（下駄状）になりやすい方法です。

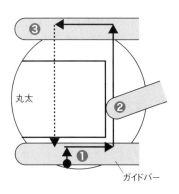

図 4-55
片持ち材の切り離し手順

そこでこの段違いを出来るだけ防ぐ目的で、図 4-55 のようなコの字型に、❶下から切り上げた後、❷自分の方へチェーンソーを引きバー先端部を使用して上側まで切り上げ、❸この鋸道を利用して上方から切り下げます。また、下側を先に切り、先端を使用して切り上げるとキックバックの恐れがあると思うのであれば、上側を先に少し切り込みを入れ、バー先端で切り下げ下側を少し切り込んだ後、また上方へ戻して上から切り下げても可能です（両持ち材〈図 4-56〉では、逆の順で❸→❷→❶で、切り上げる）。

この始めのところへ戻すのは、圧縮か、張力か予想しにくい時、材の動きを見て挟まれる前に即座に切り換える方法です（この逆も然り）。もし、挟まれそうな時は、クサビを打って（スペースがあれば）切り下げても構いません（工夫の１つです）。

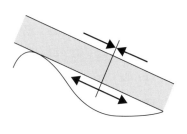

図 4-56
両持ち材の力のかかり方

以上、鋸道をできるだけ一致させるためにコの字型に切断する基本を示しましたが、基本どおりに行えば、常にそれで良いという訳には行きません。それは、前方部分が大きく残っていますから、基本的にそのまま切り上げると、もう少しで切り抜けるというところで、両持ち材の場合、先端部を挟まれて切り抜けられないことがあります。

それを避けるため、図4-57のように下側を前方へ切り進めた後、手元（エンジン側矢印a）を思い切って降ろし、先端を持ち上げるように切り抜いていきます。こうすれば、ほとんどの場合に難無く切断することが出来ます（**写真4-36**）。

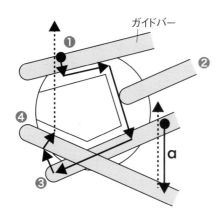

図4-57　両持ち材の切り離し方
矢印a（手順❸→❹）がポイント

注意！　深く切り込まない

　写真4-36・**図4-57**の一連の操作の中で最も注意しなければならないのは、❶の場面です。研修会、作業現場で観るのは、ガイドバー幅を超えて深く切り込み過ぎていることです。また、ある程度、径が大きくなって来ると、ただガイドバーを深く入れ過ぎるだけでなく、手元を上げ先端部を更に深く切り込んでいます。上部も先端部もあまり深く切り過ぎると、たとえ手元を下げて先端を上げるように切っていても、木の重力に対する応力が下がるため、やがてガイドバーが挟まれる確率が高くなります。

　最初にザックリ切り込むことを注意しても再度行う人がいますが、なぜそうしたいのか、その心理がわかりません。

手元を思い切って降ろし、バー先端を持ち上げるようにして切り抜く

写真4-36　両持ち材の切り離し方
（コの字型切断）

チェーンソーを木から離れずに、手前へと素直に引き寄せ、チェーンを回転させ切り込む。図4-57の❶の状態

図の❷の状態

図の❸の状態

図の❹の状態

伐倒時の対策と対応

ガイドバーを挟まれた時の対策

ガイドバーを挟まれた時の対応
（写真 4-37）

①最初の鋸道より下2～3cmの所へ突っ込み切りを行う。深さは挟まれたガイドバーの直前まで

②突っ込み切りで切り込んだ所に、クサビを打ち込むことで最初の鋸道が広がり、ガイドバーを抜くことが出来る

③クサビを打ち込むことで材が割れ、最初の鋸道が押し広がる

　往々にしてガイドバーを挟まれるのは、伐倒時に追い口を入れ切り進めて行くうちに、深追いをし過ぎてクサビを打つタイミングが遅れた時です。

　一旦挟まれたバーは、チェーンが木に食い込まれていくため、取り外しが大変困難です。無理にコジたりすると、バーはもちろん、チェーンソー本体も大きな損傷を受けます。したがって、他の方法を使って取り外さなければなりません。木が小径でガイドバー幅程度で挟まれた場合は、手で押したり他のチェーンソーがあれば切り直すなり、それがなければ手鋸で切り直す等出来ます。

　しかし、径が大きく、クサビを打つスペースを取れる程ガイドバーが中へ入っている場合は、そう簡単ではありません。そうした立木は、手で押してもどうにもなりません。牽引具（チルホール）があればそれを使用するのも良いでしょうが、なければどうしたら良いでしょう。もし近くにもう1台、使用出来るチェーンソーがあれば大助かりです。

　それでは、「このチェーンソーで切り直して」と、いいたいところですが、径が大きい木は切り直しが大変です。それは、既にガイドバーを挟まれているため、クサビを十分に使いにくいからです。そこで挟まれたガイドバーの後に、多少ともクサビを打つスペースがあればそれを利用します。それは、最初の鋸道を別のチェーンソーで拡幅して、クサビを打つ訳ではありません。そのまま拡幅すると、挟まれたバーに接触する危険性があるからです。

　それを避けるため、最初の鋸道より下2～3cm程の所へ、クサビが十分入る幅に突っ込み切りを行います。深さは、挟まれたガイドバーの直前までとします。後は、この切り込みにクサビを打ち込み、最初の鋸道を押し広げ、チェーンソーを引き抜きます。

突っ込み切りの角度

　突っ込み切りは、多少斜め下に、つまり奥に入る程挟まれたガイドバーから離れるような角度で行います。その方が挟まれたガイドバーの損傷が少なく、上部鋸道の拡大がしやすくなります。チェーンソーがない場合は、手鋸で突っ込み切りの予定位置からクサビが利く深さまで切り、クサビを打ちます。一汗流してください。

クサビで起こしきれない木の対策

■（1）クサビ1本で木を起こしきれない時の対策（図4-58）

　このような状態の木は、起こし木がほとんどですが、鋸道の奥行きが浅くクサビがツルに当たる場合にも起こります。こうした起こしきれない木に合わせ（重ね）クサビは、大変危険です。

　ではどのようにすべきか？　この場合にも、先に入れたクサビの下へ突っ込み切りで十分の深さに、他のクサビを入れる鋸道をつくります。これは、先に入っているクサビの下へもう1本クサビを入れることで、先のクサビもろとも持ち上げるという方法です。こうすることで合わせクサビの危険を回避出来ます。

　ただし、突っ込み切りでつくる鋸道は、先のクサビの幅の真下へつくってはいけません。それは、ある程度切り進めて行った時、先のクサビに重量が掛かっているため、木が割れ落ちてガイドバーが挟まれてしまうからです。そこで、先に入れたクサビの幅半分程度まで切り、半分は残します。とにかく挟まれないように細心の注意が必要です。

　こうした方法で成功しない場合は、牽引具の使用に切り換えることです。安全第一をモットーに!!

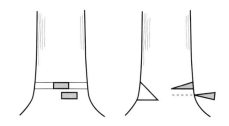

図 4-58
クサビ1本で木を起こしきれない時は、クサビの下に突っ込み切りを行ってもう1本のクサビを打ち込む（この理屈は前頁ガイドバーを挟まれた時の対処と同じ）

■（2）追い口は開いたが、ツルにクサビの先端が当たり、それ以上は打てない時の対策

　前述した（1）の方法は、もう少しで木を起こせそうな時の対策ですが、さらに難しい状況なると、「それなりに追い口は開いたが、ツルにクサビの先端が当たって、それ以上は打てない」ということがあります。この時には、その横にスペーサーをつくり、それを開いた口に差し込み、状況に応じて別の大・小いずれかのクサビを選び打ち込めば、追い口は更に開きます。それでもさらにもう少し起こしたいということであれば、最初のクサビを抜いて、その口に別のスペーサーを入れて打てば、起こすことが可能になります。

　使用するスペーサーは口の大きさにより使い分けられるように、薄いもの、厚いものと、いくつかを幅を変えてつくっておきます。また、スペーサーを、1箇所に常に1枚だけ使用しなければならないということではなく、薄いものを2枚挟んでも可能です（104～105頁でも紹介）。

■（3）追い口とツルとの幅が狭く、クサビの先端がツルに当たり、それ以上打てない時の対策

　（1）、（2）以外の方法でまだ何かできることがあるか？と言われれば、あるにはあります。ただし、後で述べますが、それなりのリスクが付いて来ます。

　その方法とは、「追い口とツルとの幅が狭く、クサビの先端がツルに当たってそれ以上打てない」訳ですから、クサビの先端が更に深く入るようにしてやれば良いだけです。

　どういうことかというと、追い口の方からクサビを打ちたい場所にガイドバーを合わせ、突っ込み切りでツル及び受け口斜め切りの前まで切り抜き、クサビの

図 4-59a
ツルにクサビが通る鋸道を開ける

図 4-59b
追い口の端に戻り止めのクサビを入
れておく

通る鋸道を開けておけば、間違いなくクサビは前方に抜けるようになり、ツルに当たることはありません（**図 4-59a**)

　また、木が起こし木で、突っ込み切りで切り抜けた時、ガイドバーが挟まれる可能性がある場合は、**図 4-59b** のように追い口の端に戻り止めのクサビを打っておく必要があります。

　以上でクサビは打ち込めますが、それで起こしきれない場合は、（2）のようなスペーサーを使用して起こし、最初に入れたクサビを抜き、その下に別のスペーサーを入れ、また起こすという操作が行いにくくなります（最初に入れたクサビが抜けるかどうか)。

　この方法は、ツルを切り抜くため、通常想定しているツル幅（厚さ）では、クサビを打つ過程で残っているツルを切ってしまうことになり、木が起こし木であれば後方か、左右横方向に倒れる可能性が高くなります。これも既に述べてありますが、クサビは木を起こすことは間違いありませんが、同時にツルを引き抜く力としても作用します。ツルを切り抜く方法は、ツルは両端しか残りません。したがって、通常の想定よりツルを遥かに厚くつくっておかなくては大変危険です。その判断をどこに求めるのか、解はありません。伐木は、もとより純粋な解などない作業ですから、リスクを伴うものであれば、それなりの対策をして構えるべきです。ひと手間省くのではなく、ひと手間余分に掛ける心掛けが大切です。

掛かり木のツルの処理

　掛かり木処理は、伐木作業において避けて通れない手間の掛かる仕事です。その方法は、ロープ、チルホール等により強制的に落とすものと、スリング・フェリングレバー（木回し）を使用し、木の重量を利用して掛かった枝から木を回転させて落とすものとがあります。ここでは特に、後者について記します。

　掛かり木には、直接的に伐倒するのが困難な時、故意に掛かり木状態をつくり出す時と、伐倒方向を誤って掛かり木になるものとあります。しかし、そのどちらも同様の方法で行います。ただし、木回しで処理出来るのは、比較的掛かり方が浅く木の回転が可能なものです。木を回転させるためには、まずツルを外さなければなりません（強制的に行う場合にも必要となる）。問題は、この外し方にあります。

　これは、チェーンソーが挟まれないように注意しながら切り込んでも挟まれやすく、無造作に行えばなおさらです。多少とも経験した人であれば、それがよく理解出来ると思います。挟まれそうになった時、無理に引き抜こうとすれば、チェーンの局部的引き伸ばし、ガイドバーレールの破損及び曲げ等、チェーンソーを著しく損傷することがあります。

ツルの切り外し －ツルの中心部を残す方法 （写真 4-38）

①ツルを切る際にガイドバーが挟まれやすいと思われる方向から 1/3 切る。
②もう一方を 1/3 切る。
③残りの部分で今度は挟まれにくい方を半分切る。
④この状態で木回しを掛け、木を回転させる

ツルの中心部を切り残す方法

　こうした問題を生じやすいツルの切り外しを、より安全に行うにはどのようにしたら良いでしょうか？　その方法は次のとおりです。
①注意しながら、ツルの左右の挟まれやすいと思われる方（後にすると挟まれる）から 1/3 程度切り込みます（挟まれやすいのは、木が回転しようとしている方、あるいは回転しやすい方）。
②次にもう一方を 1/3 程度切ります。こうすると、まん中に 1/3 切り残されます。
③こうしておいて再度今度は、挟まれにくい方を確認して更に残されたツルを半分程切ります。このように中心部に切り残しをつくり、ガイドバーが挟まれるのを防ぎます。仮に挟まれてもツル全部を切り離した場合のように、根元へ掛かる木の全重量がガイドバーへ掛かりません。脱出が簡単です。
④こうしてツルの中心部を残し、そのまま木回し（フェリングレバー等）を掛け、木を回転させます。

　この方法のメリットは、回し始めの時は少々重いけれども、残したツルが中心部であるため、両方向に回転させることが出来ます。一方向へ回転させた後、その反対に回転（逆回転）させやすくなります。

写真 4-39
ツルの中心部を残し、木回し（フェリングレバー）で掛かり木を回転させ倒す

ツルをすべて切り離す方法

写真 4-40
ツルの中心部が回転によってちぎれて倒れる（写真上）。その伐根（写真下）

　上記以外に掛かり木の状態によっては、ツルをすべて切り離すことも必要になります。この場合は、上記の切り残しをそのまま切ったのでは、ガイドバーは間違いなく挟まれてしまいます。それ故、少し工夫しなければなりません。

　前述の方法は、中心部を残すのを前提に行いましたが、すべて外すのであれば、始めの切り込みを半分程度まで進め、そこへクサビを打ち込んでおきます。この時、クサビは切り込み最終点と間を開けておきます。そうしないと反対側からの切り終わりに、クサビを切り欠く恐れがあります（注意すること）。既に理解できたと思いますが、最初の切り込みに打ち込むクサビは、反対側のツルを切り離した後、木の重量を支えさせるためです。また、それは木を回転させたり、切り株から外す時に容易になります。この時も挟まれやすい方から行います。

チェーンソーは下刃を使用する

写真 4-41
ツルの切り離しには、キックバックを避けるためチェーンソーの下刃（表刃）を使用する

　以上チェーンソーを挟まれないようにする方法を示しましたが、チェーンソーの使用にも注意が必要です。ツルの切り離しの作業位置は、掛かり木状態になっている立木の横から前方が常に危険範囲であることから、その後方に求めるのがベストです。しかし後方からのみ作業する場合、通常のチェーンソー保持、使用方法、つまりチェーンソーのリコイルスタート部が上になる横向きの使用状態では、作業者から向かって左側が下刃（表刃）、右側が上刃（裏刃）になります。一方のツルの切り離しには表刃をそのまま使用できますが、他方は必然的に裏刃を使用することになります。ツルの切り離し作業はチェーンソーが挟まれやすいことからどうしてもバー先端部で行いやすくなります。表刃を使用する場合は問題ありませんが裏刃の使用時はキックバックを起こしやすくなります。キックバックが危険であるのはもちろんですが、ガツガツして切り込む時のコントロールを難しくし、切っているうちに挟まれてしまうことが往々にして起こります。

　そこで、後方一方向から作業する場合であっても、左右表刃を使用することです。それにはチェーンソーの保持方法を左右で変えなければなりません。この保持方法の変換とは裏刃使用になってしまう時、チェーンソーを通常の横向きでなく、それとは逆の横向きに持ち換えることです。つまり、リコイルスターター部が下向きになるようにチェーンソーを保持するのです（**写真4-41** ガイドバーが扇状に右回転し、身体から離れていく）。こうすれば切り込みに表刃を使用出来ます。

チェーンソーを左勝手に使用する

　以上、こまごま述べましたが、これで全くチェーンソーを挟まれないように出来るかというとそのようなことはありません。まず、第1にどちらに傾きやすいか（挟まれやすいか）確実に判断できれば良いのでしょうが、判断ミスは付きものです。したがってガイドバー中心部で悠長に切っていたのでは挟まれない保障はありません。では、それを極力回避するためにどのようなチェーンソーの使い方をすべきか考えてみましょう。

　これまで述べてきたツルの切り離し方法(中心部を残す)であれば、チェーンソーを入れるとすぐに挟まれることはありません。挟まれるほとんどのケースは、まだ大丈夫と思って深追いをしていた結果です。挟まれる条件は切り込む深さもそうですが、その方向と切り込んでいる時間、つまりチェーンソーが木の中に入っている時間の長さと、挟まれそうだと思った時にチェーンを止めてしまうことです。いかに短時間に所定の深さの切り込みを完了するかというのが勝負所です。

　それにはガイドバーの中央部でいつまでも切り進めるのではなく、ガイドバーのエンジン側 1/3 程の所から切り込み始め、切り進めながら自分の方へ引き抜いてくる方法をとります。この時、エンジンは切り込み始めてすぐにフルスロットルで行います。切り込む前からフルスロットルではいけません。またガイドバーが木の外へ出るまでチェーンの回転を止めてはいけません。チェーンが回っていれば多少圧力が掛かっても切り抜けて来ます。さらに、自分の方へ引き抜くように使用するので、チェーンソーの後部に自分自身の足などの障害物がないように立ち位置を考えて行わなければなりません。

　また、この時注意しなければならないことは、通常使用（リコイルスタート部が上向き）の場合、左足が前へ出ているため、そのまま足を置いた状態では、引き抜いてきたガイドバー下側（表刃）で足を切る可能性があります。

　これを防ぐには、腕だけでチェーンソーを引き抜くのではなく、前に出した左足の膝で左腕を支えた状態のまま、後方へ左足を引いてくるようにするか、あるいはチェーンソーを通常の右勝手に使用するのではなく、左勝手に使用して引き抜くことです。つまり前ハンドルを右手で持ち、後部ハンドルを左手で支え、スロットル操作をするということです。

　こうすれば右足が前、左足が後ろに位置すると共に、力を掛けて押し付けながら引き抜いてくる（押し付けるのと引き抜くのは同時）訳ですから、前に出した右足にチェーンソーの上刃(裏刃)が向かってくる危険性が少なくなります。この時、ただ後方に引き抜くのではなく、形としては**写真 4-42** のように扇状に自分の身体からガイドバーが離れていくように使用します（ガイドバーが左に回る）。

　ツルの切り離しは、ガイドバーの挟み込みをどのように防ぐか、自分のガードをいかにするかにかかっています。くれぐれも慎重に行うことです。

写真 4-42

ツルの切り離しでは、フルスロットルでチェーンソーを引き抜く。この時、ガイドバーの下刃で左足を切る危険がある。このリスクを防ぐ手段の1つに、写真のようにチェーンソーを左勝手（前ハンドルを右手で持ち、後部ハンドルを左手で支えスロットル操作する）に使う方法がある

クサビによる掛かり木処理

掛かり木の処理をするために、どうしても行っておかなければならないツルの切り離しをこれまでに色々と述べてきました。これらの方法は、前述したように、フェリングレバーで何とかなりそうな木ばかり（中・小径木）が対象とは限りません。伐根直径50～60cm、またはそれを超える木でも、ツルの切り離し方法は同じです。後はかかり木処理にロープ・滑車とするのか、より強力なチルホールとするのかということです。

しかし、中・小径木、大径木に拘わらず、最初からロープ、チルホールを準備しておいた方がより賢明な場合を除いて、フェリングレバー、ロープ、チルホールを使用する前に、条件にもよりますが、まだ試してみる方法はないだろうかと考えてみることが大切です。中・小径木のこの木であればフェリングレバーで、あるいは中・小径木だからチルホールというように、より次元の高い方へ即座に直結するのではなく、その前の処理で何とかなれば、次のより手間の掛かる方法に移行することはないのではないか？　もしそれで目的どおりの処理ができなくても、その後の助けになれば、という方法を次に述べます。

三角の切り込み
をつくる

図 4-60a

ツルの片側を三角形に切り取る方法

前述してあるように、せっかくツルの両端を労力をかけて切り取ってあるのだから、これを利用しないのはもったいない話です。ツルの両端を切り取る際、挟まれやすい方から先に行っていますが、その時、図 4-60a のようにほぼ追い口の鋸道に合わせて切り込んだ後、ついでにその鋸道2～3cm下の所から、斜めに最初に切り込んだ鋸道の終点に向かって切り上げ、三角形の切り取りをつくっておきます（最初の切り込みを越えて残したツルを切り取らないこと）。

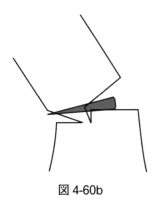

図 4-60b

これはちょうど受け口を三角形に切り取り、木が倒れる時に閉まっていく切り口に似ています。これができれば、後は反対側の挟まれにくい方をできるだけ追い口切りの鋸道に沿ってツルを切り離します。

この部分の切り離しの時、極端にガイドバー先端が下がり、斜めの切り込みにしないように注意して行います。これは、ここに打ち込んだクサビの後端が高くなり、後で木を回す場合に支障になるからです。ツルが切り離されたということは、ツル部分を超えて大きいクサビを目一杯打って木を起こせるということです（図 4-60b）。クサビを打ち込む位置は切り残しの中心部から離し（木の外周ないし、クサビが少々外に出ても可。図 4-60c）、木の動きを観ながら打ち込みます。このクサビの打ち込みで樹幹の中心にまともに掛かったものは別にして、木の中心からある程度外れて掛かったものは、このクサビを打つことで反対側に木の先端が大きく動きます。

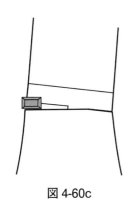

図 4-60c

　枝の先 1/4 程度であれば、その隣の木の枝に同時に接触していない限り、このクサビだけでも掛かり木を落とすことが可能です。それだけクサビは強力なのです。

　また先端が動いてはいるが、まだ落ちないのであれば、その時こそフェリングレバーを使用することです。

　それでもまだだというのであれば、次はロープ・滑車、チルホールへと徐々に方法を上げていけば良いのです。

　ここでいいたいことは、いきなり最終的手段を用いず、簡単なものから試すべきということです。他のものに例えるならば、チェーンソーのエンジンが始動しないからといって、キャブレターをいきなり分解しないのと同じで、順を追うべきなのです。

安全を担保するためのクサビの使用

■ツル切り離しの危険

　中・小径木で、掛かる角度があまり大きくない木のツルのすべての切り離しの所で既に述べてあるように、チェーンソーでそのまま切っていくと、ガイドバーが挟まれるので、それを回避するために片側のツルの切り込みに、クサビを強く打ち込み木の重量をそのクサビで受け止め、もう一方のツルを切り離すというものです。これは、チェーンソーの損傷に対する安全確保であることは間違いありません。これから述べるのは、機材の安全確保ではなく、作業者その人の安全確保についてです。

　図 4-61a のように、目的の木を倒したところ、すぐ近くの木に寄り掛かるという類のものではなく、掛かった木は自重のため、先端の細い方が下側に弓なりになり、掛かられた木も樹幹の中心部分であることから、相手の自重と弓なりになっている反発力で反り返るような形になっています。こうした木の場合、掛かられている木の反発力と掛かっている木の反発力の合力が、掛かっている木のツルに後ろ向きに掛かっています。大変大きな力です。

　この木のツルを切り離すのは危険であるからと、木にワイヤーを取り付け、引く方向を若干変えて一端を引き起こし、ツルの片側のみ 2/3 程度切り離した後、落とすという方法も中・小径木では不可能ではありません（チルホール、滑車で可能）。更に木が大きくなって来ると、作業道が近く、重機が近くにいてウインチもあるというのであれば、これも可能でしょう。

　しかし、道路から離れ、せいぜい 1 t 程度までのチルホールでは、上記の方法では限界があります。チルホールであれば、横方向に回転させて落とすか、伐根から斜め後方の立木のできるだけ高い所にガイドブロックを付け、元口を引き上げるように、回転させて伐根の後方に引いて落とすかです。

　そして、そのいずれも、ツルを完全に切り離す必要があります。こうした状態の木は、ツルの切り方次第では、切り株の上を滑って後方に 2 m、3 m と飛んで

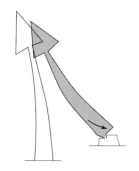

図 4-61a

図 4-61b

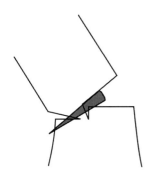

図 4-61c

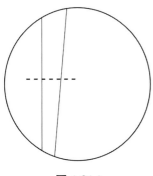

図 4-61d

来ることがあります。したがって、絶対に後方で作業してはいけません。また、切り離しをした後も不用意に後方を歩き回らないことです。

　前述したツルの切り離しのところで、追い口切り下面に平行と記し、そこにクサビを打つとしていますが（図4-61b）、この場合は絶対にそれをしてはいけません。もし、そのように切り込み、クサビを打っておくと、反対のツルを切り離した途端、クサビが木をブロックする役目を果たすのではなく、載った木の滑り台ようになって、あっと言う間に後方へ飛んでしまう可能性大です（大変危険です）。

　この状態の木の場合、何度もいうように、後方へ大きな力が掛かり、元口は後方に逃げたくて仕方がないのです。ですから、切り込みを入れてクサビを打つにしても、そのクサビがツルの完全な切り離しの途中、及びその後に元口が後退して来るのを完全にブロックしてくれなければ困るのです（危険）。

■ツルへの切り込みは、追い口切り上面に沿うように行う

　切り込みを入れる位置方向は図4-61cのとおり、追い口切り上面（元口部）に沿うように、受け口の下切りに切り込んでも構わないので、ツルを切り貫き、深く入れておきます。切り込む幅は、ツル幅の半分強まで、クサビは反対側を切り離す時に邪魔になるので、そこから数cm離します。

　こうしてできた切り込みに、クサビをこれ以上打てないという所まで打って置き、反対側のツルの半分を切り、様子を見てまた半分と切っていきます。絶対に一気に行ってはいけません。

■ツルを切り込む時の判断基準

　さて、切り込む位置、方向、深さ等について述べましたが、それを右側にするのか左側にするのか、どちらにすれば良いのか？という疑問が起きます。このことについて述べておきます。

　クサビを右側にするか、左側にするかは、どちら側に回転させて落とすのかによってほぼ決まります。つまり、回転させて引く方向の側にクサビが入っていたのでは、抵抗も大きくなり、邪魔になります（クサビが抜けるのであれば、同じ方向でも可能）。もし、クサビを抜くのであれば、別の小さい（中）クサビを中心部分に打っておけば可能です（回す時に抵抗は少ない）。

　また、上記以外の判断基準は、ツルの幅です。これまで述べたのは、左右同一幅のツルを想定しました。しかし、倒す木の重心の状態によっては、ツルをクサビ形につくることがあります（図4-61d）。この時には、ツルの厚い方を優先に切り込むべきでしょう。厚い方を半分程度切っても、もう一方が欠けてなくなりそうだというのであれば問題ですが、切り込む前にツルの状態をよく確認することです。また、上記回転方向と合わないのであれば、後でクサビを抜くことを想定するべきです。

　以上、クサビで木をロックすることを述べてきましたが、ワイヤーを掛け、木を回転させようとするのであれば、当然ツルを切り離す前に、掛かり木に対する安全対策を考え、各機材等のセッティングは完了しておくべきでしょう。

実験─ツルはどのように切れる？

　伐木とは、受け口をつくり追い口を切り進め、立木に対して一定の厚さのツル幅を持たせ、クサビを打ち、ツルが強ければ調整し、重心を移動させて倒すことです。木が倒れていく過程で、大変重要なのが、追い口の切り残し部分（ツル）です。

　ツルは、伐倒方向に対して伐倒対象木の左右の安定を保ち、受け口斜め切り部と下切り部が接触した時、そこが支点となり、テコの原理で引きちぎられることで伐倒が完了します。かなり大雑把ですが、全くそのとおりで間違っていません。

　しかし、追い口を入れ切り残しであるツルをつくり（厚さを見ながらつくっている）、また切断したツルは、木が倒れた後で見ることになります。実際に立木が倒れ込んでいくのは外から見えますが、その過程でツルの内側がどのように変化していくのかは、退避してその場にはいないため、のぞき込んで観ることが出来ません。また出来るとしても、せいぜい望遠のカメラ、ないしビデオカメラで遠くから外側の変化を観る程度でしょう。

　そもそも、上記の説明も、結果から推定したことを言っているに過ぎないのではないか？（それをマコトシヤカに筆者が喋っている？）という疑問と、樹種及び追い口の高さによってツルの切れ方はどう違うのか？という疑問が、この実験を意図した筆者の動機です。

実験の方法

　では、次にその実験の方法です。いくつか考えられる方法の１つが、立木の上部にワイヤーを取り付け、後方にチルホールで引いておいて、伐倒の過程を必要な角度ごとに撮影するというものです。この方法で撮影出来なくはありませんが、伐倒ごとに何本も違った木を使用することになります。すると立木ごとに特性が違うため、ツルの強度特性も変わってしまいます。そこで同一の樹種で、木の特性に大きな違いが出にくいものということで考えたのが、同一の樹種で同一の木を使用するというものです。

　つまり１本の木を４〜５ｍの丸太に切り、それを立てて、下から順に様々な受け口、追い口を設定して実験を行っていくという方法です。ただしこの方法は、実施するごとに木の口径が多少変わります。しかし元口と末口の差が10％以内であれば、ツルの切れ方、その特徴は大きく変わることがないであろうと判断しました。以上から、次の方法で実験を行うことにしました。

樹種：スギ　　軟らかい樹種の代表
　　　ヒノキ　　堅い樹種の代表

　試験で使用した木は、樹齢100年弱、同一の山で混植されていたスギ、ヒノキで、その林（大きな木が林立）の中の出来るだけ細い木を選木しました。スギ、ヒノキどちらも根曲がり部分を1.5ｍ程度外した、いわゆる2番玉で、元口の径はどちらもほぼ30㎝弱で、年輪はどちらも非常に密です。

実験の準備―対象木の設置

　実験する木を立てるために、木口径15㎝、長さ1.5ｍのヒノキの杭を2本用意し、杭同士の横が接するようにして1ｍ程バックホーで打ち込みます。そして杭と杭の間に、前記した丸太を立て、番線（太い針金）で杭に2カ所仮留めした後、地表に出ている杭の下から2/3程度のところに、ワイヤーを1回巻き付けダブルにして、2つのアイと他のワイヤーのアイをシャックル留めして、そのワイヤーをバックホーの車体フックに付けてバックホーを移動させることで、ワイヤーを引き締め、丸太を動かないように固定しました。

　固定した丸太の杭から上の部分に、受け口、追い口を入れ、丸太の先端をバックホーのバケットで押し、各丸太の傾きの角度ごとにツルの横の状態、追い口の開いた中を撮影しました。1回伐り倒すごとに、受け口と追い口の位置を変え、上記の操作を繰り返すこととしました。

実験の準備―ツル幅の決定

　こうした準備で、次に問題となるのが、それぞれの樹種のツルの強度、すなわち厚さをどの程度とするかです。丸太に対して強制力を働かせるため、厚くし過ぎて上部が裂けては何もなりません。さりとて簡単に切れ過ぎてもツルの切れ方の状態がわかりにくくなる恐れがあります。樹種によるツルの切れ方の違い、追い口高さによる違いを観たい実験であるので、ツルの厚さをどの辺にするか、おおよそ決める必要がありました。

　そこで実験でのツル幅を決めるために、前記の根曲がりの丸太部分を利用して、ツルの厚さを試し、結果、スギで直径の20％前後、ヒノキで12％前後をツルの厚さとすることとしました。

実験の設定、項目

実験で採用した受け口、ツル幅の形状	スギ	ヒノキ
受け口の深さ（直径に対する割合）	25％前後	25％前後
ツル幅（厚さ）（直径に対する割合）	20％前後	12％前後
受け口斜め切り角度	45°	45°

追い口の高さ	スギ	ヒノキ
標準（受け口の下切りからの高さ、直径の 15 〜 20％＊）	A	F、G
斜め切り上端から上 5㎝	B	H
斜め切り上端	C	I
受け口下切りと同じ高さ	D	J
受け口下切りの下 3㎝	—	K
受け口下切りの下 10㎝	E	L

＊「ガイドライン」では、「追い口切りは、受け口の高さの下から 2/3 程度の位置」と示されています。本書の追い口高さは、94 頁で解説。

以上のような設定の基に行った各工程の写真を次頁から紹介します。

ツルが裂ける様子

　紙数の関係でそれぞれの写真を 4 〜 5 枚選んでいますが、樹種、追い口高さによる違いの特徴が出ていると思います。

　スギ、ヒノキ両樹種の比較で最大の特徴は、写真の各項目すべてにおいて、樹体を構成している繊維の張力がまるで違うことです。

　これは繊維の柔軟さ、木そのものの硬さ（密度）とも関係しています。

　スギの場合、倒れた後のツルの部分を観ると、繊維が引きちぎれていた所もありますが、ツルの中、特に白太（辺材部）の内側は、ぽっきり折れた状態をしています。これが倒れ始めの早い段階で発生しています。

　一方、ヒノキの場合は、細かい繊維がかなり傾いて曲げられても、張力（抵抗力）を維持しているのが見て取れます。これを観ると、この木の場合、実際の立木と仮定すると、ツル幅を 12％にとってクサビ使用で倒そうとしても、そう簡単に動きそうもありません。ましてツル幅を 15％以上にして無理矢理倒そうとすると、間違いなく割れる（幹が裂ける）ことでしょう。

　では、スギ（A 〜 E）、ヒノキ（F 〜 L）のツルが切れる様子を順に観ていきましょう。

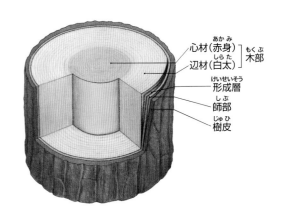

心材（赤身）あかみ ｝木部もくぶ
辺材（白太）しらた
形成層けいせいそう
師部しぶ
樹皮じゅひ

樹木の幹の名称

■スギA　追い口高さ：標準

①傾き5°程度

この角度で追い口から受け口下切りの位置まで亀裂が入り、さらに肉眼でわかりにくいですが、下切りの下3～4cmぐらいまで、線を引いたような亀裂が入っています。斜め切り面と追い口最終線までの厚さがあり、強度が高いため、下部の会合線の最も幅（厚さ）の狭い方に向かって亀裂が入っていきます。しかし、会合線付近の最も狭いツルを構成する部分の抵抗力（応力）がまだ相当強いので、さらに下部に力を逃がし、下切りの下に亀裂をつくるのです。

②傾き10°程度

傾き10°では、追い口から下切りまでの開きと、下切りから下の亀裂がよくわかり、ここまではツルの応力がしっかりしています。

③傾き20°程度

この角度になってくると亀裂ではなく、その部分が縦に割れていきます。そして下切り下部に入っていた亀裂（**写真②** 10°の傾きでは、はっきりわかる）は、ほとんど確認できません。この確認出来ない状態は、傾き15°の頃からです。これはなぜなのでしょうか？（次頁、**写真⑤**に答え）

④受け口が閉じた状態

この時にはツルの半分から後方は、ほとんど切れています。後方のツルが切れているのがはっきりわかるのは、傾きが25°からです。受け口が閉じる直前には、ほぼ上記の切れる様子がわかります。

⑤受け口が閉じた後

受け口が閉じ、接触した下切りと斜め切り面が、テコの支点になっているのがよくわかります。またテコの作用により、ツルの前1/3が切れるところです。そしてツルの後方中央部に、折れてめくれたツルの残骸が見えます。

■スギB　追い口高さ：斜め切り上端上 5㎝

①傾き 5°程度

この角度では、まだ亀裂が斜め切り上端と下切りの中間程度まででです。上部の亀裂が広がり、その先が下切りまで伸びるのは傾きが 10°近辺になってからです（**写真②**）。これだけの高さに追い口を入れると、外力に対する繊維の剥がれる抵抗力（応力）が大きくなるということでしょう。

湾曲

②傾き 10°程度

傾き 5°の亀裂が更に開き、下切り下部 3 ～ 4㎝まで伸びています（ツルの応力最大）。

③傾き 12°程度

この角度になると、見たとおり、ツル後方外側の繊維がちぎれ始めています(応力限界)。下切り下部の亀裂は閉じて来ます（スギ A の③と同じ　矢印）。

④受け口が閉じたところ

この時点でツルの前 1/ 4 程度を残し、後方部はほとんど切れた状態です。中心部ではツルが折れ、張力を失っています。後方の湾曲が戻っています。

⑤ツルの状態

ツルの状態を見ると、後方の一部根張りのある繊維が引きちぎれてはいますが、その内側の部分は、ちぎれるというより折れた状態になっています。まさにぽっきり折れた感じです。**前掲・標準スギ A の③の「なぜでしょう？」の答えはここにあります。** A ③のところで亀裂が見えなくなったのは、内部の粘りのない部分が折れて抵抗力（応力）を失ったからです。

■スギ C　追い口高さ：斜め切り上端の高さ

①傾き 10°程度

前掲・スギ B の同じ傾きの時と、ほぼ同様です。

②傾き 25°程度

この時点でツル後方の奥を観ると、既に折れて欠けているのが確認出来ます。

③受け口が閉じた時、後方からツルを観たもの

ツルが折れて欠けているのが明瞭です。

④伐根

ツルが折れて欠けているのは、周辺の白太（辺材）部分ではなく、赤身（心材）の部分がほとんどで、中心部で顕著です。中心部は、木にとっては古いところ（年輪の中心が一番古く、外側が一番若い）で、スギでは特に柔軟性がなく、硬く粘りのない部分だからです。スギの場合、ヒノキとは違って、ツルの折れが発生しやすく、ツル幅をヒノキの2倍、3倍と厚く取りたい所以です。

■スギD　追い口高さ：受け口下切りと同じ高さ

①傾き8°程度

ツルの高さが下切りから鋸道の幅で狭いため、ツルを構成する繊維がわずかに曲がり、上・下に広く亀裂を入れ、その少し前にも亀裂を入れています。この時点ではまだツルが外力に大きく抵抗し、ツル以外に力を逃がしています。

②傾き25°程度

受け口は、閉じるまでまだかなり間があります。ツルは前1/4が圧縮により潰れ、後方部分は赤身（心材）のところで、折れが大量に発生しているのがわかります。

③②をツルの後から観たもの

この角度で既にツルの機能を残すのはわずかになっています。

④受け口が閉じたところ

この時点では、ツルの左右への安定機能はほとんどありません。隣接する木の枝に接触すれば、簡単に反対側に動きます。

⑤伐根

形成層の強度の強い繊維がわずかに残って、上部から引き抜けた跡です。伐木において、受け口の下切りからのツルの高さが高い方に立木が引かれる（93頁・図4-21）理由は、ツルの高い方の張力（応力）が大きいというだけではなく、ツルの低い方が下切りに近づくほど、ツルの折れが発生しやすく、先に切れるからです。スギの場合、極端にこの傾向が出ていますが、他の樹種でも傾向は同じです。したがって、追い口が水平（ツルの高さが左右同一）であっても、下切りにあまり近づけない方が安全だといえます。

最近、追い口を受け口の下切りと同じか、それに近づける方が伐倒に有利であると考えるのか、その方法が流行になっているようです。これはツルの機能を無視しているように思いますが、どうでしょうか？

■スギE　追い口高さ：受け口下切り下10cm

①傾き4°程度

追い口が受け口下切りより上に入れられている場合と違い、3
〜4°の傾きでもツルの部分（会合線位置）がテコの支点になる
ため、追い口位置から簡単に開いて、亀裂が下切り位置まで来
ています。まさに上方に向かって割れる準備です。追い口が受
け口の下切りより上の場合とは逆に、上に向かって割れて口が
開きます。

②傾き7°程度

亀裂は、受け口下切り位置を越えて、斜め切り上端まで達して
います。

③傾き25°程度

傾き12〜13°程度の時に、ツルの後部が引きちぎれて来て、
25°ではそれがはっきりとしています。そして、②の傾き7°
の時にはっきり見えていた下切りから上方に向かう亀裂が、開
くのではなく逆に閉まってきます。これは、これまで観てきた
ようにツル前部の潰れと、後方中心部の折れによる抵抗力（応
力）低下によるものです。この木でもツル幅をもっと厚くすれ
ば、確実に上部まで割れ（裂け）ます。

④受け口が閉じたところ

ツルの大部分が切れています。始めに大きく入った亀裂は、斜
め切り上端の上20〜30cmまで伸びています。

■ヒノキF　追い口高さ：標準1

①傾き5°程度

スギよりツル幅（厚さ）は12％前後と狭いですが、やはり5°程度の傾きで、下切りの下3cmまで亀裂が入っています。

②傾き30°程度

ツルの後ろ側が縦に剥がれ、繊維が曲げられ徐々に引きちぎれています（スギのような折れはない）。

③受け口が閉じた後

この直前の受け口が閉じた状態でツルの後方1/3が切れ、この写真は受け口が閉じた後、さらに傾いてツルに力が掛かった状態です。この時点で、ツルの半分が切れています。またツルの横隅が上・下に引き裂けているのがわかります。材の保護機能として、隅切り（オノ目）が強度の強い木では特に重要な意味があることを理解出来るでしょう。

④伐根を上から見た状態

スギのようにツルが折れて欠けた状態がほとんど見られません。均等に各繊維が揃って引きちぎれています。

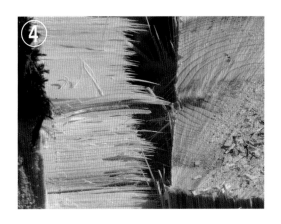

■ヒノキG　追い口高さ：標準2

①傾き 15° 程度

前掲の**標準1**と**標準2**の違いがわかるでしょうか？　丸太の受け口、あるいはツルの横を観てください。前掲の**標準1**は、表皮のみを手鉈で削ったものです。その傷跡が線のように2、3カ所付いています。同じく追い口高さが標準でもこちら（**標準2**）は、チェーンソーで白太（表皮の奥）まである程度の深さ（4〜5mm）に削り込んでいます。その違いが下切りの下まで亀裂が入らない理由です。

②傾き 35° 程度

この下切り付近をよく観てください。ツルの横上下が引き裂けていません。この理由は、上記してあるとおりです。白太部分を削り込んであるからです。このことからわかるのは、ツルをつくる横にある根張りを切り取り白太がすべて出ている側は、隅切り（オノ目）は不要であるということ、そして表皮がわずかでも付いている側は、必ず隅切りを入れておく方が安全だということです。

③受け口が閉じたところ

これは受け口が閉じた時、ツルの横及び後方が同時に観える視点からの写真です。ツル後方は揃って引きちぎられ、前部1/3がテコの支点として圧縮されて、至近距離に支点があるため、強力な力でツルの真ん中も引きちぎられている様子が確認出来ます。

④受け口が閉じたところ（③の後方から）

前掲、③の受け口が閉じた時のツルを後方から撮ったものです。ツルの後方部分がきれいに揃って引きちぎられているのがよくわかります。

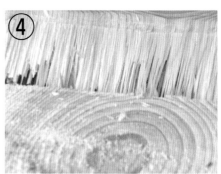

⑤倒れ落ちた後、材が切れた状態

何か気がつくことはありませんか？　伐根の切れたツルの跡です。どのように切れていますか？　この切れたツルの跡に、追い口側（ツル後方）と、ツルの真ん中、そしてツルの前部と、3様の形がきれいに残っています。後方の切れ方は④です。真ん中は③の真ん中、前は③の支点となり圧縮された部分です。この圧縮を受けた部分は、繊維が柔らかくなっています。したがって、受け口が閉じ、テコの作用で大きな力を受けることで、一気にナイフで切られたように、揃って切れたものと考えられます。スギでもこの現象は起きていますが、スギの場合にはツル幅全体からすると極めて狭い範囲です。

■ヒノキH　追い口高さ：斜め切り上端上5cm

①傾き5°程度

ヒノキの場合も5°程度の傾きで斜め切りの中間まで亀裂が入ります。追い口が標準の高さよりも抵抗力は大です。

②傾き10°程度

傾きが10°程度になって、下切り下2cmまで亀裂が入っています。

③受け口が閉じたところ

前の②の写真が20°の傾きになって来ると、下切り下3〜4cmまでヒビが入って、この写真のように傾きが45°（受け口閉じる）まで来ると、ツルの横が下切りの下から引き裂けが起こってきます。

④倒れ落ちた後、材が切れた状態

木が倒れた時には、側面下部から上部にかけて引き裂けが起こっています。これは受け口の下切りから上部のみ白太まで削られていますが、下切り下の表皮が残っていて、その部分の張力が大きいからです。隅切り（オノ目）の必要性大です。

■ヒノキⅠ　追い口高さ：斜め切り上端

①傾き5°程度

5°程度の傾きで、下切り3cm下まで亀裂が入っています。この後、10°を越したところで下切り下5cmまで亀裂が入ってきます。ツルが応力限界に達する前に下部に亀裂を入れることで外力を凌いでいます。

②傾き20°程度

ほぼ20°近くになってくると、横の亀裂が大きく開き、ツルの横が曲げられ、応力限界に達し、繊維の破断が起き始めます。10°～12°までは、上部に亀裂は入りませんが、この時点では上部にわずかに亀裂が見えます（矢印）。

③受け口が閉じた時

受け口が閉じた時には、ツルの内側の繊維が半分以上切れているにも拘わらず、外側の繊維は曲げられたまま形を保っています。そして、②でわずかに入った亀裂に沿って、上部に裂けています。

④受け口が閉じた後

ツルの内部がほとんど切れても、横のツルの部分は曲げられたままです。実際の立木で倒れた時の衝撃があれば、上方に向かって引き裂けていくことでしょう。これが側面の引き裂けが起きるメカニズムです。ヒノキHに比して横の削り込みは、下切りのさらに下まで入れてありますが、追い口が高いほど繊維が大きく曲がりやすく、粘りがあり、この程度の削り込みでは不十分であるということです。したがって上記のように、隅切りが重要な意味を持っています。H、Ⅰで注目すべきは、下切り下部に向かって亀裂は入っているが、上部（追い口から上）には一切入っていないことです。なぜでしょう？（答えは本書を読み直してください）

■ヒノキ J　追い口高さ：受け口下切りと同じ高さ

①傾き15°程度

下切り下部のみならず、上部の本体そのものにも5～6cmの亀裂が発生しています。これ以前7°程度の傾きの時、既に下切り下部と上部に、わずかに亀裂が入っていました。

②ほとんど受け口が閉じたところ

ほとんど受け口が閉じたところで、上下の亀裂が見えなくなっています。上下の亀裂が見えなくなっているのは、これ以前30°近くなってきた時です。それはなぜでしょうか？

③ほとんど受け口が閉じたところ（②の後方から）

②の後方から見たツルの状態です。これをよく観ると、スギのツルを後方から見た状態（スギC、142頁）と似ていないでしょうか？　内側のツルが折れたようになっています。つまり、30°程度の傾きの時に亀裂が見えなくなったのは、このようなツルの折れによる張力（応力）低下によるものだと考えられます。

④受け口が閉じた後

受け口が閉じ、さらに傾いた時のツルの状態です。③以上にツルの折れ状態がわかります。

⑤倒れ落ちた後、材が切れた状態

追い口が下切りと同じ高さのスギD（143頁）の場合とよく似ていませんか？　スギより繊維が柔軟で張力の大きいヒノキであっても、繊維の曲げられる距離が下切りから鋸道の幅しかなく、全体が大きく曲がることで外力に抵抗しきれずに、木質の硬い部分が応力限界を超え、先に折れて、残った柔らかい部分が引き抜けたということです。写真を観ると、外周部の柔軟な部分より中心部分の開いたところに穴が開いているように見えます。①の写真で、上・下に亀裂が入っているのは、この時点ではまだツルが外力に抵抗力（応力）を十分持ち、外力を上・下に亀裂を入れることで逃がしてツルの強度を保っている姿です。

■ヒノキK　追い口高さ：受け口下切り下3㎝

①傾き8°程度

受け口の下切りから上で追い口を入れている時と全く違う点は、追い口から下に向かって亀裂が入り、口が開いていくのではなく、逆の追い口から上に向かって亀裂が入り、口を開いていくところです。この時点で追い口下6㎝まで亀裂が入り、上に向かって口が開き、更にその上に10㎝以上の亀裂が入っています。この程度傾いただけで、ツルを下切り位置を中心に受け口に向かって曲げ、外力に抵抗しているのがよくわかります。上部に向かって口を開けているとはいえ、ツルを曲げることで外力を吸収し、吸収しきれない力を上・下に亀裂を入れることで逃がしています。特に上部は下より大きく入っています。これは単に力を逃がすというだけではなく、受け口会合線部分のツルがテコの支点の役割をして、上部に力を大きく逃がしているようです。割れる準備をしています。

②傾き25°程度

①のものより割れの広がりは、はっきりしてきました。下は、亀裂の伸びがそれ程変わりませんが、上部は17㎝強となり、この後、さらに拡大していきます。下部の亀裂がそれ程進まないで上部が拡大していくのは、上記したテコの効果です。

③受け口が閉じたところ

この時点では、上部50㎝ぐらいまで亀裂は伸び、追い口近辺全体が割れてきます。

④完全に倒れた状態

ツルは後方が引きちぎれ、前は1/4程度残っています。これは4m程度の丸太を使った実験ですからこの状態になりましたが、実際の立木では倒れた時の衝撃が加わります。そうなると元口が跳ね上がろうとし、この残っているツルが下向きに引き止めるアンカーの役割をして材の動きを止めるため、ツルから上の本体が大きく割れ、材としての価値を失います。また材が跳ね上がった場合、非常に危険です。

■ヒノキL　追い口高さ：受け口下切り下10㎝

①傾き4°程度

この傾きで亀裂というより、割れて下部が口を開いています。ただし、下切り下3㎝より10㎝下で、下切りからの距離が3倍強と遠いため、外力に対してツルが引き受ける力より、下切り部分のツルがテコの支点になり、大きな力を材が割れる方に向けています（力の逃がしが上のみ）。その結果、下切り下3㎝のように追い口下に亀裂はほとんど見えません。

②傾き25°程度

受け口下切り部分を中心にツルが曲げられているのがよくわかります。また、**前掲・ヒノキK**（追い口高さが下切り3㎝下）と同じ傾きでも、割れた口が遥かに大きくはっきりしています。

③受け口が閉じたところ

下切りと追い口の距離があるため、ツル後方の繊維がバラバラに分離し、一部切れています。

④完全に倒れた状態

後方のツルはほとんど切れ、前1/4弱が残っています。これも実際の伐木では、材の割れは不可避です。こうした下切り下部に追い口を入れたものに、隅切り（オノ目）を入れておけば割れ（裂け）を防げるかというと、それはありません。この割れは、材の中心部を含めて全体に力が作用しているからです。

> **注意！**　受け口下切り下の追い口
>
> 　最近、伐木における高度な技として、起こし木を行うのに通常の伐倒方法ではなく、受け口下切りの下に追い口を入れ、伐倒することが紹介されていました（下切りのどの程度下かは記されていません）。この方法が起こし木に有利な理由として、ツルの部分が下切りの下側（根株）にしっかり付いているので重心側に倒れにくいという説明でした。
>
> 　はて、この理由を理解出来ますか？　通常の伐倒におけるツルも、下切りの下にしっかり付いているはずです。重心側に傾きツルが切れるということであれば、それはツルの厚さ、すなわち強度に関係しています。また下切りの下であっても、ツルの強度が弱ければツルが切れて重心側に倒れます。
>
> 　起こし木の典型である上方伐採において、ヒノキでは下切り下2㎝と、この実験よりまだ浅いものでも簡単に割れが生じます。こうした訳のわからない、まことしやかな説明に飛びつき、実行しないことが安全です。

木が割れる危険

■追い口高さがもたらす危険

　木が割れるという事態は、外力が掛かった時、木そのものが吸収出来ない力を解放する結果だといえます。したがって伐倒とは基本的に、重力であれ何であれ、外力によりツルが切断され、その力が解放された時だともいえます。

　伐木において、受け口下切りから上部に追い口最終線が来ていないと、割れが発生する確率が非常に高くなり、材の利活用にも大きな影響を与えるだけでなく、作業者にとっても非常に危険を伴うものであることがよく解ると思います。実際に、追い口を切っている最中に木が割れ、裂け上がった木が落下し、作業者を直撃する事故が起きています。

■外力で起こる材の割れ、裂け

　この割れ、裂けというのは何も受け口下切りの下で、追い口を入れることのみで起きるわけではなく、ツルの強度を確かめないで外力、すなわちロープ、チルホール、はたまた重機、動力ウインチ等で、強引に引き倒す時にも簡単に発生します。また切れては困るツルを切ってしまい、予定外のところに木が向かい余計な仕事をつくることにもなります。

　割れ、裂けは、外力とツルの応力とのせめぎ合いです。したがって既に述べてあるように、クサビを使用し、ツルの強度を確かめ（95，102頁参照）、ツルの調整をして木を傾け、方向が確定した後にこうした器具、機械を使用すべきです。

　さて外力といえば、上記の器具、機材、機械と思われがちですが、重力もまた立木にとっては外力として働きます。伐木は、そもそもこの重力を外力として利用することで成立します。重力が最初から外力として働いている木の状態は、傾いた木です。傾いた木は風倒によるもの、根曲がりによる偏心等々さまざまです。

　この他に片枝の大きい木も、最初から外力として働いている木に当たります。こうした木は追い口切りをすれば割れを発生しやすくなります。切っている最中に動き出すことが多く、大変危険です。であればこそ、追いヅル切りでということになりますが、この追いヅル切りにおいても木に対してツル幅が厚くつくられていれば、重力という外力が働いているわけですから、後ヅルを切り離し倒れていくと、割れを発生させる可能性が高くなります。

　この追いヅル切りの場合、クサビでツルの強度を確かめられないので、確実に後ヅルを切れば倒れていくことがわかるのであれば、後ヅルを切る前に、前ヅルを出来るだけ薄く、手鋸を使って（チェーンソーでは失敗しやすい）調整しておくことです。例えば30mmの厚さがあれば、その半分というようにです。

　手間を端折ることが仕事の効率を上げる方法ではありません。逆に一手間掛けることが失敗を防ぎ、安全に効率良く仕事を進める秘訣です。

5

伐木の
補助器具

フェリングレバーによる掛かり木処理

フェリングレバーの使用方法

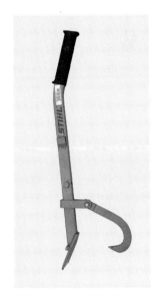

写真 5-1　フェリングレバー

　フェリングレバーは、中小径木等の伐木に際し、クサビの代わりに先端を鋸道に差し込み、テコのように使用し木を倒す用具として、あるいは、掛かり木になったものを処理するための木回しとしても使用できる、小型で大変便利な用具です（写真 5-1）。

　その形態には木回しに使用する場合、鉤状の爪を樹幹に掛けて木を回転させるタイプと、樹幹に巻き付けたスリングロープ等を、レバー本体のフックに掛けて木を回転させるタイプのものがあります。その機能においては、どちらも大差ありません。

　フェリングレバーは、その構造上少し慣れれば誰でも簡単に使える単純な用具ではありますが、どのような使い方をしても安全な作業を保証してくれるかというと、そうではありません。その使用方法によっては、作業者が大きな事故に遭う可能性を常に秘めています。

■テコとしての使用

　例えば、テコとして使用した場合（105頁・図4-38参照）は、テコ使用一般に共通する危険性でもありますが、確実に対象にセットしていることを確かめないで、いきなり力まかせの仕事をした瞬間、それが外れ転倒するとか、もう少しというところでそれが逃げて外れ身体を打ち付けたり、対象が作業者に向かって返って来るということです。その結果、余程のことがない限り死亡事故はないにしても、ちょっとした打撲や骨折ぐらいは覚悟しなければならないでしょう。

■木回しとしての使用

　では、掛かり木の処理をするために木回しとして使用した場合はどうでしょう。結論からいえば、フェリングレバーの最大の機能である木回しを、掛かり木処理の目的で使用した時が最も大きな危険性、すなわち死亡事故が起きる可能性があるということです。

　したがって、そうした事故をいかに起こさないようにするか、あるいは仮に起きても最小限にくい止められる使用方法とはどういう方法なのか、モデルを想定して検討します。

掛かり木処理での使用方法

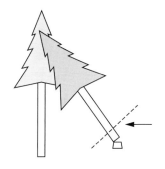

図 5-1

■掛かり木の状態確認

　まず最初は、**図 5-1** のようなほぼ平らな所で掛かり木になっている場合です。どのような掛かり木の場合でもそうですが、一番最初に行わなければならないことは、掛かっている木をどちらに回転させれば良いかの確認です。闇雲にレバーを掛け回転させたのでは、それが正確でなければ余計な仕事が増えてしまいます。

　では、その確認はどうすれば良いのでしょうか。**図 5-1** の矢印、すなわち掛かり木の元口方向から掛かり木の先端が相手の樹幹のどちら側へ入っているか、その度合いはどの程度か、掛かり木と相手のそれぞれの枝の強度、そしてそれぞれの枝の絡み具合等をよく観ることです。

　もし、**図 5-1** の掛かり木の先端が向かって右側へ大きくクロスするように掛かっているのであれば、左側へ外すのは大変なことです。**図 5-1** の矢印方向から見たのが**図 5-2** ですが、このように相手の幹の左側に掛かり木の先端があるか、右側へクロスしていても先端がごくわずかであれば左側へ外すのが妥当です。したがってこの掛かり木は、元口から見て左に回転させれば良いことになります。

フェリングレバー

図 5-2

■レバーを掛ける高さ

　木の回転方向を確認できたら、次はフェリングレバーの爪をどの位置に掛けるかです。元口からどの程度の位置にするかは、作業者の身長及び掛かり木の傾いている程度によって変わりますが、作業者を基準に取れば、ほぼ無理のない所は、高くてもレバーシャフトの端（柄尻）が胸の高さ程度でしょう。

■レバーシャフトの方向

　それと同時に重要なのが、レバーシャフトの端が向く方向です。**図 5-3** は、<u>掛かり木の先から元口に向かって見た図です。</u>

　図に示した掛かり木であれば、シャフトが 12 時方向から 2 時方向の範囲で使用出来るように、爪を掛け利かせるのが安全で、力を効率良く働かせられる位置となります。

　それはなぜかというと、この木の場合、左回転（**図 5-3** では時計回り）させたい訳ですから、9 時方向にすると爪を木の下側に掛け、持ち上げるようにしなければなりません。自分の体重を利用できない分、大変な力を必要とします。このような使い方は、余程使用条件が悪い場合以外、効率の悪い方法ですから普通はしません。

　また、力を効率良く働かせられる位置としては 3 時方向が最も良いのですが、この位置は掛かり木を揺するためだけならまだしも、大きな力を掛け、大きく回転させようとする時には避けた方が良い位置です。それはレバーが回転するにつれ、力を掛けて引く方向が掛かり木の下へ向かって行くからです。わざわざ木の下敷きになる準備をするようなものです。

　ただし、レバーシャフトが最初に掛けた位置から 3 時方向へ向いたら爪の掛け替えをすべきですが、3 時方向へ来てはいるがもう少しで落とせるというとこ

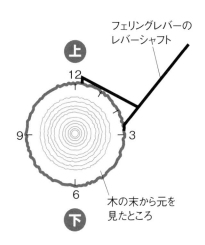

フェリングレバーの
レバーシャフト

木の末から元を
見たところ

図 5-3

ろであれば、シャフトを引いて使用していたのを、身体を入れ替えて押すように
使用すればより安全に作業が出来ます。

■身体の後方の確認─作業上の注意

では以上の事に注意して、**図 5-1** の掛かり木にレバーを掛け、回してみること
にしましょう。

まず、この木は左に回転させたい訳ですから、レバーの向きは**図 5-2** のように
なり、木の傾きが 45°程度ですから、回転面は**図 5-1** の破線で示した 45°程度と
なります（木の傾きが 60°であれば、回転面の角度は水平に対して 30°となり 12 時方
向でも柄尻の高さは低くなる）。

したがって、シャフトが 12 時方向でも元口からの位置によって、柄尻が極端
に高い位置にはならないのでそれでも良いですが、とりあえずここではシャフト
を 2 時方向へ向け、腰より少し高くなる位置（最も力を出しやすく、身体を安定さ
せやすい位置）に爪を掛けることにします。

それでは、まずシャフトを 2 時より少し前に……と作業を進めたいところで
すが、まだやり残している重要なことがあります。

それはレバーを引く方向、つまり引く姿勢をとった身体の後方にどのような障
害物があるか確認することです。そこには立木であるばかりでなく、切り株・石
等あるかもしれません。誤って転倒したり、そこまではいかないまでも後ずさり
した時、こうしたものは危険因子そのものとなります。レバーは常に外れる可能
性を持っており、そのことを前提に作業することです。また、これら危険因子の
有無は、レバーを掛ける位置決めの時にも考慮する必要があります。もし、危険
因子がある場所以外ないとすれば、それなりの心構えとレバーの使用方法、力の
掛け加減に注意が必要です。

■爪の食い込み確認─作業上の注意

後方確認も済んで問題ないようですから、再度レバーを掛けるところから始め
ましょう。

「シャフトを 2 時より少し前に」というのは、確実に掛けた時にほぼ 2 時方向
とするためです。確実に爪を掛けるには、体重を掛けて引きながら行ってはいけ
ません。その方法は、爪を片手で支え、もう一方の腕で外れない程度に爪を木に
食い込ませた後、両腕の力だけで数回反動を付けるようにして、より深く食い込
ませます。そうした後に、体重を利用しながら断続的に徐々に力を増し、外れな
いことを確かめ本格的に引く作業に入ります。

フェリングレバーを使用する作業は、全般にわたって外れないことに気を配っ
て行わなければならない作業ですが、最初の食い込み確認は大事です。

このように爪が十分に掛かっていることを確認しないまま、いきなり大きな力
で引くことは禁物です。爪が表面を滑り、力が余って作業者が後方へ転倒する危
険があります。

後方確認した場合でも、またそうでない場合にはなおさらですが、後方に障害
物があった場合、それに後頭部を打ち付け致命傷を負うことにもなりかねません。
実際にそういう事故があります。

■木の「たわみ」を利用して回転

どうやら大丈夫のようですから、そろそろ本格的な作業に入りましょう。先に触れましたが、引く力は連続的に目一杯掛けても、木のたわみや枝のたわみがあるので、木は思うように動いてくれません。

したがって、木を回転させやすくするためには、逆にそのたわみを利用するように木の動きをよく観ることです。

つまり、1度木・枝の反発で返ってまた戻ろうとする時の動きに合わせて、断続的に力を出す方が効果的です。またその方が疲れません。やってみてください。どうでしょうか？

おやおや、ちょっと待ってください。今どのような姿勢で作業しましたか？ここに問題がありそうです。

■身体の使い方

それは、引く時、または押す時の身体の使い方です。ほとんどの人達が、爪の掛かり具合についてはそれなりに気を配りますが、この身体の使用方法についてはいたって無頓着な人が多いようです。

しかし、身体の使用方法いかんによっては、重大事故を起こすことも、また紙一重のところで避けられることにもなります。したがって身体の使用方法は、安全上大変重要ですので一時作業は中断して、それについて検討してみましょう。

■左右の足位置の問題点

<u>元口から見て左回転させる場合、図5-4では⑦の側になります</u>が図のように左足を前に出し、右足を後ろへ引き支えとし、右回転させる場合には図5-4の⑩のように右足を前、左足を支えとする人が多数見受けられます。そして、なかなか木が動かないと見るや、レバーシャフトと平行に両足を揃え、全体重を出来る限り使うための奥の手を繰り出します（図5-5）。

日頃安全な作業を口にしてはいても、これでは「安全」が単なる「標語」のようなものではないかという気がしてなりません。では、これらの身体の使い方のどこが問題なのでしょうか？

図5-5については、あれこれの議論はいらないでしょう。時として、起こり得る頭からの転倒の準備をしているようなものです。絶対にとるべき方法ではありません。

図5-4はどうでしょう。図5-5の場合と違って両足を前後に開き、転倒に備えています。安全対策がしっかりしているように思えるのですが……図5-4をよく見てください。⑦の場合でいえば、左右の足の位置が問題なのです。左足を前に踏み出し、右足を後ろに支えとして使用している訳ですから、身体を右に捻る形になり、身体の正面は常にレバーの回転円の外を、背中は掛かり木の方向を向いて作業していることになります。そして、それは同時に身体を常にレバーシャフトの回転する内側に引き入れるように作業することになります。

このような姿勢で作業していると急に掛かり木が回転したり、爪をしっかり掛けたつもりでいても外れたり（最初はしっかり掛かっていても、時として爪が浮

写真 5-2
フェリングレバー使用時の
身体の使い方

写真は、手前にフェリングレバーの爪を掛け、掛かり木を左回転させようとしているところ

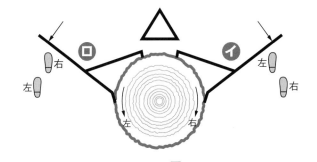

図 5-4
木の末から元を見たところ

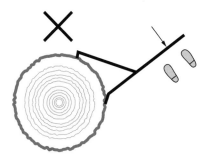

図 5-5
両足を揃えての牽引は危険

き上がって外れることがある）した時、右足を支えにしているので後頭部からいきなり転倒することはないにしても、後方へ余力がついて倒れ込む可能性は非常に大きくなります。そして、倒れ込むその先は掛かり木の下である可能性も否定できません。また、レバーシャフトの内側に身体を置いているため、シャフトの回転で打たれたり巻き込まれ、掛かり木の下へもっていかれる可能性もあります。

　フェリングレバーは、構造的に逆回転方向にはフリーになっていますが全周そうである訳ではありませんし、身体に対するフェリングレバーの回転面の角度によっては上記のようなことが起こります。

　図5-5のような方法は問題外として、ではどのように身体を使用したら、より「リスク」を減らせるのでしょうか？

■身体を開く方向

　それでは、くどいようですが図5-4の❶に再度戻って考えてみましょう。ここでは、図5-5のように両足を揃えるのではなく、片足（右足）を後方への転倒防止のために支えに使用しています。この方法は決して間違っていません。

　問題なのは、支えに使用する足が右足であることです。つまり左足が前、右足が後ろでは前記のとおり、力を大きく掛け引くにつれて身体の正面が外、身体全体が常にレバーシャフトの回転面の内側へ向きやすくなるからです。こうしたことが「リスク」を大きくする訳ですから、すべてをその逆にしてみたらどうでしょう。

　それは、身体の正面が常に掛かり木の方を向き、背中がシャフトの旋回外へ向くということです。この姿勢が可能となるのは、図5-4❶の左右の足を全く逆にした時です。すなわち、右足を前、左足を後ろに支え足として使用すれば、必然的に身体は左捻りになり目的の姿勢となります。

　また、更に左右の足を置く位置を、図5-6に示してある破線上か左足を少し外側に置けば、一層シャフトの旋回外へ身体が離れるようになります（打撃、巻き込み、掛かり木方向への転倒予防）。この破線は、シャフトが描く円の接線です。シャフトに力を掛けて引く時、この破線方向に引くのが最も効果的な向きです。この線上で上記した左捻りの姿勢（回転が逆の場合は右捻り）で作業するということは、「リスク」を引き下げる効果と力の有効利用が同時に期待できます（安全と力の有効利用）。

　ちなみに、シャフトを握る両手の使用方法は、シャフトの柄の外側を下から右手（手の甲を下）で、その直ぐ内側を上から左手（手の甲を上）で握ります。この握り方が最も力を入れやすく、身体にシャフトが当たらないように旋回しやすくします（写真5-3）。握り方については各自色々試してみると良いでしょう。

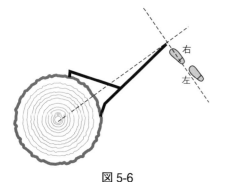

図 5-6
背中がシャフトの旋回外へ向く足の位置

写真5-3
シャフトの握り方の例

様々な掛かり木への対応

　これまで述べてきたレバーの使用方法は、ほぼ平らな状態の場所における掛か

り木をモデルにしたものです。

しかし、掛かり木は斜面の上方を向いたもの、その反対に下方を向いたもの、そして斜面の左右横方向を向いたもの等あります（大別して4つの形態になる）。したがって水平モデル（平らな状態の場所における掛かり木をモデルにしたもの）の方法が、これらにどの程度適用出来るかどうか考えてみます。

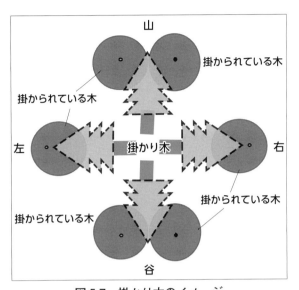

図5-7　掛かり木のイメージ
図は掛かり木の状態を上から見たイメージ図。実際は、複数の木に掛かり木状態となる場合も多くある

■上方を向いた掛かり木

この状態の掛かり木の場合、平らな状態の時とほとんど変わりなく適用出来ます。むしろ、後で出て来る元口付近にレバーシャフトを真上に立てて、元口付近で作業するより遥かに良いでしょう。

しかし、上方への掛かり木の場合、掛かり木の圧力で、相手の木がたわみその反発力が発生していた場合、木を回転させた時は、切り株の上を滑って外れ元口が作業者の足を直撃する可能性があり、注意が必要です。

■下方を向いた掛かり木

この状態の掛かり木は、斜面の角度（急斜面か緩斜面か）と掛かり木の角度との関係によって、平らな場所とは大きく異なります。作業者が立つ場所そのものが斜面上であることから、作業者が転んだ時、下へ向かいやすいので、力の向きが下方向へ向きやすいシャフトの位置は禁物です。

例えば、水平面に対して70°近い角度で掛かっている場合であれば、掛かり木としては相当起きた状態ですから、足場さえしっかりしていれば水平モデルの時と同じように使用出来ます。

しかし、掛かり木の角度が45°、30°（水平に対して）と小さくなるにつれ、レバーシャフトを12時方向へ掛けるべきです。この方向へ掛け、切り株から上側に足を置いている限り、掛かり木が切り株から外れて足を直撃することも、レバーに巻き込まれたり、転んで木の下敷きになる可能性も低くなります。

このように斜面で角度が小さくなる掛かり木にシャフトを12時にセットすると、**図5-8**のように立ち上がった状態になります。

このレバーを引くためには、水平モデルの左回転で説明した手の使用方法ではなく、同じ左回転でも、水平モデルの時とは全く逆にします。ちょうど水平モデルの右回転の時に使用する手の位置と同じで、シャフトの柄の端を左手で、そのすぐ内側を右手で握ります。

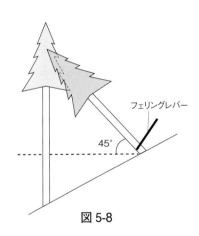

フェリングレバー

45°

図5-8

これはレバーシャフトが立ち上がった状態では、シャフトの回転面に身体を置きやすくなるので、出来る限り、身体を逃がす目的で、手をこのように使います。右手を柄の端に持って行くと、レバーを身体に呼び込むように力が働きます。逆の手の使用がやりづらいのであれば、レバーの回転面から身体を出来る限り外すように支え足を斜面上方に引くことです。

とにかく、シャフトの回転面に身体を入れないことです。これは、斜面での作業ということもあって無意識に行いやすいので気を付けなければなりません。身

体は常にシャフトの回転面より上方に位置させて作業することです。

■斜面横方向を向いた掛かり木

この方向のものは、斜面の状態にもよりますが、地面に落下してから更に下に向かって滑ってズレたり転がったりと、落下した後も大きく動きやすく、元口部であっても絶対に切り株より下側の掛かり木横で作業しないことが鉄則です。

したがって、レバーの使用方法も「下方を向いた掛かり木」の場合と同様です。掛かり木が真横の状態であれば、「下方を向いた掛かり木」でのシャフトの位置で示した12時より更に前の11時方向でも構いません。より安全度の高い位置を選ぶべきです。

フェリングレバーを押して使用

これまでは、フェリングレバーを引いて使用する場合について記してきましたが、既に触れてある「押す」という使用も必要になるため、以下それについて検討してみましょう。

■「押す」という動作の考察

さて、ものを押す時、普通どのようにするでしょうか？　まず考えられるのが、①物体に両手を当て突き出した状態で行うか、②両手を当てるのは同じであるが腕を身体に引き付けた状態で行うか、③あるいは物体の角であれば肩口を同時に当てて押すかではないでしょうか？　背中で押すのはこの際問題外とします。

そして、どの場合でも両足を揃えて行うことを論外とすれば、右足、左足のどちらかを前に出すことになります。この足を前に出すというのは、引く場合と同じで前方への転倒に対処するための支えであることはいうまでもありません。

およそ上記3形態が、足を前後に開いて押す時の一般的方法ではないかと思います。

しかし、③手と同時に肩を付けて押す方法は、前方に足を踏み出しているとはいっても、力を出すためにとっている身体の姿勢すなわち、後に出した足で踏ん張り上体を大きく前に出し、レバーシャフトに身体を預ける姿勢では、瞬時の倒れ込みを支える程前方へ足を出せませんので、フェリングレバーに使用する方法としては不向きです。

また、②シャフトを握って両腕を身体に引き付けて押す方法も、結局シャフトに身体を預けた形になるので、前方への転倒の可能性は肩を付ける場合と同様大きくなり適切ではありません。

では、最後に残った①レバーシャフトを握った両手を、多少の伸縮はあるにしても前へ伸ばした格好で押す方法はどうでしょうか？　この方法で転倒を防ぎながら力を出す姿勢とは、前後に両足を開き、前へ踏み出した足は半ば膝を折り曲げ、上体は屈んだ形になります。

この姿勢であれば、シャフトに直接身体を預ける訳ではないので、前記 2 例より安全性はあります。しかし、身体の重心が大きく前の方へ掛かっているには違いありませんので、思いきって力を掛けることは考えものです。したがって、この方法で現実に行えるのは平坦な場所か、斜面であっても上方に腕の屈伸を利用して揺する程度でしょう。

このように、一般に考えられる押す方法は、意外に適正なものがありません。それでは、押すという作業に適したものはないのでしょうか？

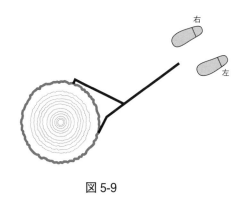

図 5-9

■身体の正面でシャフトを左右に押す

肩を使用するものを除いて前記 2 例は、シャフトの内側に身体を置き、シャフトを上から両手で握り締め、揃えた格好のものでした。一般に押すという動作は、こうしたものがイメージされやすいのですが、このイメージを 1 度取り払って考えてみたらどうでしょう。

例えば、大きなボルト・ナットを緩める（締めるのも同じ）のに、1.5 ～ 2m の長いパイプをスパナに差し込み作業することがあります。その時に、周りに金属製の構造物等があり、身体を打ち付ける危険が予想される場合よく行う方法があります。

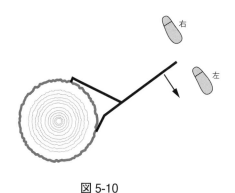

図 5-10

これは、回転させるシャフト（上記の場合はパイプ）の外側の端に身体の正面が向くように両足を開いて立ち（**図 5-9**）、両手はそれぞれシャフトの両側から手の甲が下になるように逆手で握り、シャフトを身体の正面の左右に動かす方法です。

これならば左右どちらにも同じ姿勢でシャフトを動かせますし、転倒防止の支え足はどちらにも存在します。両手に掛ける力は、一方が引き、他方が押すことになります。

この方法をフェリングレバーの使用にそのまま使っても問題ありませんが、より大きな力でシャフトを押したい場合には力不足かもしれません。そこで、この姿勢を変形して使用することを考えてみましょう。

■正しいレバーの押し方 （写真 5-4）

前 157 頁・**図 5-4** ➊ の方向へ回転させる場合でいえば、上記の姿勢をとった場合、**図 5-9** のように作業者は、シャフトの端に正体するように立っています。この姿勢から身体全体を左に向けると、シャフトの端が身体の右側へきます。

シャフトの端の高さが、作業者の腰高近辺（高くても脇腹程度、低い方は膝の少し上程度の範囲であれば可）にセットされているようであれば、**図 5-10** の場合左手でシャフトの外端、右手は左手のすぐ内側で握り、左手で握っている部分に右腰骨の内側の所が来るように腰を当て、腕と腰で押し出すようにすれば、より大きな力をシャフトに掛けることが出来ます。

この時、**図 5-10** に示してあるように右足が利き足、左足が支え足になり、シャフトの端より前方へ大きく踏み出せるため、前のめりの転倒防止に大きな効果があります。また、前後の足の向きを外側へ向けるようにしていれば、常に身体を外側へ逃がせる体勢が取れるため、シャフトに巻き込まれたり、掛かり木の下へ入り込む確率が低くなります。

写真 5-4

レバーシャフトを押す際には、前後の足向きを外側へ向けるようにして、常に身体を外側へ逃がせる体勢を取り、シャフトに巻き込まれたり、掛かり木の下へ入り込まないようにする

　そして、上記安全面の利点だけでなく、斜面のどの方向でも作業可能であることがこの方法の強みでしょう。

フェリングレバー使用の手順

　これまで様々な形態を検討してきましたが、次にその手順を記しておきます。

①掛かり木が相手にどのような状態で掛かっているのか。つまり掛かり木の先端が元口から見て相手の木のどちらに向いているかの回転方向の確認（不用意に掛かり木の下に入らない）。

②掛かり木を回転させるために、ツルの中心部を残し、ツルの両サイドに切り込みを入れる（131頁参照）。

③掛かり木の状態（掛かっている角度）、山の傾斜度、周囲の障害物の有無からレバーを掛ける位置を決定する。

④足元を確保・確認し、レバーの爪を十分に食い込ませる。

⑤爪の掛かり具合を確認しながら、徐々に力を増しながらシャフトを引く。

⑥一方向に回転させても落下しない時は、続けて無理に回転させようとしないで、逆方向に掛け直して逆に回転させてみる。

⑦木が落下し始めたら速やかに退避行動をとる。

　最後に、⑦のところでよく見かけるのが、落下し始めているのにフェリングレバーを木から取り外そうとしているために起こる退避行動の遅れです。これは、大変危険です。

　フェリングレバーが木の下敷きになっても大した問題ではないと思うのですが、フェリングレバーの方が大事なのか、我が身の方が大事なのかの判断も出来ていないのか、理解に苦しみます。

ロープ、チルホール、スナッチ、スリング

ロープ、チルホールの使用は、安全を保障するか？

　ロープ、チルホールを使用すれば「危険な伐木作業も安全に行えます」という声を耳にしますが、何時から危険な伐木作業が、「ロープ、チルホールの使用＝安全」ということになったのでしょうか？

　確かに、ロープ、チルホールを使用すれば、誰にでも木を倒せることは事実です。しかしこれは、伐木作業が何故危険なのかの説明、あるいは理解を抜き去った空論としか言いようがありません。そもそも、伐倒が危険（リスク）を伴うのは、そのものずばり、「立っている木を積極的に倒す」からです。

　当たり前の話ですが、倒れなければ何ら危険は生じないのです。つまり、ロープ、チルホールを倒れないようにするために使用するのであれば、これは安全を確保するための道具・手段といえます。しかし、そうではなく積極的に倒すために、それも強引に強制力を働かせて倒すとなると、そこには「安全な……」などというものは存在しなくなります。

　どのような器具・器材を使用しても、それらの機能からくる別の危険を孕んできます。まして、それ程の知識や経験もない未熟な者が、ロープ、チルホールという強制的手段によって倒そうというのですから危険は一層増します。器具・器材の使用は、直接「安全を保障する」根拠にはなりません。

　このような話は、むしろ「より一層危険な作業」を奨励する根拠になってしまいます。問題は「どのように使用するかによって」なのですが、何とも無邪気というより無謀な話です。木を伐り倒すことは、根本的に危険な作業なのです。それを安全な伐木作業と形容できる所以は、コントロールしながら木を切り倒すことが可能であることを前提としているからです。つまり、作業者が「コントロールする能力＝技術・技能を有している」ことを前提として、初めて「安全な……」が成立します。

　このように伐木作業は、「すべてにおいて作業者のコントロール下において行われるべきものである」とするならば、当然器具としてのロープ、チルホールの使用においても、正確な判断の下に伐倒木をコントロールしながら行うのであれば、無理のない安全な作業が可能となります。

写真 5-5　ロープ
左がクレモナロープの両端に「アイ」をつくったスリング（ロープスリング）

写真 5-6　チルホール

写真 5-7
スナッチブロック（滑車）と
ヤーディングブロック
正式にはスナッチブロックという（写真上）。スナッチとは引っ掛ける鉤のこと。ブロックは滑車。スナッチブロックは、鉤付滑車という（以後、スナッチとする）。この他に集材の時に主に使用する滑車としてヤーディングブロックがある（写真下）

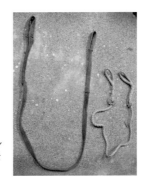

写真 5-8　スリング
左は市販のスリングベルト、右はクレモナロープを加工してつくったスリング

ロープワーク

　ロープワークとは、ロープの「アイ」、「エンド」のつくり方からロープの結び方、目的に応じた締め方・留め方、そして伐木においては立木に掛ける掛け方、ロープの収納の仕方まで含まれます。

　しかし、どういう訳か立木の上方にロープを掛ける時、手でロープを振り上げて行うのを「ロープワーク」であると思い込んでいる人がいるようです。いかに上手に手を振り上げて高い位置へ上げられるか、それがロープワークの上手、下手という訳です。ロープの振り上げ競技会を行っている訳ではないのですから、その事に血道を上げる必要はありません。立木の枝下が高く、他に手段を持ち合わせがない時、それを上手に出来れば便利だというに過ぎません。手入れのされていない林の中では、枝下の高さがなく、それを行いやすいことの方が少ないのではないでしょうか。

　立木の上方へ上げる手段は、その時の状況や調達できる用具等でどのような方法でも良いのです（コラム「ロープの取り付け」・173頁参照）。しかし、問題なのは、そのロープの締め方・留め方を考えなければいけないことです。

ロープの種類（繊維ロープ）

写真 5-9　クレモナロープ
（合成繊維ロープ）
長さ 20m 程度。両端は「アイ」に加工してある

　ロープの種類は、材質によってほぼ次の3種類に分けられます。
①麻ロープ（マニラロープ）
②綿ロープ
③合成繊維ロープ

　さらに、同一材質でもつくり方によって2種類に分けられます。
①3〜4本のストランドを縄のように撚ったもの。
②登山のザイルのように編み込んだもの。

　麻ロープは、合成繊維ロープができる以前には、耐候性が高いということで多用されてきましたが、合成繊維ロープの出現により、あまり使用されなくなりました。

　合成繊維の種類によっては耐食性、耐摩耗性に優れるクレモナロープ（**写真5-9**）のようなものもあります。これは麻ロープ、綿ロープに比べ、軽く柔軟性があり、同一径であれば、2倍以上の強度があります。ちなみにクレモナロープの太さ 9mm で切断荷重が 700〜800kgf 程度、麻ロープは 280kgf 程度です。

　伐木の補助としてはクレモナロープであれば太くても 9mm、長さは 20m 程度

あれば十分です。

ロープの結び方

■舫い結び

この結び方は「もやい」という呼び名のとおり、船をつなぎ留める時に使用される結び方です（**図 5-11**）。この結び方の特徴は、一定の長さを環にして結んだ後、ロープに力が掛かってもその環が締まらないというところにあります。したがって、締まっては都合の悪い時は便利です。

例えば、前記した立木に振り上げでロープを上げていく時です。ロープを木に回して2つ折りの状態のまま使用するよりも、ロープの長さを大幅に節約できます。そして、結びの最後を蝶結びにしておけば、強力に締まった状態でも比較的楽に解くことが出来ます。

しかし、こうした便利な半面、立木に対して使用する場合には、大きな欠点があります。それは、折れた枝の残枝にロープが掛かっていれば話は別ですが、そうしたものがない立木では、ロープを適度に緊張している間は良いですが、ロープの輪が幹に掛かっているだけなのでせっかく上げたロープが緩んだ時にズレ落ちて来たり、また、木を引いたり緩めたりした時にもそうなりやすい結び方です。幹をしっかり締め付けていないので、上げたロープを降ろしたい時は有利に働きますが、それが同時に上記のように不利にもなるのです。

図 5-11　舫い結び

■引き解き結び

図 5-12 のような留め方は、ネクタイのプレーンノットという簡単な結び方と同じですが、ロープを引くと環が締まってしまい、そのままロープの端を通したのでは後で解くのに大変ですから、結び目を蝶結びにして解きやすくしておきます。

また、この結び方は幹を締めるように環が小さくなるため、手振りで上げるのが困難になります。したがって、この場合ばかりでなく、ロープを上げられるように、予め雑木等の先の二股を利用して押し上げる棒を用意しておくと良いでしょう。

さて、この結び方、留め方は、立木にロープを掛けるための枯れ枝の突起物等がない場合でも、ロープを引き締めれば幹を締め付けているため、ロープの緩み等ですべり落ちてくる心配はありません。しかし、高い所で締まってしまうので、木が倒れない限りロープを外すのが困難になります。

そこで、そうした場合にも対処するために、結び方に注意が必要となります。**図 5-12** に示すように、ロープの端の方を環にした外側から内側へ回して蝶結びにして、蝶の部分が木と反対向きに、ロープの「アイ」が幹側へ向くように結んでおきます。こうしておけばアイを引いて解いた時、結びに使用したロープの端の部分はすべて

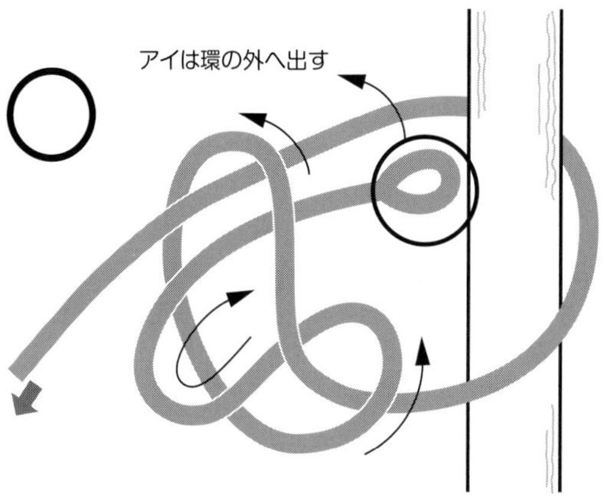

アイは環の外へ出す

図 5-12　引き解き結び

環の外側へ外れるので、ロープを引けばそのまま幹から外れてきます。

また、もう１つの注意点は、環を引き締める時、アイの部分が環の内側へ入らないように、アイになっている部分は常に環の外側に出ているように、十分長さをとっておく必要があります。

上記の事に気を付けたつもりでも、その逆にした時の事も記しておきます。幹に巻いて環をつくり結びをつくる時、**図 5-13** のようにロープの端を環の内側を通し、蝶の部分を幹の側に、アイの部分を幹と反対向きにした場合、結びの引き解きは出来ても、ロープの端が環の内側を通っているため、ロープを引いて外そうとしても、締められたロープの環の内側にロープが入っているので、一層そのロープが締められて簡単に外れなくなります。このように形は同じでも、方向を間違えると後で苦労することになります。

以上、解きやすく、解いた後は引き抜きやすい結び方を記しましたが、では高い所で結ばれているものをどのように引き解くかが問題です（コラム「取り外しの用具」・173 頁参照）。ただし、これは倒さないで途中で外す場合の話です。

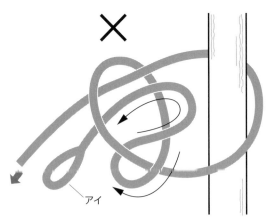

図 5-13　間違っている「引き解き結び」

■材木結び（巻き込み結び）

この方法は、果たして結びといえるかどうか迷うところですが、立木ばかりでなく丸太を引く時等、ロープを簡単に取り付けることが出来、作業現場では便利なロープワークなので記しておきます。

この方法の特徴は、**図 5-14** に示してあるように結び目をつくるのではなく、木に回して来たロープにロープの端を巻き込んでおくだけの簡単なものです。簡単な方法ですが、引き締まった時、ロープと木との間でロープが強力に押さえ付けられているため、簡単に解けることはありません。したがって、信頼性は高い留め方といえます。

巻き込む回数は、ロープの太さ、巻き付ける対象にもよりますが、およそ３～５回巻き込まれていれば、ロープの引き締める力で十分固定されます。ただし、巻き込む時、狭い範囲にきっちりコイルのように巻き付けようとしないで、ロープが無理なく巻ける間隔が大事です。

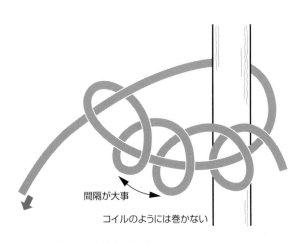

間隔が大事

コイルのようには巻かない

図 5-14　材木結び（巻き込み結び）

ロープの位置

■ロープを掛ける高さ

立木、あるいは掛かり木になっているものをロープを引いて倒す時、効果的に力を働かせるには、立木の低い位置より、高い所へ取り付ける程有利になります。しかし、その高さを決めるのには、木の高さと手持ちの手段との相談ということ

になります。余程長い梯子を使えば、8m 以上にロープを掛けることは可能ですが、そうしたものを林内で自由に持ち運ぶというのは実際大変困難です。したがって、4 ～ 5m 程度が一般的な高さでしょう。

■ロープを引く角度

　一定の高さにロープを取り付けた後はそれを引いて、立木に有効に力を働きかけるためには、適切な角度を必要とします。ロープを引いた時、最もストレートに力が作用する角度は、立木とロープが直角の時です。

　しかし、この角度を取ることは、急斜面で上方に倒す時（斜面をあがれば可能）とか、立木が掛かり木になって傾いている時以外では困難です。では、90°からどの位までの範囲が有効なのか、言い方を換えれば何度以上で使用すると楽に引けるのでしょうか？　今、立木を基準に 30°、45°、60° とロープの角度を取り（図5-15）、90°の時の力を 1 とした時、それぞれの角度ではどのようになるのか記しておきます。

　およそ 30°では 2 倍、45°では 1.4 倍、60°では 1.15 倍の力を必要とします。したがって、ロープの長さに制約されますが、60°以上の角度を取る方が引く力が少なくて済みます。

　また、この角度を取るためには、後述する方向変換のために取り付けるスナッチを、立木の根元とか切り株のような低い所に取り付けるのではなく、立木の手の届く限り高い位置へ取り付けておくべきでしょう（図 5-16）。

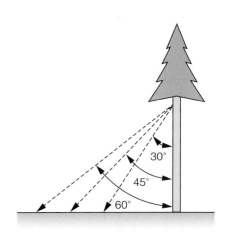

図 5-15
ロープを引く角度

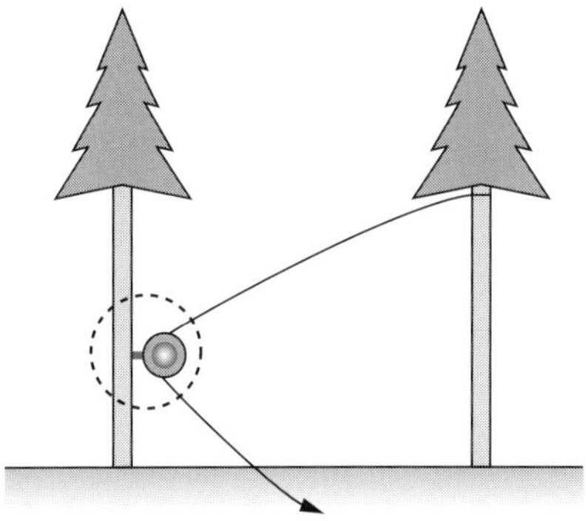

図 5-16
スナッチをできるだけ高い位置に取り付ける

安全確保のためのロープ使用

　樹木は、常に重心が立木の中心にある理想的な状態で、立っている訳ではありません。むしろ、そうした理想的なものを探すことの方が大変です。立木の重心は、常に中心から偏っていることが常識であると思っていた方が正解でしょう。したがって、重心が受け口方向にある場合は、追い口を切り進めているうちに、予定したツルをつくる間もなく傾き始め、退避するのが精一杯であったり、材が割れそうだからともうしばらく頑張って切り進めるなどという、非常に危険なことをすることがままあるのではないかと思います。

　そうした状態の木に対して、追い口切り一辺倒で攻めるのではなく、追いヅル切りを用いて行うなどすべきでしょう。ですが、それはそれだけの技量を持ち合わせていればの話で、なかなかそうはいかないのが現状でしょう。

　いわゆるプロといわれる人達からしてそうです。木が動き始めていても、もう少し切り進めておけば割れを起こさずに済むとばかりに、チェーンソーを回しているのを見掛けます。それは、チェーンソーであるが故にそのような危険なことをするのでしょう。手鋸では絶対にそうはしないでしょう。

　とにかく、伐木に際して立木が動き出したら、理由のいかんを問わず退避行動を起こすのが鉄則です。それをまだ頑張れるなどという人は、自分は木より余程

値段が安いと考えている人なのでしょう。

　立木が勝手に倒れてしまう。しかし、そのような木に対する技術習得、訓練もしていないとしたらどうすれば良いのでしょうか？　その答えは、2つあります。1つ目は、その可能性のあるものには一切手を出さない。もう1つは、「少し頭を使う」ことです。「少し頭を使う」とは、「ロープの使用」＝「木を引き倒すためのもの」であるという思い込みを捨てること。つまり木を倒さないこと、木が勝手に倒れないようにするには、ロープをどのように使用したら良いか考えてみることです。切っているうちに倒れ始める可能性があるのであれば、ロープを掛けて倒す方向に持っていくのではなく、倒れないようにするために後方へ持っていき、立木に留めておいたらどうでしょう。

　所定の「ツル」をつくり伐倒本合図をしてから、留めておいたロープを外したら良いのではないでしょうか？　とんでもない偏心木でない限り、それ相当の強度のロープを使用していれば、切り進めていくうちに動き出すこともなく、十分固定しておくことが可能です。

　まさしく、これこそが「安全のためのロープ使用」になるのではないでしょうか。ただし、そうすることで、勝手に倒れていくことを防ぐことは出来ても、問題があります。それは、ロープをしっかり固定出来るかということと、いよいよ木を倒す時、どのように「安全」に「簡単」にロープを解き放すことが出来るかということです。

ロープの固定と解放

　後方へ引いているロープの固定は、強く引いた状態で緩みのないしっかりしたもので、なおかつ解き放しやすい結び方が大切です。せっかく木を留めておくことが出来ても、解き放しが大変では、解いているうちに木が動き出し、手を挟まれたり手足に巻き付いて引きずられる等、ロープに巻き込まれる危険性も出てきます。

　ロープの留め方には幾つもの方法がありますが、用意されるロープは、常にその距離に見合ったものではありません。通常、大は小を兼ねるということで、長めのものを1本というのがほとんどでしょう。そうするとそのロープを短く使い、後方の立木に巻き付けて使用するのには、それなりの工夫が必要となります。普通誰でも思いつくのは、余りのロープもすべて立木に回して留める方法です。

　しかし、これでは木を倒す時、ロープがスムーズに巻き付けた木から離れてくれません。また、巻き戻るロープに打たれたり、他のものに絡み付いたりと面倒なことが起こります。ロープの端でも途中でも簡単に使える方法とは、どのようなものなのでしょうか？

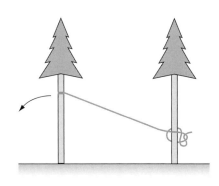

図 5-17
ロープの固定。安全のためのロープ使用

■**梃子結び**（ロープの端を使用した時）

　図 5-18 のようにロープを木に巻き付け、後に回したロープを左手前に出し、力が掛かって引かれるロープを下側から上側へ越し、木の後を回して、右側の環に引かれるロープをもう 1 度上側から越し、下側へ端を差し込んで引き締めれば完了です。

　この結び方は実に簡単な方法ですが、力が掛かっていくロープで回し込んだロープを押さえ込んでいるため、力が掛かれば掛かる程強力に押さえ込むので、強固に留めることが出来ます。しかし、図 5-18 に示すようにロープの端を 1 本環に通すだけですと、力が掛かっている場合は解くのが難しくなります。そこで図 5-19 に示すように、ロープを 2 つ折りにして蝶にしておきます。こうしておけば解くことが容易になります。

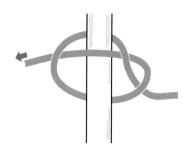

図 5-18　梃子結び

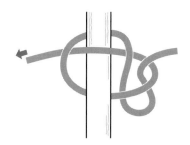

図 5-19　梃子結び
（蝶にして入れる）

■**梃子結び**（ロープの途中を使用する場合）

　さて問題のロープの途中から行う場合ですが、この場合でも梃子結びは大変行いやすい方法です。図 5-20 に示したとおり、木に巻き付けると複雑な感じがしますが、図中**イ**のロープすなわち、引かれて行く側のロープを常に持ち、図中**ロ**の余分なロープと混同しないようにして、右側の環にした部分に前記の方法で、**イ・ロ**が蝶になった状態のまま通して引き締めます。この場合既に蝶の状態になっているので、あらためて蝶をつくる必要がありません。また、この時**ロ**を**イ**と同じようにきっちり引き締めないで多少余裕を持たせておくと、後で引き解きやすくなります。

　以上、この方法がシンプルで、確実な固定が可能であることを記しましたが、最後にもう 1 つ大きな特徴を記しておきます。それは、解き放した後、ロープが引かれて行く時は、結びに使用しているロープが短くて済むので、大きくあばれないことです。

　そして、図 5-20 のように余りのロープがある場合でも、ロープが解けるとすぐに、余りのロープの側に外れてくれるため、作業者が解く時に立つ位置を立木（ロープを巻いた木）の右後方におけば、ロープで打たれたり、ロープに絡まって引きずられる心配が低くなります。

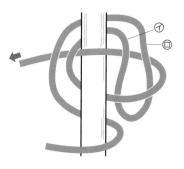

図 5-20　梃子結び
（ロープの途中を使用）

■**重ね巻き**

　これは図 5-21 に示すように、1 度巻き付けたロープに引かれるロープの下を通る場合には、上側に向かって（上を通る時は逆）クロスし、最初のロープに背負わせるようにもう 1 度巻き付ける方法です。最後の留め方は、効きロープ（引かれるロープ）に回し、引き解き結び（図 5-12）にするか、回して来たロープに外巻きで 1 回巻き込み留めにするかです。どちらにするかは、ロープに掛かる力の多少によって決めることです。何はともあれ、実際に使用して訓練し、判断を養う必要があります。

　ところで、引き解き結びについては、既に記しましたが、巻き込みについてはもう少し説明しておきます。効きロープに回した後、そのまま内側に入れて締め込むと、巻き込んだということになりませんので、図 5-22 のように外側から内側に向かって引き込みます。

図 5-21　重ね巻き

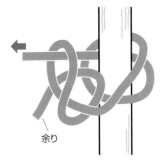

余り

図 5-22

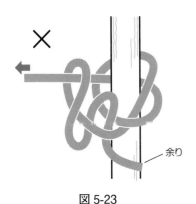

×

余り

図 5-23

また、後で解きやすいようにと蝶にして引き込む場合には、**図 5-22** に示すように余りのロープが効きロープの側に来るようにします。**図 5-23** のように逆にしてはいけません。これは、締め固めておきたいのは余りのロープではないからです。しっかり留めておくべきロープが奥に入っていなければ、締め固めの効果が薄れてしまいます。注意しなければなりません。

■**二重巻き**（ロープの途中における重ね巻き　図 5-21 参考）

　この方法でロープの途中を使用して行う場合、梃子結びと違って、立木に 2 回巻き付けるので少々工夫が必要です。効きロープのみを手に取り巻き付けていくと、余りのロープもそれに引き続いて同様に巻き付いていきます。2 回巻き付ければ、余りも 2 回というふうになり、ずいぶん複雑になってしまいます。これではロープが絡みやすく、後で色々と問題を起こす元になり大変危険です。

　そこで、ロープを十分巻き付けられる長さの 2 つ折りにして、2 本になったロープを 1 本の時のように使用します。この時、気をつけなければならないのは、2 つ折りにした余りの方が、もう一方から離れてしまわないように使用しなければならないことです。そこで、初めの 1 回を巻き付ける時、立木から前へ延びている効きロープに余りのロープを揃えて、片手で握ったまま、もう一方の手で巻き付けると簡単に揃えることができます。

■ **1 回巻きの引き解き結び**

　この留め方は、既に伐倒木にロープを掛けるところで記してありますが（165 頁・図 5-12）、伐倒木に取り付ける方法というばかりでなく、その伐倒木を倒れないように留めておく時にも応用出来ます。1 回巻きの引き解き結びですから、解き放す時にもロープの跳ねで打たれる可能性が、二重巻きの場合に比して低くなります。その効果は、ロープの途中を使用していった時、特に大きくなります。

ロープワークのリスク

■余剰ロープ処理

　さて、いよいよ所定のツルも出来、合図を送ってロープを解き放す時が来ました。それっとばかりに、解いて見ていれば良いのでしょうか？　とんでもない！！

　留め方によって、どのようにロープが離れていくか予想しませんか？　その予想＝判断がいい加減であれば、自分の作業位置も怪しくなり、場合によってはロープに打たれます。また、解く時、ロープを手に巻いたり、環の中に手を入れたりしていませんか？　手が挟まれ、引かれるロープに連れて行かれることもあります。立木に留めた後、余りのロープをそのまま放置したり、手繰り寄せた後、留めた木の後方へ置いたりしていませんか？　足にロープが絡み連れて行かれたり、灌木にロープが絡んだりと様々なことが起こり得ます。

　余りのロープは、必ず手繰り寄せた後、留めた木の前方（伐倒木側）に絡まないようにしておきます。絡まないようにするには、リールに巻くようにただぐるぐると巻き取ってはいけません。こうするとロープが延びて行く時、捩れが生じ絡み付きやすくなります。手繰りながらロープを巻く時は、必ず「八の字巻き」（図5-24）にしておくか、「折り畳み」をしておきます。そして、巻き終わった端を下に向けて置いておけば、素直に延びていきます。

　このように、1本のロープを伐木の安全を確保するために使用した時でも、そのロープ自体を安全に使いこなすための処理が次々と必要になってきます。こうしたことばかりでなく、安全の確保とは、相応の気配りと、面倒なことでも必要とされるものは、確実に実行することに尽きます。

　こうした段取りの後、伐倒合図をして、ロープを解き放ち木を倒します。前方が開けていれば素直に倒れますが、混んでいる所で行えば、当然予想されるのは掛かり木です。

■リスク回避とリスクの持ち込み

　伐倒方向に重心が向いている場合、程度の差はありますが、追い口を切り進めていくうちに、所定のツルをつくる前に勝手に倒れていくのは、当然のなり行きです。これまで記して来た事柄は、それを防ぐ技術を駆使出来ない場合の方法として、ロープの使用を考えたものです。ですから、このロープ使用上の注意点はあるにしても、安全確保を第一にしています。

　しかし、伐木そのものを目的とする場合や掛かり木になったものを処理するためにロープを使用する場合は、前者とはリスクのあり方が本質的に異なります。例えば、前記のロープを解き放した後、掛かり木になったとします。この場合、取り付けたロープの方向を変えれば、そのまま掛かり木処理に転用出来、掛かり木になってからロープを掛け、引く準備をするよりも便利でリスクも低くなります。

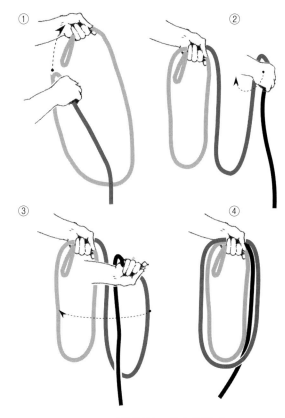

図5-24　八の字巻き

八の字巻きの1例。右手は、順手と逆手を交互に行う

①順手で親指側のロープを左手に渡す

②→③順手で持ったロープをひねり、小指側のロープを左手に渡す

④八の字巻きになった状態

さらに、①→②→③を繰り返す

　しかし、倒れるのを防ぐ目的で使用した時とは違って、多くの要件を満たさなければ安全な作業とはなりません。また、例えば起こし木にロープを使用した場合はどうでしょう。予め伐倒対象木にロープを掛け、伐倒方向に沿ってロープを引けるように準備されています。対象木を重心方向とは反対の向きに倒そうというのですから、重心方向や伐倒方向の左右に、作業中倒れる可能性が考えられます。木を起こす訳ですから、当然クサビ打ちが大変であり、ツルの破断も心配になります。

　こうした状況でロープ（後で述べるチルホール）を補助に使用することは、クサビを強力に打っていく時のツルの強度低下防止、戻り木の防止等安全の向上を図れます。しかし、いよいよ木が起き上がり、重心が伐倒方向へ移動する時点から、同じロープの使用であってもロープを積極的に使用し、伐倒を進めようとすると安全を確保するためのものから危険を呼び込むものに変化します。

　伐木作業とは当たり前の話ですが、重量のある立っているものが倒れる、否、倒す所で作業するから危険なのです。倒れなければ別に問題とはなりません。どのようなものを使用しても、以上のことから危険性がなくなることはありません。

　したがって、ロープの使用による伐木・掛かり木処理は、「誰でも楽に、あるいは簡単に行える方法である」ということはいえても、「安全の保障になる」とはいえません。まさしく、それは「リスクの持ち込み」にほかならないからです。

■掛かり木処理とリスク

　ところで、このような掛かり木の場合、最初から倒す方向にロープの段取りをしてあるのとは違い、作業者の行動がリスクの大きさを左右します。

　ちなみに、ロープの段取りをどの時点で行うかによって、リスクの順位を付けるならば、リスクの低い方から、①木が立っている状態で取り付け、スナッチで引く方向、退避場所等準備しておく。②ロープは木に取り付けてあるが、掛かり木になった状態の後で引く方向、スナッチ、退避場所等準備する。③掛かり木になってからすべての準備をする。という具合にリスクが増していきます。

　これから記すのは、②に当たります。作業者の行動（注意力、判断力を含む）がリスクを左右するとは、掛かり木の状態の確認に始まり、ロープの方向を変える時、どのような位置を移動するか、どのような場所で、どのような方向に引くかということです。

　よく見かけるのは、木が「落ちて来ない」であろうと思っているのか、移動する時に近い所をと思うからか、掛かり木の真下を横切る者がいます。それも普段どのような掛かり方をした場合でも厳禁されているのにです。これは不注意の部類に属するのか、横着なのか？　とにかく、掛かり木の真下はいうに及ばず、真下から2m以上の距離を取ることです。くれぐれも、この事には十分な注意を払わなければなりません。

　掛かり木の状態を確認した後、引く方向を決めます。引く方向は、ロープの移動によるリスク回避にも有利な横方向が妥当です。通常の掛かり木処理どおり両側のツルに切り込みを入れ（中心を残す　131頁・**写真4-38**）、掛かり木から一定の距離を取り、障害物となる立木があればそれを防護用に利用し、取り敢えず真横でロープを引いて木を揺らしてみます。それでも外れないようであれば、ダブ

ルスナッチを使用するか（ダブルスナッチは後述）、フェリングレバーと併用して木を回転させながら、ロープを引いてみるのも一法です。

　ただし、ロープとレバーの併用ですから、それぞれ勝手に行うのではなく、呼吸を合わせて行わないと無駄な力を出すばかりでなく危険です。この場合、レバー操作をしている者の指示にしたがって、ロープ側の者は操作すべきです。

写真 5-10
ロープの段取りをどの時点で行うかによって、掛かり木の際のリスクの大きさが変わる。写真は、木が立っている状態でロープを取り付け、スナッチで引く方向・退避場所等を準備する、リスクが最も低い方法

ロープの取り付け・取り外しの用具

■ 簡単な取り付け・取り外し用具を準備する

　ロープを環にしたものを上げるため、股の付いた棒を用意することを前記しておきましたが、この方法だと上げるのに不自由することはないにしても、結んだものを解くには難しくなります。そこで、引き解きでも、筋いでも、枝の間を通す時でも、それなりに使える簡単な用具を作っておくと便利です。

　それは、**図 5-25** のようなもので、伸縮管の先の方へ、太さ 4mm程の針金を Z 型に加工した物（金具）を、幅 20mm、厚さ 1.5mm、長さ 150mm程度の鉄の平板に溶接し、ビスで取り付けられるようにします。ここでの伸縮管は、測量に使用するポールを想定していますが、使用しない時は縮められ、軽く、持ち運べるものであれば何でも良いでしょう。ロープを上げる時には、上に開いた方を使い、引いて解く時には下に開いた方で引っ掛けて使用出来ます。

図 5-25

■ 取り付け用具の使用例

　手入れ不足のヒノキ林の間伐では特にそうですが、枝打ちされていて、枝下に十分な高さを期待出来ないこと

の方が普通です。枝だらけで下枝を越して上の枝の上に通さなければ、とてもロープを掛けられません。そうした時、通常ロープを掛けるには立木に登り、掛けて来るより方法がありません。

　しかし、前記のような用具を用意しておけば、わざわざ登っていく必要がありません。伸縮管の金具に、ロープのアイを掛け所定の枝の所まで上げ、ロープから金具を外し、枝の反対側からアイに金具を掛け引けば、ロープを引き寄せることが出来ます。とまあ、掛ける方法はこのようなものですが、金具にアイを掛けただけでは、ロープが枝を越してアイが反対側へ出て止まっていてくれません。ロープ自身の重さとアイが掛かる物がないので、金具を外すと同時に落ちてしまいます。

　そこで、アイに重りを付け枝を越した後、金具を外しても落ちて来ないようにしておきます。重りは、ロープの太さにもよりますが、枝を越した後、落ちないで止まっている程度の軽いもので良いでしょう。

アイの部分

ロープによる伐倒補助

　これまでのロープの使用は、勝手に倒れるものを制止するという受動的なものでしたが、いよいよ伐倒方向へ引く、つまり、ロープを使用することで能動的に立木を倒す伐倒補助について述べていきます。

スナッチ（滑車）による方向変換

■引き手の場所

　伐倒する立木に伐倒前の準備として、ロープを掛けることは前記したとおり、どのような方法でも結構です。また、結び方もロープが解けて外れなければ良しとしましょう。問題は、どのような場所に引き手がいて、どのように引くのかということです。

　自分は、逃げ足が速いから大丈夫と思っているのか、伐倒木正面に位置してロープを引いたり、正面はいささか危険であると思うからか、伐倒予定方向からどれだけか避ける方向、すなわち引き手のわずかに斜め方向に伐倒木が見える位置で、平然と引いて倒そうとする方々がいます。

　これでは、マニュアルを読んでどの範囲が危険範囲か知っていたとしても何の意味もありません。危険範囲の中でもそこは、最悪の場所です。そこで引くのではなく「揺さぶるだけだ」、などといってみたところで何の言い訳にもなりません。そこは、正面でも伐倒木が到底届かない距離ならいざ知らず、いつ木の下敷きになっても不思議ではない、必然的に事故が起こり得る場所だからです。

■スナッチ（滑車）を使う意味

　また、さすがに真正面というのは身の危険を感ずるからでしょうか、正面からやや外れた立木にロープを回し、その立木を盾にするように横へ身体を置いて、ロープを引くということも日常的に行われているようです。これも場合によっては、伐倒木の受け口方向とかなり違う方向へ引くことになり、伐倒方向に多大な不確定要素を持ち込むことになります。また、立木にロープを回し、スナッチ（滑車）の替わりにするのであれば、スナッチを使用した時同様、90°以内の角度に方向を変え、十分な距離を取る必要があります。しかし、方向変換角度を小さく取る程、立木とロープの摩擦抵抗が大きくなりロープを引きにくくなります。

　その結果、この方法に慣れるに連れて、抵抗を小さくしようと角度を次第に大きく、ロープを短く使用するようになってきます。この方法は、ロープを回した立木に傷が付くのもさることながら、この慣れによる横着使用及び、立木のすぐ横でもそれを盾にしているから大丈夫、と思い込むことが問題なのです。

　元々この方法は、スナッチ、スリングの持ち合わせがない時、つまり応急処置

の一法として意味を持っているのですから、決して一般的なものとして推奨されるべきものではありません。確かに、これでロープの方向変換をしたことには違いありませんが、それは単なる言い訳にしか過ぎません。そこは、伐倒危険範囲、しかも真正面に準ずる位置であることには違いありません。そのような場所、方法に慣れてしまっていると、条件のわずかな違いでも見過ごし、大変危険な結果を引き起こします。そうした結果は、決して偶然ではなく必然的なものと言えます。

　例えば図5-26のように伐倒木Aを矢印方向へ倒そうとする時、仮に受け口及びツルの強度等から、ロープを引いた時、立木の①・②が接近している場合には、立木②の横にいる引き手を直撃（倒れて来た木の下へ退避すれば別）することはまずありません。

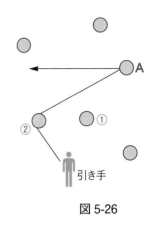

図 5-26

　しかし、図5-27のように立木①´と②´の間隔が開いている場合には、立木①´に接触して②´の横にいる引き手を直撃することがあります。

　スナッチによって引く方向の変換を必要とするのは、出来る限り伐倒ライン上に引く方向を合わせたいことと力のロスをなくすこと、確実な方向変換をして、引き手を出来る限り危険範囲外に置きたいからです。したがって、ロープは前方の伐倒ライン上の立木等にスナッチを取り付け、スナッチから十分距離を置いた立木の陰までもって行けるように準備すべきです。

■ロープを引くタイミング

　そして、追い口を切り進めている最中に勝手にロープを引いてはいけません。ロープ（後で述べるチルホール）の使用は、立木を倒す時の補助の1つです。伐木の基本は、あくまでも立木の重心を移動させることによって行うというところにあります。もちろん、強度の起こし木、掛かり木であってもロープ等は、補助器具です。

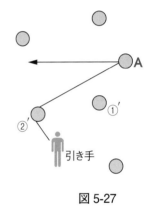

図 5-27

　では、ロープを何時引けば良いのか？　それは、伐木の基本＝重心の移動を可能にする補助器具のクサビを使用して、立木を傾け、ツルの強度、伐倒方向を確定・確認出来るようになってから、伐倒作業者の指示にしたがって操作をしなければなりません。

　では、クサビを打つ時、ロープ等を引いてはいけないのか？　もちろんクサビを打つだけでは起こし木の場合は、起こしきれないことがあります。しかし、その時でもロープで無理に行うのではなく、作業者の指示にしたがって引く力を調節しながら行わなければなりません。絶対に合図と共に、「いち、にい、さん」で思い切って引き倒そうとしてはいけません。引いた途端、ツルが強度不足の場合、切れて思わぬ所へ倒れる可能性があります。

スリングの種類

　前項において、スナッチを使用すべき理由を記しましたが、スナッチを使用するに当たりまず必要になるのが、立木等に留めるためのスリングです。故に、それについて先に述べておきます。

写真 5-11

立木に取り付けられたスリング。次頁図5-30の上図のように、アイに一方の端を通し（目通し）、もう一方のアイにスナッチが掛けられている

スリングには、ワイヤー製のもの、ナイロン製のもの、そのナイロン製のものでも両端アイになった本格的なものや、帯状のものを環にしたもの等、色々あります。これらは、その強度・特性が違うので、実際の使用目的に合わせて選択しなければなりません。例えば、倒す目的のない立木（傷つけたくない立木）に使用するのであれば、ナイロン製のもので、しかも後述するチルホールを使用する場合には、強度の高い両端アイになったものや、伐倒木であればワイヤー製のもの、人間が直接手で引く程度であればナイロン製で帯状の環になったもの（小さく収納出来、軽い）というふうにです。

この他、市販のものばかりでなく、クレモナロープの両端にアイをつくり、必要な長さのロープスリングを作っても、手引きであれば十分な強度が得られます。ただしこの場合、伐倒に使用するロープが9㎜であれば、12㎜のものというように、強度が使用ロープより遥かに大きいサイズのものでつくるべきです。これはスリング全般に通じることで、使用方法によっては所定の強度が大きく低下するからです（「スリングの安全強度」188頁参照）。

スリングの使用方法

■スリングによるスナッチの基本的な留め方

通常「立木、スタンプ（切り株）等にスリングを取り付け、スナッチを掛けて……」と言うと、誰でもたいして難しいことではないだろう、と思いやすいのではないでしょうか？　では、そのスリングへの力の掛かり具合、及び使用スリングの強度についてどの程度考慮しているか、ということになると少々怪しくなるのではないでしょうか？　ここではその基本的なところから記してみます。

図5-28は、両端アイになったものを1回木に巻き付け、両方のアイを揃えてスナッチを取り付けたものです。この使用法が基本中の基本となるもので、これを一見する限りどうということのないものです。が、しかし、大変重要なことがこの中にあります。

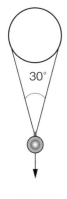

図5-28

それは、図中に30度と示してある角度です。玉掛け作業（免許が必要）において重要視されるのがこの角度です。今、スナッチに200kgf（200kg重）の力が矢印方向に掛かったとすると、図のように両端のスリングのなす角度が30°の場合、それぞれ100kgfになるかというと、そうではなく104kgfとなります。

張力増加係数表（重要な表です）

吊角度 （0度）	張力増加 係数	吊角度 （0度）	張力増加 係数	吊角度 （0度）	張力増加 係数
10	1.01	60	1.16	110	1.74
20	1.02	70	1.22	120	2.00
30	1.04	80	1.31	130	2.37
40	1.07	90	1.41	140	2.93
50	1.10	100	1.56	150	3.86

吊荷

θ

では60°の場合はどうかというと116kgfとなり、90°の場合は141kgfの力がスリングの両端にそれぞれ掛かります（参照：**張力増加係数表**、図5-30）。

つまりこの事は、90°の場合、両端が141kgfずつの力を出さなければ、200kgfのスナッチに対抗出来ないことを意味します。更に30°角度が開いて120°になると、スナッチに掛かる力200kgfと同じ200kgfの力がスリングの両端にそれぞれ掛かります。

したがって、この角度が大きくなる場合、スリングの切断荷重の大きなものに変えていかないと、スリングの破断を起こす恐れがあります。ちなみに玉掛け作業では、「このような使用をする」場合には、荷重の4倍の強度のスリングを使用することが求められています。上記のように、角度が大きくなるにつれて、頑丈なスリングを使用するのが難しいのであれば、出来る限り60°以内で使用すべきだということと、どんなに開いても90°を超えないように、長いスリングを使用してこの角度を低く抑えるべきです。以上の点に注意して使用すればこの方法は、スナッチに掛かる荷重をちょうど2本のスリングで受ける形になり、最も信頼性の高いものとなります。

■「目通し」による方法の危険

両端がアイになっていたり、帯状の環になったものを、単純に立木・スタンプ（切り株）に取り付ける時、よく行うのが、目通しによる引き締めです。

目通しとは、**図5-31**のように一方のアイに、スリングのもう一方の端を通して使用する方法です。帯状の環になったものであれば、一方の環になった部分に、2つ折りにして通したものです。この方法は、全く単純明解、手っ取り早い留め方ですが、**図5-32**のようにスナッチに掛かる荷重はスリング1本にそのまま掛かります。

そして、前項で述べたスリングとスリングの角度、この場合ではアイ部分と通した方の角度が、浅い絞り方では120度、深く絞った時は150°というように、大きな角度になります。120°では、前項の時と同様、荷重と同じ力がアイとスリング本体に掛かり、150°では荷重の約2倍、例えば200kgfの荷重であれば約400kgfの力がそれぞれに掛かります。このように角度が大きくなると、大変大きな荷重がスリングに掛かるのはもちろん、アイを通して極端に折り曲げられているため、その部分に大きな力が集中し、ちょうどアイが切断機（剪断力）のような働きをします。

このような使用方法を取る場合、アイを通して出来る隙間に、短く切った丸太を挟み、この角度を出来るだけ小さくして、強度低下を防ぐのもリスク低下を図る手段の1つです。そうしたことを行わないで、そのままの状態で使用するのであれば、前項同様十分な強度のスリングを用いて作業することです。

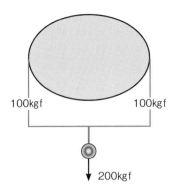

図 5-29

上記のように荷重を分解すると1本に掛かる荷重がわかりやすい

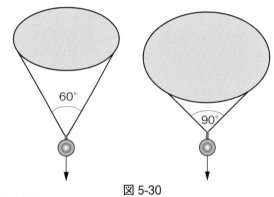

図 5-30

スリング間の角度が大きくなるほど、スリングの両端に掛かる力は大きくなる

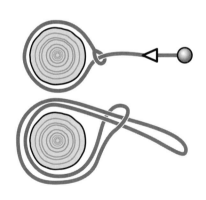

図 5-31

スリングの目通しによる引き締めは、アイの部分に大きな力が掛かり危険である

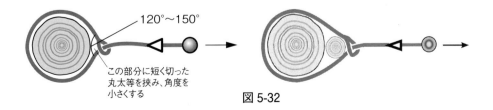

120°～150°

この部分に短く切った丸太等を挟み、角度を小さくする

図 5-32

スリングの延長方法

これは、留める立木・スタンプ（切り株）等、1本のスリングでは十分回らない時や、留めたスリングから更に先の方に、スナッチを取り付けたい時に必要になります。そして、継ぐ方法として大事なことは、それが強固であることはもちろん、使用後に解きやすいということです。

図 5-33　「目通し」二つ折り

■「目通し」二つ折り

これは最も単純な方法で、1本のスリングの一方のアイに他のスリングを通し二つ折りにして使用するものです。

図 5-34　棒の「目通し」

■棒の「目通し」

1本のスリングの一方のアイに、もう1つのスリングを通すまでは上記同様ですが、通した方のアイに強度の確かな棒状のものを入れて、相手のアイから抜けないようにしたものです。ただし、この方法は差し込んだ棒が抜け落ちないように工夫する必要があります。

図 5-35　シャックル留め

スリングのアイをシャックルに通して、つないだ状態（牽引すると、シャックルにつないだアイの位置は必ずズレる）

【シャックル使用の注意】
強度不足のシャックルを使うと、ねじ込むシャフトが曲がり、取り外せなくなります。また強度が足りていても、ネジシャフトを十分に締めていなければ、シャックルが開きネジが外れなくなることがあります。シャックルには、ネジシャフトの片側にある穴に、ドライバーのようなものを入れて締め上げて使用してください。

■シャックル留め

スリングとスリングの間に別の用具（シャックル）を使用して継ぐ方法。

■二重目通し

前記図 5-33・図 5-34 のように、スリングとスリングを直接継ぐ方法ではありますが、折れ込みもなく、絶対に抜け落ちる心配もなく、そして解きやすい方法として、図 5-36 のようにスリングの片方のアイにスリングを目通しした後、目通しされたスリングのもう一方の端を目通ししたスリングのアイに目通しして引き絞ります。引き絞ったものを見ると、後から解けにくいように見えますが、おのおののアイを持って押してやると簡単に解くことが出来ます。この方法は折れ込み・曲がりが出来ないので、ワイヤーでは特に傷む心配がなく有効な方法です。直接スリング同士を絞ると解くのが心配ならば、絞り込む前にアイとアイの間へ丈夫な細い木でも挟んでおけば更に解きやすくなります。

イ　　　　　　ロ

図 5-36　二重目通し

注意！　絶対に行ってはいけない方法

これは、図 5-37 のように、スリングの一方の端のアイに他のスリングを目通しした後、このアイに同じスリングのもう一方のアイを目通しして絞り込むものです。

これは、丸太等太さがそれなりにあるものを絞る場合は簡単に解けますが、スリング同士細いものに使用すると小さく固まった状態になり、解くのが極めて困難になります。ワイヤーでは、カッターで切断しないと外すことが出来なくなります。くれぐれも注意しなければならない方法です。

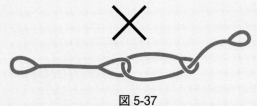

図 5-37

ロープワークにおけるスナッチ（滑車）の利用

ガイドスナッチとランニングスナッチ

　スナッチを利用する目的は、力の方向を変えることと、大きい力を発生させることの2種類です（**写真5-12**）。そして、その作動の仕方（機能）によって、ガイドスナッチ（定滑車）とランニングスナッチ（動滑車）に分けられます（正式にはガイドブロックとランニングブロック）。

　ガイドスナッチ（定滑車）とは、文字どおりスタンプ・立木等に固定して使用します。機能上別のいい方をすると、動いてほしくない滑車です。これは、引く力の方向変換を主に担って欲しいからです。

　ランニングスナッチ（動滑車）とは、これまた文字どおり動くことをその機能としています。つまり動かしたい対象物に取り付け使用し、対象物と共に力の掛かる方向へ移動させるのです。このランニングスナッチの存在が、引く力の低減を保障しているのです。

　では、ランニングスナッチであるからといって、力の方向変換が出来ないかというとそんなことはありません。自由度はありませんが、力の増加を主にしているとはいえ、方向変換を同時に行っています。もちろんその反対にガイドスナッチも力の方向変換でだけでなく、スナッチを固定しているものに対して力の増加を図っています。

　以上ガイドスナッチ、ランニングスナッチの特徴を述べましたが、この2種類が特別にスナッチの種類として用意されている訳ではなく、同一タイプのスナッチを使用した場合でもどのように機能させるかによって、2種類に分けているに過ぎません。

　例えば、**図5-38**に示すような設置をしたとします。作業者は、スタンプAのものをガイドスナッチ、スタンプBのものをランニングスナッチに設定し、スタンプBを抜き取ることを意図して設置しました。実際に矢印方向へ引いたところ、スタンプBではなく、スタンプAの方が抜けてしまいました。これでは、BがガイドスナッチでAがランニングスナッチということになります。それではおかしいのではないか？といいたいところですが、別におかしい訳ではありません。動いた方がランニングスナッチで、動かない方がガイドスナッチなのです。

　つまり、ガイドスナッチ、ランニングスナッチとは、固定的規定ではなく、相対的、機能的な関係なのです。ガイドスナッチをガイドスナッチたらしめたいのであれば、ランニングスナッチ側対象物よりも強固なものに固定する必要があるということです。このようなことは、往々にして起こります。

　スナッチを使用する時は、このようなことを常に念頭において使用すべきです。ちなみに、スタンプが抜ける、抜けないは別にして、A・Bどちらに大きな力が掛かるかというと、Aです。矢印方向に1の力で引くとBには2、Aには3の力が掛かります。

写真5-12　スナッチ
安全使用荷重250kgf。破壊使用荷重1,500kgf

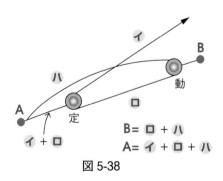

B= ロ + ハ
A= イ + ロ + ハ

図5-38

スナッチ（滑車）1 個を固定して使用

　ガイドスナッチとして使用するのであるから、その機能は力の方向変換のみです。したがって、ロープを矢印方向に（図 5-38）50kg f で引いた時、対象木を引く力は 50kg f です。実に単純な使用方法ですが、しかし、注意を払わなければならないところもあります。

■スナッチの動き

　まず第 1 点は、図 5-39 と図 5-40 を比較した時の違いは、スナッチの動きです。ここで動きというのは、スナッチの向きです。これは、スリングの長さが長い程大きく表れます。図 5-39 に示してあるのは、伐倒ライン上にスナッチが向いていますが、これは引く前の状態です。

　図 5-40 は、引いて力が掛かった状態です。スナッチが矢印方向へ大きく向きを変え、伐倒ライン上（点線）から外れます。これは対象木が引かれる方向が、正しい伐倒方向からスナッチ方向に変わるため、伐倒方向そのものが狂いやすいことを意味します。

　では、この場合スナッチはどこまで向きを変えるかというと、スナッチを介してロープ同士のなす角度を 2 等分した所、図 5-40 では 45°です。したがって、力の作用する方向を大きく変えたくない場合は、出来るだけスリングを短く使用することです。また逆にその性質を利用して、伐倒ラインを変えたい場合は、スリングを長く使用することで可能になります。

■スナッチへの力の作用

　第 2 点は、ガイドスナッチとしての使用であるから、スナッチに力が掛からないなどということはないということです。これは、既に説明してあるとおり見方を変えれば、ランニングスナッチとしての機能も備えています。

　図上の矢印を対象の方向へ向けた時、スナッチには最大の力が掛かります。ちなみに、50kgf の力でその方向へ引くとスナッチには 100kgf の力が掛かり（図 5-41）、立木・スタンプ等を引くことになります。図 5-40 のように 90°では、約71kgf、90°を超え 120°では 50kg f と角度が大きくなる程、スナッチに掛かる力は小さくなります。したがって、角度を大きく取る程、直引きに近くなるので 60°～ 90°程度で使用すべきでしょう。

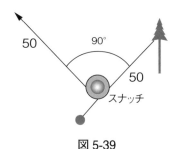

図 5-39

図中ライン横にある数字は、掛かる荷重（以下の図も同様）。
角度ごとの荷重の違いについては、「張力増加係数表」176 頁を参照のこと

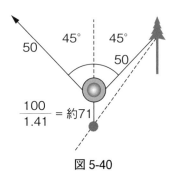

図 5-40

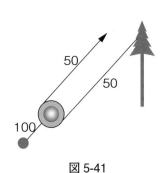

図 5-41

スナッチ1個をランニングスナッチとして使用

　ランニングスナッチとして使用するのですから、当然対象を移動させるために用いる訳です。**図5-42**のような伐倒であれば、ロープあるいはワイヤーの端を伐倒方向の立木・スタンプ等に取り付け、引くのもその方向であれば力は2倍になります（ロープを引く距離は倍）。しかし、この方法でそのまま伐倒を行うとなると、生き死にを覚悟しなければなりません。1本の木に「楽が出来る」ことと引き換えに、「命を懸ける」こともないでしょう。

　では、引く位置を変えれば、問題はないではないか？　なるほど、では位置を変えてみることにしましょう。取り敢えず、引く方向を固定したロープと90°の角度にします。**図5-43**の矢印方向に引くと前記した90°/2＝45°方向へスナッチが移動し、力の方向もその向きになります。伐倒方向がロープ・ワイヤーを固定した立木・スタンプ等のすぐ横であるのに、引く方向はとんでもなくずれてしまいます。この角度では50kgｆでロープを引いた時、スナッチには71kgｆの力が掛かります。

　では、安全上から引く方向はそのままに、伐倒方向にスナッチが向くように、ロープ等を固定するアンカーを変えてみます。約150°、50kgｆでロープを引くと、スナッチには約25kgｆの力しか掛かりません（**図5-44**）。なんと、これではランニングスナッチとしての意味がありません。むしろガイドスナッチで方向変換しただけで引いた方が大きな力になります。と、こういう訳ですから危険でもあるし、安全ということであれば、その価値を失うことになるので、このような使用方法はやめた方が良いということになります。これは、後述のチルホールを使用した場合でも全く同じです。

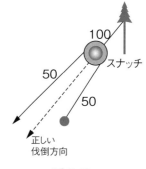

図 5-42

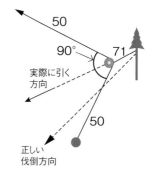

図 5-43

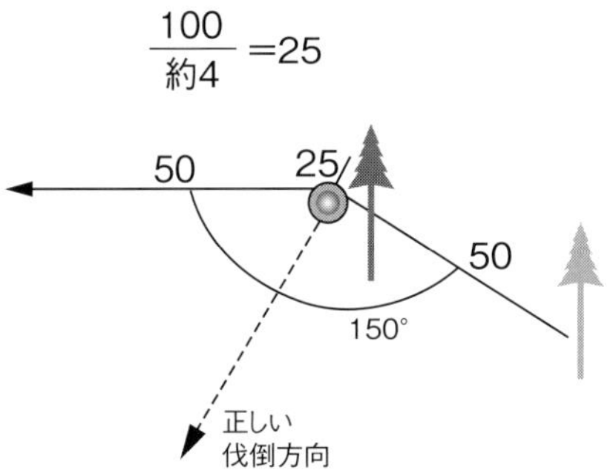

$$\frac{100}{約4}＝25$$

図 5-44

スナッチ（滑車）の組み合わせ

危険防止と牽引力の増加を同時に達成出来る方法が、スナッチの組み合わせです。

基本的な組み合わせ

■ガイドスナッチ（定滑車）/ ランニングスナッチ（動滑車）

ガイドスナッチ・ランニングスナッチとして、それぞれ1個を使用する方法が図5-45に示したものです。これが最も一般的な2個組みの方法です。矢印方向に50kg f（50kg重）の力で引いた時、それぞれのロープ、イ、ロ、ハには、50kg fの力が掛かっているので対象木（伐倒木）に付けてある滑車には、ロ＋ハの力50kg f + 50kg f = 100kg fの力が掛かり、対象木を引くことが出来ます。

つまり、滑車を2個使用していても、1個だけが動く訳ですから、対象を引く力は2倍だということです。ちなみに、対象木がなかなか動かなかった場合、アンカーにはどれだけの力が掛かるのでしょう？

それは、アンカーに付けてある滑車にはイ＋ロの力が掛かり（イとロの角度によって変わる）、更に対象木に付けてある滑車を介してハがアンカーを引いているので、イ＋ロ＋ハということになります。また、ロープの移動距離は、ランニングスナッチが移動する2倍の距離（長さ）を必要とします。1個のランニングスナッチで2倍の力を発揮できる代わりに、直引きの2倍の長さのロープを引く必要があるということです。

一気に大きな力を出すのか、ゆっくり出すのかの違いで、出すエネルギー量はどちらも同じです。つまり仕事の量は同じだということです。これは、100枚の歯が付いたギヤーを、50枚の歯が付いた小さいギヤーで回転させた時、やはり回転力が2倍になる代わりに、大きなギヤーを1回転させるのに小さい方は2回転しなければならないのと同じです。

■アンカーの分割

さて、ガイドスナッチ（定滑車）1個、ランニングスナッチ（動滑車）1個の組み合わせ原理・基本的使用法（スタンダード）は、前記のとおりですが、図5-45に示す設置方法では、対象木が引かれる方向は常にガイドスナッチ（定滑車）、ロープ終端を取り付けてあるアンカーに向かうことになります。ですから、図5-46のように対象木Aを伐倒方向前方の立木B・Cの間へ倒したい場合、前記した基本どおりの設置方法（アンカーBにロープ終端のスナッチを取り付け）ではアンカーBに向かって引かれるため、対象木Aの受け口を点線の矢印方向につくってあったとしても、アンカーBに掛かり木となりやすく、後で面倒なことになります。

そこで一工夫して、こうした事態を事前に避けるために、アンカーを立木B

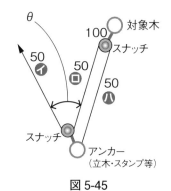

図 5-45

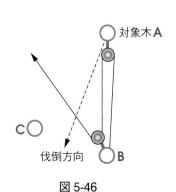

図 5-46

にすべて任せていたものを**図 5-47**のように、隣の立木 C にもアンカーの役目を担ってもらうのです。こうすれば 2 つのアンカーに力の分散が出来、引く方向もほぼ目的の方向へ向かわせることが可能になります（後述「スナッチ 3 個で力を 3 倍に」190 頁・**図 5-63**参照）。

　対象木 A が引かれる方向は、立木 A、B、C に取り付けられているロープの内角の中線方向となります。また、この内角は 30°以内がベストですが、最大でも 60°までとすべきです（「スナッチへの力の作用」180 頁参照）。

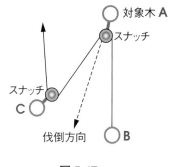

図 5-47

スナッチ（滑車）2 個で 3 倍の力を出す

　前項の**図 5-45**を見てください。この状態で対象木が動かない場合、ロープを引く力の 3 倍の力で、アンカーを引いていることを記しました。これをアンカー、対象木を逆にしたらどうでしょう。そうすれば、対象木の方を 3 倍の力で引くことが出来るはずです。それが**図 5-48**に示したものです。これなら、間違いなく 3 倍の力で、対象木を引くことが出来ます。

　しかし、引く方向が対象木の倒れる方向では、正面の直引きと全く同じです。これでは困ります。では、引く方向が点線の矢印方向ならばどうでしょう。これならば一応危険回避は可能です。でも、まだ対象木へのスナッチ等の取り付けが、不便であることには変わりありません。まだ、一工夫も二工夫もしないと実用には不向きです。

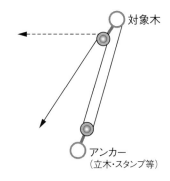

図 5-48

対象木（伐倒木）に対するスナッチ（滑車）の取り付け

　前項の問題点（ロープ終端、スナッチの固定方法）を改善させるために、十分な長さのスリングを用意することにします。スリングの十分な長さとは、立木に取り付ける時、立木の根元に作業者が立った状態で、スナッチを取り付けられる長さです。

　そして、そのスリングの端に、スナッチ及びロープ終端を結び付けると、どのようになるでしょう（**図 5-49**）。**図 5-48**において点線方向へ引くのとどこが違うかというと、ロープ終端を直接立木に取り付けているか、スリングの端に取り付けるかだけです。引く力は全く同じです。

　引く方向をこのようにした場合、力の増加量を 3 倍にすることは出来ません。図では、矢印方向へ引くロープとスナッチを介したロープの角度 90°となっていますが、この時対象木を 50kgf で引くと、90°で引かれるスナッチに約 71kgf の力が掛かり、スリングに取り付けたロープ終端に矢印方向に引く力 50kgf そのままが掛かるので約 121kgf となります。

　もし、60°の角度で引いた場合は、約 136kgf となります。したがって、これを倍率で表すと 90°から 60°で、ロープを引く力の 2.4 倍強から、2.7 倍強まで

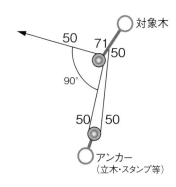

図 5-49

の力で対象木（伐倒木）を引くことが出来ます。

ランニングスナッチのブースターとしての利用

　さぁ、ここまで来たのだからもう少し簡単にならないものかと、もう一工夫した方法が次のものです。

　これは、前項図5-47において、対象木に使用したスリングも不用とするものです。つまり、ガイドスナッチ用スリング1本とスナッチ2個、そしてロープのみで実現したものです（図5-50）。ガイドスナッチのアンカー（立木・スタンプ［切り株］等）への取り付けは、全く前項同様ですが、対象木に取り付けるのはロープの終端のみです。

　では、どこへランニングスナッチを取り付けるかというと、基本的には前項の長めのスリングを使用した時の高さの位置です。これは、ロープを引く位置によって、それより長く取ることもあります。つまり取り付ける位置は、ランニングスナッチがガイドスナッチまで十分移動出来る距離を取ることが可能な位置で、相当自由度があります。

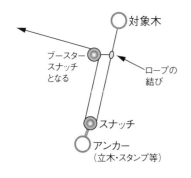

図 5-50

　では、どのようにロープへ取り付けるのか？　それは、ロープに結びを作り、それにスナッチ（滑車）のフックを掛けるのです。したがって結び方は、大きな力が掛かっても解けない強固なもので、なおかつ解く時に解きやすい方法でなければなりません（結び方は後述）。このようにロープ途中にスナッチを取り付け設置した状態は、図5-49とほとんど変わりません。引く力の倍率も全く同じです。まさしく、途中に付けたスナッチ（滑車）は、力を増加させるブースターの役目をします。しかし、この方法にもそれなりの欠点があります。それは、図5-51を見るとわかるとおり、受け口方向すなわち、伐倒方向が点線で示されている所とすると、実際に引く力は実線の矢印方向となります。

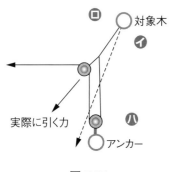

図 5-51

　つまり、横向きにロープを引くことになるため、スナッチ（動滑車）とそれを留めてあるロープ共々横に引かれ、そのスナッチから対象木までのロープの向きが矢印方向に変わります（引く力の方向変化）。この方向が、伐倒方向（受け口方向）と一致していれば問題ないのですが、点線方向が伐倒方向であった場合、図5-51でのイ側のツルの強度を低下させるので、予めツルを反対側より厚くしておく必要があります。こうしたことを出来る限り避けるには、アンカーの位置を出来るだけハの方向へずらしておく必要があります。

　また、横方向の適した位置にアンカーがない場合、例えば、図5-50のハより遠い位置でガイドスナッチを留めるスリングの長さを長く調整して合わせるのも工夫です（図5-52）。

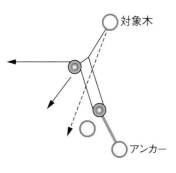

図 5-52

　とにかくこの方法には、以上のような欠点が付きまとっていますが、それをよく理解し使用するのであれば、簡単な方法で大きな力を発生出来るため、大変有効です。また、掛かり木によっては、引いているロープを反対側に投げ、引く方向を逆にすることで、掛かり木を処理出来ることがあります（もちろん、片側へ移動する時に、木の下を通ることはもっての外です）。

この方法による使用スナッチはもちろんですが、ロープにスナッチを使用するのであれば、横開き出来る 250kg f 程度のスナッチで十分です。重さも 1 個 500g ですから 2 人 1 組で仕事をする場合、1 個ずつ持てばそれ程の荷物にはなりません。

ブースタースナッチを留めるロープの結び方

■巻き結び

図 5-53 のように 2 つの環をつくります。この環は、左手に持ったロープが右手のロープの上に重なるようにつくります。その逆でも良いですが、ここでは図のようにします。

そして、出来た環のロープの重なりを左手の指で押さえておき、右側にもう 1 つ全く同じ方法で環をつくります。❹の全く同じつくりの環が、隣同士に出来たところで、図 5-54 のように後で出来た環を前の環の上に重なるように合わせ、その 2 つの環にスナッチのフックを掛け、ロープを左右に引き絞れば完成です。

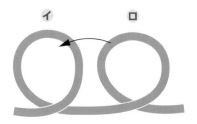

図 5-53
巻き結びは同じ環を重ねる

■変形引き解き結び

ロープの途中でつくる通常の引き解き結びは、図 5-55 に示すように 1 つの環をつくり、その環に裏側からロープを引き出して環を絞ればそこにアイが出来ます。しかし、この方法でスナッチを掛け力が掛かると、アイの首の部分で固く締まり解きにくくなるので一工夫します。

図 5-56 のような環をロープ途中につくり、左回りに 1 回〜 1 回半ねじります。左にねじるのは、ロープが右撚りに出来ていて、右にねじるとロープの撚りが解けて弱くなるからです。また、1 回ないし 1 回半のねじりをするのは、半回の場合、図 5-55 の通常行う引き解きになってしまうからです。

さて、こうしてねじった環に図 5-56 に示す右側のロープを引き抜きアイをつくり、ねじりの部分を絞った後にスナッチのフックを掛ければ完成です。この他にも結ぶ種類はありますが、実用上この 2 種類で十分でしょう。

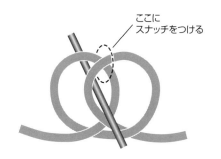

図 5-54
巻き結び完成
このように、出来た環の中に細い枯れ枝を差し込んでおけば(図 5-56 も同様)、後で解く時に、解きやすくなる

図 5-55
引き解き結び

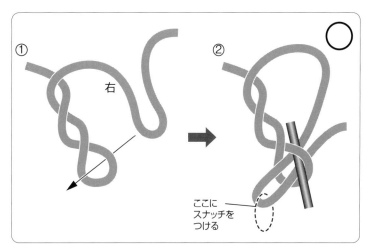

図 5-56　変形引き解き結びでつくったアイにスナッチのフックを掛ける

牽引具

牽引具としては、チェーンブロック、レバーブロック等もありますが、これらは垂直にものを吊るし上げる時や、横方向でも短い距離を引く場合にはそれなりに威力を発揮します。

しかし、チェーンブロックは、構造上1度チェーンを目一杯引いた後の戻しは、引く方法と全く逆の操作を行わなければならないため、大変面倒です（レバーブロックはチェーンの戻しは簡単）。それに比してチルホールは、チェーンブロックと同様な作業が可能であり、牽引距離を非常に長くすることが出来ます（原理的には制限なし）。また、ワイヤーを戻すのも簡単な操作で、必要なワイヤーの長さを設定出来ます。こうした大変便利な機能を備えていると共に、本体4kg程度の小型のものでも500kgfという大きな力を発生します。

そして、牽引にワイヤーを使用しているため、スナッチ（滑車）を利用して引く方向を変えられ、更にスナッチ（滑車）の組み合わせで、引く力を増加させることが可能となります。その汎用性故に、山の作業にはうってつけの器具といえます。

誰でも少し練習をすれば、簡単に使用出来るのもこの器具の特徴ですが、「これを使用することによるリスクについて、十分把握して使用しているか」というと、必ずしもそうではないようです。ものを引くということにおいては、ロープで行うことと基本的には同じですが、力の発生力が格段に違うので、この辺りを中心に据えて以下記していきます。

写真 5-13　チルホール

ワイヤーロープの解き放し

チルホールは前記のとおり、ワイヤーロープをつかんで引く構造の装置ですから、ワイヤーロープは丁寧に取り扱わなければなりません。無理な折り曲げや、環になった状態のまま強く引いて「キンク（折れ込み）」（図 5-57）をつくると使用不能になってしまいます。

こうしたことを起こしやすいのが、巻いてあるワイヤーを解く時です。新品の状態では、ワイヤーがリールに巻かれるように、全体を回しながら巻き取られています。これを横にしてそのまままっすぐ引き解くと、一巻き解くごとに1回よじれを生じ、延びたワイヤーに幾つも環が出来てそれを直すのに苦労します。また、この状態のまま力を入れて引き延ばそうとすると、キンクが出来てしまいます。

これを防ぎ、まっすぐ癖の付かないように解くには、環全体を回しながら解いていかなければなりません。また、巻き取り用の器具がある場合は、それを回転させて巻き取れば良いですが、そうでない場合、例えば巻き取られているワイヤー

図 5-57　キンク（折れ込み）
ワイヤーにキンクをつくると使用不能になる

を横にしたまま引き解けるようにするためには、ロープの巻き取りで説明した「八の字巻き」（171 頁・図 5-24 参照）をつくるように巻き取っておかなければなりません。

チルホールの設置

■スナッチ 1 個の場合

　チルホールを設置する方法の考え方は、ロープの時と全く同様ですがロープとは比較にならない大きな力を発生させるため、それ相応の処置が必要となります。立木に取り付けるものは、ロープの場合、ロープそのもので通用しましたが、チルホールはワイヤーにフックを付けて相手に直接掛けられるようにしてあるので、相手になるべきものはナイロンスリングなりワイヤースリング、台付けワイヤーとなります。これらのアイにフックを掛けた後は、方向変換用スナッチを通し、安全な位置のアンカーに巻いたスリングにチルホールを留めれば、操作上の形としては完了です（図 5-58）（安全な位置にチルホールを先に設置した後、前の作業を行っても同じ。「ロープによる伐倒補助」・174 頁参照）。

　ところで、ここでの設置方法は、チルホールに用意されている牽引ワイヤーをそのまま使用した状態を示しています。これで大丈夫でしょうか？　確かにチルホールは、前記のとおり原理的に牽引ワイヤーを引く長さに制限はありません。

　しかし、実際にはチルホールに用意されているワイヤーは、500kg 型で標準が10m、750kg 型で 15 〜 20m（注文すれば長いものもあるが、それにも制限がある）ですから、ワイヤーが 10m の場合、立木（対象木）に取り付けたスリングを 1m とすると、スナッチ（1m）とワイヤーの半分（5m）で 6m、スナッチからチルホールまでワイヤーの半分で 5m ということになります。これでは、スナッチで引く方向を変えたことには違いありませんが、言い訳程度のことを行っているに過ぎません。チルホールの操作者は、相変わらず伐倒木の危険範囲から出ることが出来ません（安全距離の確保不良）。チルホールの設置場所は、原則として伐倒木後方とすることです。

　ではどうすれば良いのか？　大型のチルホールになるほどワイヤーも長くなるので、そうしたものを使用する方が良いのか？　大は小を兼ねるには違いありませんが、あまり重量があるものを山の中で持ち歩くのも現実的ではありません。

　そこで、持ち歩くのも軽く簡単な器具として、補助ワイヤーの使用を考えてみましょう。補助ワイヤーとは、チルホールのフックに取り付け、その先へ長く延ばして使用するためのワイヤーです。つまり、チルホールのワイヤーの引きしろが 10m あれば、ほとんどの場合十分な長さですから、引きしろに関係のない部分を他のワイヤーに任せる訳です。この補助ワイヤーの一方の端はそのまま、もう一方にアイをつくり、立木に取り付けたスリングと継げるようにしておきます。長さは、15m でも 20m でも、持ち運びに支障がなければ長い程良いことになります。

　ワイヤーの太さは、チルホールが 500kg 型ならば、チルホールのものと同一

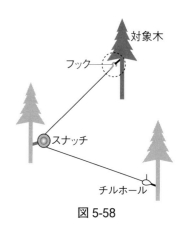

図 5-58

写真 5-14
補助ワイヤーに、チルホール（人物の位置にある）付属の牽引ワイヤーのフックを掛けたところ

写真 5-15　ワイヤーバイス
補助ワイヤーを留め、チルホールの
ワイヤーフックを掛けた状態

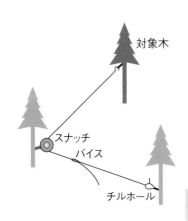

図 5-59

でなくても最大張力の 4 倍、2,000kg f 程度あれば良いので、ワイヤーの種類によっては 6 ～ 7mm で十分です。このワイヤーとチルホールのワイヤーフックを継ぐために、ワイヤーのどの位置でも留めることが可能な「ワイヤーバイス」（写真 5-15）という器具を使用します。

このワイヤーバイスを使用すれば、補助ワイヤーを必要な長さだけ自由に使用出来ます。図 5-59 は、補助ワイヤーを立木からスナッチに通した後、バイスで留め、チルホールのフックを掛けた状態を示したものです。このようにスナッチを通した後にバイスを使用する方が、チルホールのワイヤーを傷めることもなく、引きしろ及び安全距離を十分に取ることが出来ます（牽引ワイヤーをスナッチに直接通すと、ワイヤーが曲がり、傷む）。

さぁ、これで作業開始といいたいところですが、そうはいきません。まさしくこの形はロープ使用と同じです。引くのが直接人間であるのか、チルホールのかの違いです。しかし、問題はその力の大きさの違いです。

例えば、使用するチルホールを 500kg 型のものとします。そうすると、それぞれの箇所に使用するスリングなり台付けの強度は、どれも 500kg f の力に少し上乗せした程度の強度で良いのかどうかということです。

スリングの安全強度

ロープのところでも触れておきましたが、玉掛け作業あるいは索道等における「スリング」「台付け」「トラスワイヤー」等の使用安全強度を安全係数として表示しています。

例えば、ものを吊り上げるスリングは 6 倍、スナッチを留める台付けスリングは 4 倍、立てられたものが倒れないように後方へ控えておくトラスは 4 倍というようにです。この 4 倍とか 6 倍というのは、掛かる力が仮に 500kgf であるとしたら、2,000kgf の破断強度（スリング等の切れる限界値）以上のスリング等を使用することが安全上大変重要であるという意味です。

したがってここでは、ものを引くために使用するのですから、スリング破断強度が使用目的荷重の 4 倍以上あれば良いことになります。これを逆に表現すると、スリング破断強度が仮に 4,000kgf であった場合、それを安全に使用するためには、1,000kgf 以下の荷重で使用すべきだという意味です。何故このような大きな幅を取るのかということは、ロープのところでも触れている使用角度、衝撃荷重の発生等、様々な使用が想定されているからと理解してください（これについては、これ以上深入りはしません）。

では元に戻って図 5-60 の場合には、おのおのスリングはどれくらいのものを使用するべきなのでしょうか？　チルホールを留めるスリングが破断強度 2,000kgf 以上、立木を留めるのも最大荷重 500kgf ですから 2,000kgf 以上、そして方向変換に使用するスリングも 2,000kgf ということになるのでしょうか？　そうはなりません。これは、ロープの組み合わせ滑車のところで説明したように、ランニングスナッチの扱いになるからです。

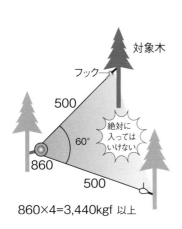

860×4＝3,440kgf 以上

図 5-60

　牽引ワイヤーの内角を 60°とすると、スナッチには最大約 860kgf の力が掛かります（内角 0 では最大 1,000kgf の力となる）。したがって、そこに使用するスリングは、約 3,500kgf 以上のものを使用すべきです。このように使用される場所・使用目的によって、スナッチ・スリング等へ掛かる力が異なるので、使用するスリングの破断強度を前もって知っておくことが大切です。

　前記した中で、最大の荷重（張力）1,000kgf に対応する 4,000kgf 以上のスリングをすべてに使用するのであれば問題ありません。が、しかし、使用する 3 箇所すべて 500kgf の同一張力が掛かると思って 2,000kgf のスリングを使用したり、スリングの破断強度がわからずに、1,000kgf のものを使用した場合、最も強度不足を起こすのは、方向変換に使用しているスナッチの所です。2,000kgf のものでも所定の安全率の半分であり、1,000kgf では最大張力と同一です。これは、作業中に破断しても不思議ではない状況となります。

チルホールの安全な作業位置

　こうした破断によるもの、及びスナッチのスリングからの脱落による危険が、常に付きまとっている場所が**図 5-60** の灰色で示した部分です。ここがスナッチ（滑車）のまさしく内角で、絶対にその中に入って作業してはならないとされている場所です。

　ロープ作業の時も、当然その事に注意を払わなければならないのはいうまでもありませんが、チルホールとなると牽引に使用しているものがワイヤーであり、その緊張度もロープなどとは比べものになりません。外れたスナッチ、ワイヤーの飛距離と、スピード（運動エネルギー）も格段に大きなものとなり、当たれば大きな事故に繋がります。

　したがって、チルホールを安全な位置に設置するだけでなく、スナッチからチルホールまで相当の距離を取っている場合であっても、レバー操作をする位置は、出来る限り内角の側に身体を置いて作業しないことを心掛けなければなりません。

■チルホール操作者の退避

　通常、伐倒作業者については、退避方向、退避場所、退避時期等々やかましくいわれますが、チルホールの操作者に対しては関心の埒外になっています。

　これは、木が倒れて行く方向に引く訳ですから、木が倒れるにつれてワイヤーが弛み、木が倒れきれば更に大きく弛み、ワイヤーが遊んだ状態になるところから、あまり問題にされないのでしょう。しかし、果たして常にそのような状態ばかりなのでしょうか？　**図 5-61** のように破線方向が伐倒方向だとします。けれども、片側のツルの強度不足により、伐倒木 A が隣の立木 B をかすめてその後ろ側へ倒れたとします。そうなると倒れ始めてしばらく、チルホールのワイヤーは当然弛んできます。

　そして、伐倒木 A が立木 B の後ろへ回った時、つまり立木 B にワイヤーが接触した時、1 度弛んだワイヤーは再度伐倒木 A に引かれ張力を増します。この時、

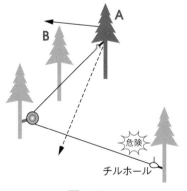

図 5-61

1度ワイヤーが弛んだために、地面に接地していたチルホールは大きく跳ね上がります。もし、チルホールの操作者が、レバーに手を掛けたままその場にいたとしたら大変危険です。

チルホールの跳ね上がり、ワイヤーの動きは、上下方向に限ったことではありません。現場の状況によっては、横方向にも大きく動きます。これは、そうしたことが起こり得る一例にしか過ぎません。とにかく、木が倒れ始めワイヤーが弛み出したら、再度操作を行うにしてもチルホールの後方へ退避することです。その退避距離はというと、チルホールを留めてあるアンカーから、チルホールが1mであれば1mという具合です。

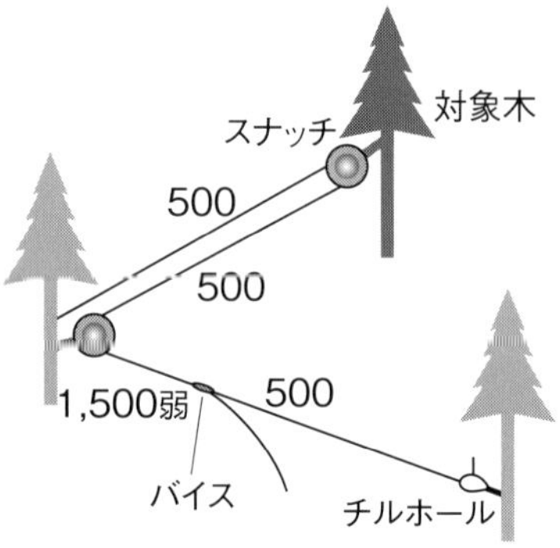

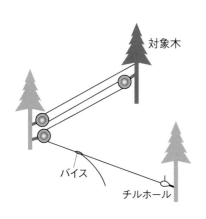

図 5-62

スナッチ（滑車）の組み合わせによるチルホールの使用

■スナッチ2個の組み合わせ

この組み合わせも、ロープの時と同様、一般的なスナッチの使用方法は、方向変換にガイドスナッチ1個、ランニングスナッチ1個で、図5-62のようになります。500kg型のチルホールであれば、対象木には1,000kgf、方向変換用のスナッチ及びワイヤー末端に掛かるアンカー（立木等）には、1,500kgf弱の力が掛かります。当然、チルホールを留める台付け、スリングとは別に強度の高い、台付け等を対象木及び方向変換用アンカー（立木等）に使用しなければなりません。

また、方向変換用アンカーにはロープによるものと違い、それぞれに掛かる比率としては同一でも絶対的な張力が大きくなります。したがって、ワイヤー末端と方向変換用スナッチを取り付ける立木等に不安がある場合は、1つの方法として次のようにすることも可能です。

それは、ロープの時のアンカーの分割と同じで図5-63に示すものです。ワイヤー末端を取り付ける立木（アンカー）と、ガイドスナッチを取り付ける立木（アンカー）を独立させる方法です。

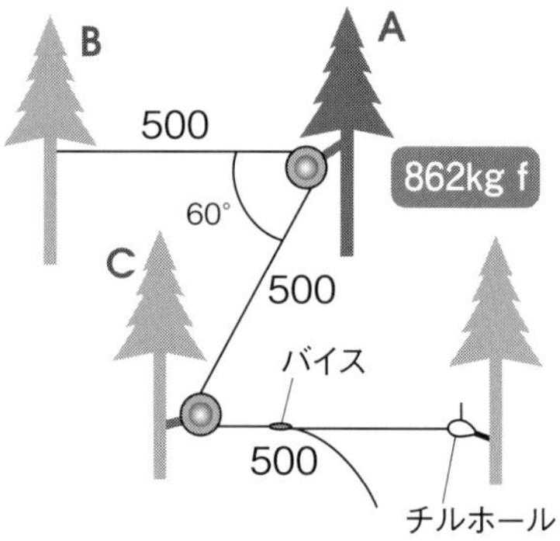

この方法は、対象木AをアンカーBとCの間へ倒そうとする時、特に有効です（ロープ使用においてもその有効性は同じ）。ワイヤーの開き角度は出来るだけ60°以内に、30°であればベストです。開き角が60°であれば、対象木Aを引く力は、862kgfと1,000kgfには及びませんが、それなりに大きな力を発揮し、それぞれのアンカーに力を分散出来ます。

■スナッチ3個で力を3倍に

3倍の力を得るためには、ワイヤー末端を対象木に取り付け、次に立木（アンカー）の1つ目のガイドスナッチを通し、対象木のランニングスナッチに掛け、それをまた2つ目のガイドスナッチを通してチルホールに継ぎます（図5-64）。

確かにこの方法で力は3倍になるが、滑車が3個必要になるではないか？面倒だからロープで行ったように2個で3倍近い力を得る方が簡単で得ではないか？という言い分も出ると思います。技術的には可能なのですから、その言い分は最もなことです。

図 5-63

図 5-64

　しかし、よく考えてください。人間が引く力などチルホールとは比べものにならないのです。その比べものにならない力でも、横方向に力が掛かると伐倒ラインが変化しやすいのですから、チルホールでそれを行えば遥かに大きな変化をします。伐倒木がとんでもない方向へ行くこと必至です。そういう理由から、チルホールでは面倒でもスナッチ3個を使用する方が得策です。

■スナッチ1個をランニングスナッチとして使用

　「ロープワークにおけるスナッチ（滑車）の利用」の項（179頁）でこの方法は一見合理的なように見えても、ロープ角度によってランニングスナッチに掛かる力が様々に変化し、安全性を追求しようとすると（角度を広くする）ロープを引く力よりスナッチに掛かる力が低くなり、全く無駄な方法であることを述べました（181頁・図5-44参照）。

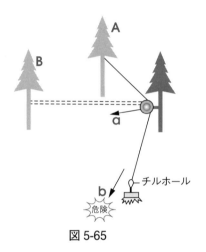

図5-65

　これは、チルホールで行っても全くそのとおりの結果になります。では、スナッチに掛かる力を大きくするために、ワイヤーを引く位置はそのままに図5-65の二重破線のようにワイヤー末端をAからBに付け変えて、全体の角度を小さくした場合はどうでしょうか？　確かに力は、そこそこ大きくなるでしょう。

　しかし、そのことによって既にロープのところで説明してあるとおり、ランニングスナッチが角度の浅い方、つまりチルホールの方に向かって動こうとします。そのことは力の向きがそのように変化するということで、チルホールの方向へ木が倒れて来る危険性が極めて高くなることを意味します。チルホールの場合、力がロープと比べものにならないのですから、その危険性は何倍も大きくなります。したがってこの方法は、行ってはならない方法といえます。

終わりに―ロープ、チルホールはあくまで伐倒の補助器具

　ロープ、チルホール等の使用法の最後にあたり、重ねて注意を喚起しておきたいことは、ロープ、チルホールの使用は伐倒の補助器具であるということです。つまり、ロープ、チルホールを使用する場合でも、正確な受け口及びツルつくり、クサビによるツルの強度確認・調節、伐倒方向確定・確認等、伐木の最も基本的操作を前提とした上で、本格的な使用に入るべきことを常に心掛けておくことです。掛かり木処理を目的とするのであれば、掛かり木になって倒れる方向が確定した後、ロープ、チルホールを使用することです（伐倒の器具ではない）。

　ゆめゆめ、強力な助っ人があるから、少々のミスはカバー出来る、などという思い込みは禁物です。チルホールを使用すれば、枝絡み・掛かり木処理も、その力に任せて行うことは可能です。しかし、そうした状態のものでも伐木の基本的視点を無視した作業は、強制力を大きく働かせた分、リスクも極端に大きくなります。どこまでいってもこうした器具は、やはり伐倒木の最終的な重心移動補助器具であることを肝に銘じて作業していただくことを願います。

基本姿勢のトレーニング

丸太を横置きにして、上からの切り下げ、下からの切り上げは最も基本的な切断方法です。この時、1回の切断で、立ち姿勢から中腰姿勢、膝を着く姿勢までの一連の動作をトレーニングすることができます。

丸太の切り下げ

丸太の切り上げ

立ち姿勢

チェーンソーが身体の右側、ほぼ腰骨近辺に後部ハンドルが来るように構え、右脚が軸足、左足は前方に踏み出した姿勢になる

右目にはガイドバー左側面が見える状態が重要。万が一大きくチェーンソーがキックバックした時でも顔正面に当たることがない

中腰姿勢の基本姿勢

左膝近辺で左腕（肘）を支え、右腕は右大腿部に肘、膝近くに手首の後ろが付くように、チェーンソーを確実にホールドする

腕を両足（膝）に付けて支えることで、チェーンソーの安定という効果だけでなく、腰に掛かる負担を軽減できる

膝を着く基本姿勢

脇を締めて右腕を右腰骨に付けた「立ち姿勢」の形になり、左腕は中腰の時と同様

右膝を地面に着ける姿勢は、腰への負担・上体の姿勢・チェーンソーの保持等で、中腰姿勢よりもお勧めの姿勢

6

伐木の指導

■指導の要点
■体験学習指導

指導の要点

指導者の責任

　指導を受ける側から、指導する側に身を置くことは、立場が 180 度異なります。この 180 度の違いとは、背負うものの重さの違いです。指導される立場にある限りでは、自身の関心事にのみ心血を注ぎ、指導・指示にしたがっていれば事足ります。そしてリスクの認識があるなしに関わりなく、指導を受ける者は安全の確保をそれなりに（指導者の力量によって変わる）してもらえます。

　しかし、ある日受講者であった者が全く逆の立場になった時、様相が一変します。それまで自身が受け取っていたもの、たとえそれが無自覚であっても受け取ることが出来たものを与えなければならなくなるからです。

　この与えるものとは、諸々の段取り、技術的な事柄で足りる訳ではありません。これらを遂行するための大前提としなければならないのは、受講者に対して安全をいかに確保するかということです。これは、言い方を換えれば、それを担保出来ないのであれば指導などというものは彼岸の話になります。指導を引き受けることは、常にその責任が重くのし掛かることを腹に据えておかなければなりません。

　山の作業、特に伐木作業が入るものは、事と次第によっては命と引き換えになる危険性を常に孕んでいます。したがって、この事は特に強調しておかなければなりません。筆者が指導に当たる者たちに要求して来たことは、自分が代わりに怪我をしても相手（受講者）に絶対怪我をさせるなということです。指導を引き受けるからにはそれ位の責任感覚を持てという意味です。

未経験者への指導

　とはいえ、責任という言葉は知っていても、それがどういうことなのか本質的にわかっていない者もいるようです。

　例えば、チェーンソーの未経験者ではすべて手取り足取りの指導です。この時すべてのリスクを引き受けなければならないのは、指導に当たる者であるはずです。しかし、指導する位置・体勢は、後の「体験学習指導」（200 頁参照）のところでも述べますが、チェーンソーに手は添えてはいても腰を中腰にして、まさしく腰が引けた状態、逃げ腰の格好で行っているのです。この体勢は、リスクを引き受ける格好とはどうひいき目に見てもいえません。これはどちらかというと、危険を感じたら急いで退避する体勢です。指導者が、まっ先に逃げたのでは残さ

れた受講者は一体どうなるのでしょう。

　これでは指導者失格です。

　また、体験学習、あるいは訓練において、きめの細かい指導を必要とするのに、取り敢えず説明をしたから後はチェーンソーで丸太を好きなように切らせておくとか、立木を切ってみればわかるであろうと、言うことは言ってあるから、わからなければ相手が聞いてくるだろう、とばかりに傍観者になってしまっていることに気づかず、指導したつもりになっている者もいます。

　果たしてこれが指導になるのでしょうか？　そもそもリスクを発生させないために手取り足取りをするのですが、一体この者はリスクをどのように引き受けるつもりなのでしょうか？　これは、それなりに目を離しておける段階で指導する場合と混同しているのでしょう。これも指導に当たる者としては不適格といわざるを得ません。

訓練における指導

　指導は、対象者の力量によってその方法が大きく変わります。訓練における指導は、安全を確保しながら、対象者に理解させ、上達させることを目的とし、実行しなければなりません。しかし、それが実現出来ないのであれば指導したことにはなりません。

　ちなみに指導ということの怖さは、このような現実に指導している状況の中だけにあるのではなく、不適切な指導要点があった場合、あるいは対象者（受講者）の理解が一知半解のまま、次の指導者になっていく時です。それは、誤りの連鎖の始まりになります。指導を引き受ける者は、このことを十分に心しなければならないでしょう。

　指導するということは、このように大きなリスクを抱え込みます。ゆめゆめ「マニュアルを覚えて、それを他者に伝達することだ」などと思わないことです。マニュアルを覚えるのは、決して悪いことではありません。問題は、それを一知半解なオウム返し的理解で指導に用いることです。それを指導に用いるのであれば、おのおのの事柄についてよく解析・理解して行うべきです。

指導の実際

では、こうしたことを基にして、実際どのようにして指導に当たるべきなのか記しておきます。

1. チェーンソーの基本操作訓練（チェーンソーワーク）のフィールド設定（丸太切り）

2. フィールドの条件を対象者に合わせる

3. 機材の準備状態

4. 対象者（受講者）の力量をそろえる

5. 直接の対象者以外の者をどこに置いて待機・見学・学習させるか（補助員の役割）

6. 対象者を信頼するな

7. 実技指導の場は人間関係を作る場ではない

8. 対象者に対する指導位置

9. ミス、トラブルへの対応

以上、およそ9項目程度に分けられるでしょう。次に 1 ～ 9 のそれぞれについて説明します。

1 チェーンソーの基本操作訓練（チェーンソーワーク）のフィールド設定（丸太切り）

基本操作の練習だからそれなりの広さがあって、丸太が用意出来ればそれで良いであろうと思われがちですが、実際にはその程度では済みません。対象者を班に編成し、多数の班が出来上がる時は注意が必要です。班と班の距離、1つの班の占有面積（人数によって変わる）、人員の移動距離の設定、8 とも関連しますが、ガイドバーの先端を人が不用意に通らない方向へ向けるように丸太の設置設定をすること、補助員にどのように監視させるか、またメイン指導者の説明に対しても補助説明が出来るように連携を取ることが必要です。

2 フィールドの条件を対象者に合わせる

初心者、体験学習者では足場条件が大きな問題となります。このような人たちには、出来るだけ平坦な所が望ましいのですが、常に一面そうした場がある訳ではないので難しいところがあります。しかし、班ごとで行うので1林班のなかでそれに見合う比較的平坦な所を飛び飛びで、相当距離があっても探すべきでしょう（連携は取りにくいが、半面で安全）。またこうした人達が対象者である場合、予め間伐木の選木を行い、個々の木を倒す方向、方法、直接対象者以外の者をどこに置くか等、1

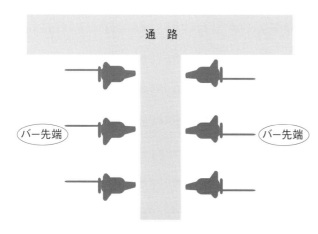

通 路

バー先端　バー先端

図 6-1

フィールド設定には対象者に合わせた細かな配慮が必要

本ごとの簡単な図を作り、おのおのの班に付く指導者達が判断・検討をしておくことが大切です。

❸ 機材の準備状態

　刃物を使用する以上、切れなければ話にならないので目立てをしっかりとしておきます。そして１つの班にチェーンソーは、主機１台・予備１台の体制を原則として取るべきです。おのおの自分のチェーンソーを持って行く場合でも、必要以外は絶対に使わせないことです。この他、ロープ、スナッチ、フェリングレバー、クサビ等２組は諸条件に対処出来るように用意するべきです。

❹ 対象者（受講者）の力量をそろえる

　１つの班の中に全くの初心者と、そこそこ経験（我流で）している者が混在している場合、指導に統一性が取れなくなります。初心者を指導している時には、経験者がそんなことはわかっているというような具合に飽きてしまいます。その逆では初心者は訳がわからず、何のために参加しているのか疑問になり、嫌気が差します。また、もっと悪いのは、初心者に経験者の我流指導ということが起こり、全体の統一した指導とはならなくなることです。

❺ 直接の対象者以外の者をどこに置いて待機・見学・学習させるか（補助員の役割）

　指導がマンツーマンで行われるため、どうしてもそれ以外の者は直接関わりを持ちにくくなります。しかし、安全上の問題から対象者によっては、予め❷のところで検討しておく必要があります。退避場所からどのような指導を受けているか、対象者の動きはどうかを観察させ、適宜補助員が解説することも関心を向けさせる上では大切です。

　したがって補助員として付く者は、単なる雑用係ではなく、安全に配慮しながらそうしたことが出来るように心掛け、訓練しておく必要があります。補助員は傍観者になってはいけません。何のために付いているのか、存在理由がなくなります。

❻ 対象者を信頼するな

　非日常的で常に危険を伴う場であるが故に、言葉による説明をすることで、対象者がそれを実行出来るなどという指導者の思い込み、人間だから説明をすれば大丈夫だろう、というような錯覚は禁物です。説明を受けそれを理解して、即身体をそのように動かせるのであれば、殊更訓練など必要ない訳ですから、指導者は常に対象者が何時、何をするかわからない（何が危険であるのか判断できない）ということを常に念頭に置くことが重要です。これがあればこそ、危険性を感じた時、即座に対応が出来るのです。この問題は、❼にも関わっています。

❼ 実技指導の場は人間関係を作る場ではない

　限られた時間の中で、いかに安全に、効率良く指導出来るかが指導者の最大の関心事のはずです。しかし、対象者と信頼関係を築き、良好な状態で行う方が良いと思うのかどうかよくわかりませんが、次のようなことがよくあります。それ

は、命令口調で対象者に指示するのも考えものですが、妙にへりくだった言い方をしたり、不必要な敬語を使用したり、はたまた相手の名前を覚えて名前で呼ぶ事を心掛けたり（無意識でそうしてしまうことを含む）、と様々な形で良好な関係作りに熱心な者がいます。

しかし、それは長期にわたり付き合っていく場合は、有効な方法には違いないでしょうが、時間には制約があります。ここでいう指導には、限られた時間の中に大変なリスクが凝縮しています。横道に関心が向くと本道の関心が薄れます。それは、車の運転中に別の事を考えていたり、携帯電話を使用する類です。この人間関係作りは、お仲間意識を作り出します。

指導、被指導の関係は、限定された時間の中にあっても動かしにくい関係です。全く背負うものが違います。そのことをよく理解しておく必要があります。

8 対象者に対する指導位置

1とも深く関わります。それはチェーンソーの基礎訓練の時、指導者は、対象者の右側に位置すべきです（図6-2）。この位置はチェーンソーの前ハンドルに指導者の右手を添えやすく、左手は対象者の右手後ろ側から対象者の右手とは逆に握ることが出来るため、アクセルコントロールを指導する時も大変便利です。

また、丸太の切断状態全体も把握しやすく、対象者に圧迫感を与えない位置です。そして、危険回避の行動を起こす時、例えば切断をやめさせる場合にも、右手で前ハンドルを握る場所が最も力を入れやすく、それと同時に左手で対象者の身体に合図したり、握ったままであればアクセルから指を離させやすく、対象者の耳元で声を伝えやすい等々です。こうした利点を生かし、丸太切り（横に丸太を置く）に応用した場合、図6-3のように切断したものが落ちる側に指導者Aが、切り残る丸太の側に対象者Bが位置するのが正解です。それを図6-4のようにした場合、指導者A′は確かに対象者B′の右側にいますが、切断状況全体の把握をしにくく、丸太が指導者の右手にあり動きを制約してしまいます。

1でのチェーンソーの基本操作訓練のフィールド設定において、ガイドバーの方向を決める時も、図6-3の形に設定して決定すべきです。

9 ミス、トラブルへの対応

対象者が未熟でミス、トラブルを起こしやすいが故に、指導を必要とするわけです。したがって、指導者は未然にそうしたことが起きないように指導する責任があります。とはいえミス、トラブルは、チェーンソーの不調、チェーンの脱落から重大事故まで様々なことが起こり得ます。

重大な事故まで発展してしまった場合は、全体的な対応が必要となり、到底1人の指導者が対応しきれるものではありませんので、ちょっとした怪我程度には対応することを求めることとして、ここ

図6-2　対象者に対する指導位置

チェーンソーの前ハンドルに指導者の右手を添えやすく、左手は対象者の右手後ろ側から対象者の右手とは逆に握ることが出来るため、アクセルコントロールをも指導できる。対象者に圧迫感を与えず、また危険回避の行動を起こす時、対象者の身体に合図しやすい

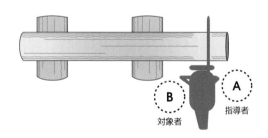

図6-3　正しい指導位置

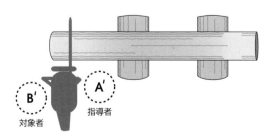

図6-4　間違った指導位置

A′では、指導者が切断状況を把握しづらく、また丸太が指導者の動きを制限する

では取り上げません（怪我等に対応する救急体制については必ず準備する）。ここでいう対応力とは、前記チェーンソーの不調、チェーンの脱落、伐木における確認事項、チェーンソー操作姿勢、使用方法、クサビを入れるタイミング、バー先端の障害物等々、諸々のことに対する俊敏できめの細かい対応です。

また、伐木においてよくあるのが、手鋸であれば切断スピードが遅いので、1度作業を中断させ指示するタイミングを取りやすいのですが、切れ味の良いチェーンソーでは切断スピードが速く、また対象者がそれのみに夢中になりやすいため、指導者が危険を感じた時、止めるタイミングが遅くなりやすいことです。そうした時に起こしやすいのが、まだ木は立っているが、倒す時、ツルが切れて目的の所へ行きそうもなくなってしまったとか、倒して掛かり木にしてしまうことです。

ツルを切ってしまった状態であれば、ロープを使いその対策をとっておくなど出来ますが、後の状態では掛かり木処理そのものです。このようなことに、いかに迅速な対応処理が出来るかという対応力もまた、指導者の持たなければならない能力です。またそれは、判断が難しいものもありますが、ミスによるトラブルではなく、事前にトラブルを起こしやすい木に手を出させない、作業させないことも指導者には求められます。

立木の伐木指導の指導位置

1）受け口づくりの場面

受け口づくりでチェーンソーの表刃（下刃）を使用する場合、やはり対象者の右側に位置します。対象者が方向を決定する時は、その視界を遮らないように対象者の後方に向かって身体を外し、切り込み始めればチェーンソー本体<u>エンジン部付近に右足を位置し（右足をガイドバーの横に置くことは禁物）</u>、いつでも手を添えられるように構え、作業中でも必要に応じて指示を出し、姿勢が悪ければ手を添えながらでも行えるようにすべきです。

2〜3歩離れて見ているスタイルは、対象者が力量のある場合です。決して棒立ち状態で見ていてはいけません。目線は、ほぼ対象者と同じ高さが必要です。

2）チェーンソーの裏刃使用の場面

同じ受け口づくりでも、チェーンソーを裏刃（上刃）で使用する時はいっそうの注意が必要です。対象者の視界を遮らないのは言うまでもありませんが、裏刃はキックバックの危険があります。それは、この場合、指導位置が対象者の左側になるからです（受け口の状態を確認できるから）、対象者の左側にあって<u>エンジン底部付近に左足が位置するようにします（キックバックでガイドバーが返って来ても、バーが足に当たらない）</u>。この場合、チェーンソーのハンドルに手を添えにくいので十分注意することです。

3）追い口切りの場面

これも作業者の右側が基本的な位置です。

4）木の周りを回る時は、腕を伸ばし、木に手を当てる

ガイドバー元部や、先端の切り込み状態を確認するために、木の周りを回らなければならないことが結構あります。この時注意することは、受け口をつくっている時であれば問題ありませんが、追い口を入れている時は、受け口側へ絶対入ってはいけません。この場合は、「木の周りを回る」とは1回転ではなく、受け口の手前で必ず、左右反転します。

木の周りを回る時は必ず右回り（時計回り）では右腕、左回り（反時計回り）では左腕を伸ばし、木に手を当てて回ります。ガイドバー先端が少し出ているだけであっても、足が木に接近しているといきなりガイドバーを送り出された時、足を切られてしまいます。また、指導に夢中になっていて立木に足が接近し過ぎてガイドバーに接触することもあります。腕を伸ばした状態で手を木に当て、足と木の距離を保っていれば他に関心を向けていても、ほとんどガイドバーが届くことはありません。

実践訓練は、対象者の安全、周りの安全と共に自分自身の防衛体勢を取りながら、いかにきめ細かい指導をするかが重要です。

体験学習指導

　体験学習とは、その名のとおり実体験することで森林に対する認識を深めてもらうための啓蒙・啓発活動として位置づけられています。この対象者のほとんどは、森林の中での作業未経験（経験していても数少ない）者となります（小学校高学年であれば対象となる）。そして、ここでいう実体験は、チェーンソーを使用しての伐木体験（間伐）です。

　全くの未経験者にそのようなことが出来るのか？と思われるでしょうが、10年以上筆者が実践し、体験してきたことのあらましを記しておくこととします。また、こうしたことを実践するためには、指導に当たる者に対して組織的系統的に徹底した訓練を行い、技量を上げさせ、それがどういうことであるか、認識させておくことを前提としています。決してそこそこ出来る程度で行えるものではないことも併せて記しておきます。

1　体験学習の流れと指導

　体験学習の全体的流れは、啓蒙・啓発を主眼としていることから、森林の中において森林とはまさしく「環境」そのものであるという認識をより深めてもらうために、森林についての講義（間伐の必要性）に始まり、森林管理の武器であるチェーンソーの説明と使用方法（駆動）、班ごとに行うチェーンソー体験、そして慣れた所で実際の間伐体験となります。

　チェーンソーの実動体験は、時間の許す限り横にした丸太の切り下げ・下からの切り上げによる輪切り、縦挽き、立てた丸太の横からの輪切り、それが終了すれば立てた丸太を使って受け口づくりへ挑戦します。これは、子どもを含め男女の区別なく参加者全員が体験し、これまでチェーンソーというものは知っていても触れたこともない人達に慣れてもらうためです。

　こうして、それなりに慣れた後は、いよいよ実際の間伐です。暗い林の中へ入り、どの木を伐るべきか選んでもらい、そして実際に倒します。

　この一連の流れの中で、やはり指導の要点、指導者の配慮すべきところは、チェーンソー体験及び伐木です。それでは、班割り後から順を追ってみることにします。

2　指導者によるチェーンソーの実演

■チェーンソーの始動方法
　実演は、チェーンソーの始動方法からです。
- 地面に置いた状態で始動する方法（右足で後ろハンドルの下を踏み、左手で前ハンドルを押さえて行う）。

・両膝の上方に後部ハンドルを挟んで始動する方法

■チェーンソーの持ち方

チェーンソーの持ち方を説明します。

・縦にチェーンソーを使用する時、横に使用する時、チェーンソーに触れたこともない人は、危険だからと身体から遠ざけようとします。しかし、これは最もチェーンソーをコントロールする上で危険であることを説明します。

・キックバックについての説明をします。キックバックを起こさせない方法と、仮にそれが起きても事故を最小限にするために、顔をチェーンソー使用中にガイドバー上方に位置させないで肩口へ向かうような構え方を教えます。

■チェーンソー操作の力加減

次は、チェーンソーで切り込む時の力加減です。

・上から切り込む時は、切れ味の良いチェーンソーならば大して力が要らないこと。多少経験した人でも、力を入れて押さえ付けようとするので注意しておきます。

■エンジンを始動した実演

チェーンソーの説明の後は、実際にエンジンを始動して実演します。

・上から切る時は、バーの元の方から切り込み、一時前ハンドルから左手を離して切り込む様子も見せます（力を入れる必要のないことがわかる）。

・切り終わる時のアクセルコントロールはどうするのか。切り終わった時、地面を切らないようにするにはどうするか。更に、キックバックはどのようにして起こるのか実演しておきます。なお、チェーンソーの特徴である突っ込み切りも同時に見せておくのも良いでしょう。

3　チェーンソー使用時の約束事

一連の説明・実演終了後、指導者は、チェーンソー使用時における約束事を決めておく必要があります。それは、肩やヘルメットを軽く叩かれたら即刻アクセルから手を離すということです。チェーンソーが回転している時には、少々の声を出しても相手（チェーンソー使用者＝学習者）に聞こえません。まして切ることに夢中になっていればなおさらです。これは危険防止のためです。

4　チェーンソー経験の有無の確認

班の中にチェーンソーの使用経験がある人がいるか確かめます。これは指導する上で必要な情報です。仮にチェーンソーの使用経験があっても、正しい使い方を知っているとは限りません。また、多少の経験をしているが故に、指導者の説明に聞く耳を持たぬ者もいるので、指導者は気を付けることです。未経験者とは別の気配りが必要です。そうした人には、使用時の再度の説明なしで実際にチェー

ンソーを使用させて、間違いを１つ１つ指摘するのも良い薬になります（適当に
誉めながら指摘すること）。それは同時に他の人達に対する注意にもなるからです。

5 アクセルコントロール

　最初は、エンジンの始動から行います。女性・子どもには、始動してから使用
させても結構です。エンジン始動後、いきなり木を切らせないで、チェーンソー
を構えた姿勢でアクセルを操作する練習をさせます。これも事前に、チェーンソー
に慣れさせる方法であると共に、即座にアクセルから指を離させる訓練になりま
す。指導者は、学習者がスロットルに当てた指に、指を添えてやると良く呑み込
めます。このとき、指導者の立つ位置は、学習者の右側について、女性・子ども
であれば、右手で前ハンドルを一緒に持ち、左手の指でスロットルを操作します。

写真 6-1　アクセル操作の練習
指導者の立つ位置は、学習者の右側
に付いて、女性、子どもであれば、
右手で前ハンドルを一緒に持ち、左
手の指でスロットルを操作する

6 丸太の輪切り（上から・下から）

　上記チェーンソーを持つ姿勢、アクセルコントロールの練習が終われば、いよ
いよ学習者が丸太を切ります。指導位置は、上記同様学習者の右側です。これは、
指導者の声が相手に聞こえる最も近い位置です。また、丸太の切断状態を最も確
認しやすい位置でもあります。

　指導者は、丸太にチェーンソーを入れる前に再度、チェーンソーを押さえ付け
ないことを指示して切り込ませます。未経験者は、言葉で説明されても、実際に
は身体は硬くなり力が入ります。したがって指導者は、右手で前ハンドルを、左
手で後ハンドルを支えて、ガイドバーの元側（エンジン側）を丸太に接触させ水
平状態で切らせます。そして、学習者の力の入れ加減によって、随時ハンドルを
持つ力加減を調整します。

　切り進めた後、指導者が最も注意しなければならないのは、切り終わった時、
切り進む余力で、そのまま地面を切らないようにすることと、その指導です。

　１人に何回か輪切りをさせ、徐々に指導者はチェーンソーを支えるのをやめ、
１人で行わせます（学習者によっては、それが出来ない場合もあるため、指導者の適
宜判断が必要）。上からの輪切りが終われば、次は同じ人にそのまま、下からの切
り上げで輪切りを行わせます。この時、上からの場合とは逆の力が必要であるこ
とを説明しておきます。

　また、上からの場合も下からの場合も、チェーンソーを構え切断を進めている
時、指導者の実演時に説明したとおり、ガイドバー上方に顔を位置させないこと
（キックバックに対する事前の対策）を随時指導する必要があります。

学習者の右側は、
①最も伝えやすく、
②丸太の状態を確
　認しやすい位置

写真 6-2　丸太の輪切り
指導位置は学習者の右側。ここは指
導者の声が相手に聞こえる最も近い
位置であり、丸太の切断状態を最も
確認しやすい位置

7　丸太の縦挽き

　班の全員が輪切りの体験をした後は、横にした丸太の切り口のほうから縦挽きの練習をします。縦挽きは、受け口の斜め切りで必要となります。これは、チェーンソーが不得手とする切断方向です。したがって指導者は、実演を含め丸太を斜めに切ったり、縦に切ったり、切り屑の状態を説明しながら練習させます。指導者の指導位置は前記同様です。

8　立てた丸太の輪切り

　これは、高さ1m強程度の丸太を安定した状態に立て、横から輪切りにしていきます。丸太は、何の支えもない状態ですから、チェーンソーを上手に操作しないと倒れてしまいます。指導者は、実演してその要点、すなわちチェーンソーのエンジン側をしっかり丸太に密着させ、回し切りの要領で切っていくことを説明し練習させます。

　もし、立てた丸太が大きく振れるようであれば、指導者は他の者（指導補助者）に危険を避ける位置で、丸太の上になった切り口部分を押さえさせます。チェーンソーが高速で回りチェーンが丸太の外部に出ているのと、切り込み側へ跳ねる可能性があるので、丸太を押さえる者は十分注意が必要です。また指導者は、この場合、学習者の右側・左側どちらでも良いですが（アクセルに指を添えやすいのは右側）、周囲に十分気を配り切断した木片が遠くへ飛ばないようにすることと、飛ぶ先にも注意する必要があります。

9　立てた丸太の受け口つくり

　受け口をつくる意味と重要性を、指導者は十分説明・実演してから、実際に練習させます。ただし、指導者は、自己の技量を上げるために行った訓練と同じ進め方・方法をそのまま実践するべきではありません。時間に制約があることと、体験学習に参加した人達は、山仕事が出来、またその指導が出来るようになることを目的として来ている訳ではありません。したがって、チョーク等を使用して、受け口、追い口などの伐木の方法を説明した後、指導者は既に伐木等の訓練を受けている者に行っているように離れた位置であれこれ指示するのではなく、まさに手取り足取りチェーンソーに手を添えて練習（体験）させます。

チェーンソーに手を添えて体験させる

写真 6-3

立てた丸太の受け口つくりでは、指導者はまさに手取り足取りチェーンソーに手を添えて体験させる

10　実際の間伐体験

　指導者は、各班ごと横の間隔を十分取ります。上下重なる位置で作業させてはいけません。

　間伐は、伐倒する前に選木が必要です。したがって指導者は、間伐（伐木）に先立ち、どの木を切るべきか学習者達に質問しながら選木してもらいます。またその折、ミニ森林教室的に行うと、学習者の理解を得られやすくなります。

　選木の次は伐木です。指導者は、危険性と倒す方向を説明し、退避方向を確認させ受け口をつくらせ、追い口を入れさせます。この時、常に指導者は、そこに付いている他の指導補助員と連携を取り、学習者に手を添えられる位置で適宜手を添えて行います。

　前述したように学習者達は、技術を身に付けることが目的ではありません。体験が目的です。実際に木を倒したという体験をさせることが重要です。指導に当たる者はゆめゆめそのことを間違えないこと。学習者達に体験をとおして得たものを土産に持ち帰ってもらうことが仕事です。そのことを間違えないでください。

実際の伐木体験では、指導者は指導補助員と連携を取り、学習者に適宜手を添えて指導する

写真 6-4

伐木体験。指導者は体験者に対する安全を確保することが大前提となる

伐木実技手順

1 チェーンソーの整備状態 ───── ● 外観・パーツの欠損・部品の弛み
● エアクリーナーの掃除・チェーンの張り
● カッターの左右バランス・刃長

2 服装チェック

3 装備 ───────────── ● 笛・クサビ・レバー・ロープ・チョーク

4 伐倒方向の申告 ───────── ● 受け口方向と伐倒方向の適否

伐倒前の準備 ───────── ● 小径木、枯れ枝、蔓類の処理
● 退避場所(通路)の整理
● 退避通路には道具を置かない!

注意点 ──────────── ● 不要時はエンジン停止・用具の片付け場所
● キックバック・エンジン出力コントロール・アクセル・コントロール
● 腰高・バーの水平・切り曲がり(特に上刃使用時)

実技スタート

5 指差し安全確認(大きな声で)　上方よし、 足元よし、 前方よし、 周囲よし、 退避方向よし

伐倒作業開始合図……笛1回、強く、長く(100m四方に聞こえるように)

6 受け口つくり ───────── ● 追い口入れ位置との関係で下切り位置確認
● 根張り切り・水平確保・受け深さ・受け修正
● 斜め切り面(斜度)・会合線一致

7 受け口方向確認　受け口、伐倒方向よし

8 オノ目 ───────────── ● オノ目の選択・位置・深さ・角度

9 追い口切り(本伐倒前まで) ───── ● 追い口入れ位置・クサビの使用時期と位置
● ツルの切り込み過ぎに注意・ツル強度調整とクサビ打ち

伐倒本合図……笛2回、強く(100m四方に聞こえるように)

10 伐倒 ───────────── ● クサビ打ち(ツルの強度調整を含む)・退避時期

11 掛かり木発生

12 掛かり木処理

ツルの切り離し ─────── ● 切り離し方法・どっちから切るか

フェリングレバーの使用 ───── ● 立つ位置・足の位置・持ち方

ロープ・チルホールの使用 ───── ● 取り付け方法と位置・結び目
退避時期

13 伐倒木の安定状態確認後

伐倒終了合図……笛3回、強く(100m四方に聞こえるように)

14 枝払い・造材

(材の安定確認後)　材安定よし　大きな声で

枝払い

造材

実技終了

伐木の訓練

平地で丸太を使用した伐木のトレーニング

1 上方よし（指差し確認）

2 足元よし（指差し確認）

3 前方よし（指差し確認）

4 周囲よし（指差し確認）

5 退避方向よし（指差し確認）

6 伐倒作業開始合図（笛）

7 追い口位置（伐採点）確認

8 受け口下切り位置確認

9 受け口下切り位置を決め、
　ガイドバーで伐倒方向を確認

10 そのままチェーンソーを斜め切りの斜度に合わせ、会合点を確認し、斜め切りを入れる

11 会合点を確認しながら、受け口の水平切り、斜め切りを繰り返し会合点を合わせ、受け口をつくる

12 受け口の直角方向に腕を上げ、伐倒方向を確認する

12' ガイドバー先端を受け口の会合線に直角に当て、伐倒方向を確認する

13 受け口と伐倒方向にずれがあった場合には、修正を加える

14 受け口方向の確認—伐倒方向よし（指差し確認）

15 オノ目を入れる

オノ目

16 追い口位置を確認し、追い口切りを行う

17 鋸道の確保のため、早めに軽くクサビを打ち込む

18 追い口を切り込み、ツルを適正につくる

19 伐倒本合図（笛）

20 クサビを打ち込み伐倒する

21 伐倒木の安定状態を確認—伐倒終了合図（笛）

伐木の実際

安全性を考えて追いヅル切り
（106頁参照）で伐倒

1 上方よし（指差し確認）

2 足元よし（指差し確認）

3 前方よし（指差し確認）

4 周囲よし（指差し確認）

5 退避方向よし（指差し確認）

6 伐倒作業開始合図（笛）

7 伐倒方向の確認

8 根張り切り。受け口をつくる方向に配慮
しながら根張りを切り取る（82頁）

9 追いヅル切り位置を確認し、マークする

10 受け口下切り位置を
確認し、マークする

11 受け口斜め切り位置を
　決め、マークする

12 会合点を確認しながら、受け口の水
　平切り、斜め切りを繰り返し会合点
　を合わせ、受け口をつくる

13 受け口の直角方向に手を当て、
　伐倒方向を確認する（91頁）

14 受け口と伐倒方向にずれがあった
　場合には、修正を加える

15 受け口方向の確認─受け口、
　伐倒方向よし（指差し確認）

16 オノ目を入れる（88、106頁）

17 突っ込み切り（106頁）
　で追いヅル切りを行う

18 鋸道の確保のため、重心側で倒れる
　方向に向けて軽くクサビを打ち込む
　（106頁）

19 伐倒本合図（笛）

20 追いヅルを切り離す

21 クサビを打ち込み伐倒する（98頁）

22 伐倒木の安定状態を確
　認─伐倒終了合図（笛）

伐根。オノ目が利いている

チェーンソーワークの講習を受けよう

　労働安全衛生法で、事業者は、厚生労働省令で定める危険または有害な業務に労働者を就かせる時は、その業務に関する安全または衛生のための特別の教育を行わなければならないとされています。チェーンソーによる伐木等の業務は、特別教育を必要とする業務として示され、労働安全衛生規則に規定されています。チェーンソーを業務で使用する場合には、特別教育の受講が必要です。販売店や建設機器の講習機関などで、講習会 (チェーンソーによる伐木等業務に係る特別教育) は、定期的に開催している場合があります。チェーンソーを仕事で使う人を主な対象とする講習ですが、一般人も受講することができます。基本的なチェーンソーの操作方法や注意事項などを教えてもらえます。

　学科では、伐木の基本や掛かり木処理、チェーンソーの種類と構造などをテキストやビデオを使って学びます。実技はチェーンソーの点検及び整備 (解体と組み立て)、目立て、玉切り実習などを屋外で行います。

　講習を受けることで作業の安全への意識を高めることができます。改めて、林業の作業が危険を伴うものであることも自覚することになるかもしれません。

　講習料金は、各講習機関によって異なりますが 20,000 ～ 25,000 円程度です。

チェーンソーによる伐木等の業務に係る特別教育の内容

＊プロを対象にした講習会の例です。

	科　目	範　囲	時　間
学科科目 (1日目)	Ⅰ 伐木作業に関する知識	伐倒の合図、避難の方法 伐倒の方法、掛かり木の種類及びその処理 造材の方法、下肢の切創防止用保護衣等の着用	4時間
	Ⅱ チェーンソーに関する知識	チェーンソーの種類、構造及び取り扱い方法 チェーンソーの点検及び整備の方法 チェーンソーの目立ての方法	2時間
	Ⅲ 振動障害及びその予防に関する知識	振動障害の原因及び症状 振動障害の予防措置	2時間
	Ⅳ 関係法令	安衛法、安衛令及び安衛則中の関係条項	1時間

	科　目	範　囲	時　間
実技科目 (2日目)	Ⅴ 伐木等の方法	造材の方法 伐木の方法、掛かり木の処理の方法 下肢の切創防止用保護衣等の着用	5時間
	Ⅵ チェーンソーの操作	基本操作、応用操作	2時間
	Ⅶ チェーンソーの点検及び整備	チェーンソーの点検及び整備の方法 チェーンソーの目立ての方法	2時間

掛かり木の危険

　掛かり木とは、伐倒木が倒れていく途中で、ほかの木に引っかかった状態のことをいいます。掛かり木処理での災害を防止することを目的として、厚生労働省「チェーンソーによる伐木等作業の安全に関するガイドライン」（令和2年1月31日）には具体的な事項が示されています。ガイドラインに沿って、掛かり木処理の原則について紹介します。

　掛かり木処理の作業は、危険を伴うため、作業を行う場所で安全の確保に関する調査を行い、その結果を踏まえた作業計画を定め、的確に掛かり木処理の作業を行うことが必要です。

　このため、掛かり木処理の作業における労働災害を防止するためには、次の①〜④に示す措置の確実な実施が必要です。

①掛かり木に係る事項について調査及び記録を行い、掛かり木処理の作業の方法及び順序等について、作業計画を定めること。

②適切な機械器具等の使用、作業者の確実な退避等、安全な作業を徹底すること。

③掛かり木を一時的に放置せざるを得ない場合における講ずべき措置を徹底すること。

④掛かり木処理の作業における禁止事項を厳守し、徹底すること。

掛かり木処理—安全作業の徹底

　掛かり木処理の作業については、処理を急ぐばかりに作業者が単独で、掛かり木処理の作業における禁止事項等を行うなどの危険な作業をしないよう徹底します。さらに、2人以上の作業者で掛かり木処理を行うことなどにより、安全を優先します。

　先に挙げた①〜④の措置について、改めて説明します。

(1) 掛かり木に係る調査及び記録

　伐倒対象の立木の状況（伐倒の対象となる立木の樹種・樹齢、胸高直径・樹高の状況、立木の大きさのばらつき及び立木の密度を含む）、つるがらみ・枝がらみの状況及び枯損木・風倒木の状況に基づいて調査をし、その結果を記録します。

　上記の結果を踏まえて、掛かり木処理に使用する機械器具等を含め、作業計画を定めます。

(2) 安全な作業の徹底

　　ア）退避場所の選定等…掛かり木の発生後、速やかにその場所から退避できる安全な場所を選定します。

　　イ）掛かり木の状況の監視等…掛かり木が発生した後、当該掛かり木を一時的に放置する場合を除き、当該掛かり木処理の作業を終えるまでの間、掛

かり木の状況について常に注意を払います。

ウ）**確実な退避の実施**…掛かり木処理の作業を開始した後、当該掛かり木が外れ始めた時には、上記 **ア**）で選定した退避場所に速やかに退避します。また、掛かり木処理の作業を開始する前において、当該掛かり木により作業者に危険が生じる恐れがある場合についても、同様に退避します。

エ）**適切な機械器具等の使用**…上記計画で定められた機械器具等を、作業現場に配置（または携行）し、使用します。車両系木材伐出機械、機械集材装置及び簡易架線集材装置（以下「車両系木材伐出機械等」という）を使用できる現場であるかどうか、また、掛かっている木の径級、状況により、機械器具等を選択し、掛かり木処理を行います。

(3) 掛かり木を一時的に放置せざるを得ない場合における講ずべき措置の徹底

図1

掛かり木が発生した場合には、当該掛かり木を速やかに、確実に処理します。速やかに、確実に処理することが困難である場合には、次の措置を徹底します。つまり、掛かり木をやむを得ず一時的に放置する場合については、当該掛かり木による危険が生ずるおそれがある場所に作業者等が誤って近づかないよう、当該処理の作業従事者以外の作業者が立ち入ることを禁止し、かつ、その旨を縄張り、標識の設置等の措置によって明示します（図1）。

(4) 掛かり木処理の作業における禁止事項の周知徹底

次に挙げる掛かり木処理方法は行いません（詳細は後述します）。

- 掛かられている木の伐倒
- 掛かり木に激突させるための掛かり木以外の立木の伐倒（浴びせ倒し）
- 掛かっている木の元玉切り
- 掛かっている木の肩担ぎ
- 掛かり木の枝切り

掛かり木処理の禁止作業

掛かり木処理の作業では、次に挙げる処理方法を行ってはいけません。その作業に潜む危険を紹介します。

掛かられている木の伐倒

図2

掛かられている立木を伐倒する場合、掛かり木処理を行う作業者には、掛かられている木、または掛かっている木に激突される等の危険があります（図2）。

掛かり木に激突させるための掛かり木以外の立木の伐倒（浴びせ倒し）

図3

掛かり木に激突させるために掛かり木以外の立木を伐倒する場合、掛かり木処理を行う作業者には、掛かり木に接触した伐倒木が予期せぬ方向に倒れる等により、伐倒した立木に激突される等の危険があります（図3）。

掛かっている木の元玉切り

掛かっている木を元玉切りする場合、掛かり木処理の作業者には、掛かっている木が転落、または滑動する等の危険があります（図4）。

掛かっている木の肩担ぎ

掛かっている木の肩担ぎをする場合、掛かっている木の重量が負荷されることにより、掛かり木処理の作業者には、転倒する危険、掛かっている木が転落、または滑動する等の危険があります（図5）。

掛かり木の枝切り

掛かり木処理の作業者が、掛かられている立木に上り、掛かっている木、または掛かられている木の枝条を切り落とす場合、掛かっている木が外れる反動等により、当該作業者には転落する等の危険があります（図6）。

掛かり木処理補助器具の使い方

車両系木材伐出機械等を使用できる場合

車両系木材伐出機械等の使用が可能な場合には、車両系木材伐出機械等を使用して、掛かり木を外します。

また、車両系木材伐出機械等を使用する場合には、ガイドブロックを用い、安全な方向に引き倒すようにします。機械による牽引は、急なウインチの操作、走行、ワイヤロープの巻取り等を行わないようにします。

車両系木材伐出機械等を使用できない場合

①掛かっている木の胸高直径が 20cm以上である場合、または掛かり木が容易に外れないことが予想される場合

牽引具等を使用して、掛かり木を外します。また、牽引具等を使用する場合には、ガイドブロック等を用い、安全な方向に引き倒すようにするとともに、掛かっている木の樹幹にワイヤロープを数回巻き付け、牽引した時に、掛かっている木が回転するようにします。

②掛かっている木の胸高直径が 20cm未満で、かつ、掛かり木が容易に外れることが予想される場合

木回し、フェリングレバー、ターニングフック、ターニングストラップ、ロープ等で、掛かり木を回転、もしくは揺さぶって、掛かり木を外します。木回し、フェリングレバー、ターニングストラップ等を使用する場合には、掛かっている木が安全な方向に外れるように回転させるようにします。

さらに、ロープを使用する場合には、伐倒方向の正面から牽引することは厳禁です。必要に応じてガイドブロック（滑車）等を用い、掛かっている木を安全な方向に引き倒すようにします。ロープとヒールブロック（動滑車の組み合わせ）で、小さな力で掛かり木を引く方法もあります。

図4

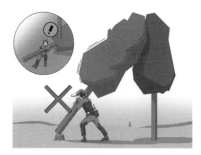

図5

図6

振動障害の予防

チェーンソー、刈払機など、強い振動を伴う工具を長時間にわたって用いる人が発病しやすい振動障害として、レイノー現象（蒼白発作）が知られています。

振動障害とは

振動障害は、チェーンソー、グラインダー、刈払機などの振動工具の使用により発生する手指等の末梢循環障害、末梢神経障害及び運動器（骨、関節系）障害の３つの障害の総称です。

振動障害は、手や腕を通して伝播されるいわゆる局所振動による障害のことを指し、足や臀部から伝播される全身振動とは区別されています。具体的な症状は、手指や腕にしびれ、冷え、こわばりなどが間欠的、または持続的に現れ、さらに、これらの影響が重なり生じてくるレイノー現象（蒼白発作）を特徴的症状としています。最近は製造業や建設業などの振動工具取扱い者にも発生しています。

発生する主な要因として、振動工具の使用に伴って発生する振動に加えて、作業時間などの作業要因、寒冷などの環境要因、日常生活などの要因が複雑に作用して発症すると考えられています。

振動障害の予防対策

振動障害は、振動工具の使用に伴って発生する振動が、人体に伝播することによって多様な症状を呈する症候群です。厚生労働省からは、「チェーンソー取扱い作業指針について」（平成21年7月10日付け基発0710第1号）により、振動障害予防対策が示されています。抜粋して紹介します。

1 チェーンソーの選定基準
次によりチェーンソーを選定すること。
①防振機構内蔵型で、かつ、振動及び騒音ができる限り少ないものを選ぶこと。
②できる限り軽量なものを選び、大型のチェーンソーは、大径木の伐倒等やむを得ない場合に限って用いること。
③ガイドバーの長さが、伐倒のために必要な限度を超えないものを選ぶこと。

2 チェーンソーの点検・整備
①チェーンソーを製造者又は輸入者が取扱説明書等で示した時期及び方法により定期的に点検・整備し、常に最良の状態に保つようにすること。
②ソーチェーンについては、目立てを定期的に行い、予備のソーチェーンを業務場所に持参して適宜交換する等常に最良の状態で使用すること。
　また、チェーンソーを使用する事業場については、「振動工具管理責任者」を選

任し、チェーンソーの点検・整備状況を定期的に確認するとともに、その状況を記録すること。

3　チェーンソー作業の作業時間の管理及び進め方

①伐倒、集材、運材等を計画的に組み合わせることにより、チェーンソーを取り扱わない日を設けるなどの方法により1週間のチェーンソーによる振動ばく露時間を平準化すること。

②使用するチェーンソーの「周波数補正振動加速度実効値の3軸合成値」を、表示、取扱説明書、製造者等のホームページ等により把握し、それに合った措置を講ずること（詳しくは、WEB「周波数補正振動加速度実効値」で検索）。

③チェーンソーによる一連続の振動ばく露時間は、10分以内とすること。

④事業者は、作業開始前に使用するチェーンソーの1日当たりの振動ばく露限界時間から、1日当たりの振動ばく露時間を定め、これに基づき、具体的なチェーンソーを用いた作業の計画を作成し、書面等により労働者に示すこと。

⑤大型の重いチェーンソーを用いる場合は、1日の振動ばく露時間及び一連続の振動ばく露時間を更に短縮すること。

4　チェーンソーの使用上の注意

①下草払い、小枝払い等は、手鋸、手斧等を用い、チェーンソーの使用をできる限り避けること。

②チェーンソーを無理に木に押しつけないよう努めること。また、チェーンソーを持つ時は、肘や膝を軽く曲げて持ち、かつ、チェーンソーを木にもたせかけるようにして、チェーンソーの重量をなるべく木で支えさせるようにし、作業者のチェーンソーを支える力を少なくすること。

③移動の際はチェーンソーの運転を止め、かつ、使用の際には高速の空運転を極力避けること。

5　作業上の注意

①雨の中の作業等、作業者の身体を冷やすことは、努めて避けること。

②防振及び防寒に役立つ厚手の手袋を用いること。

③作業中は軽く、かつ暖かい服を着用すること。

④寒冷地における休憩は、できる限り暖かい場所でとるよう心掛けること。

⑤エンジンを掛けている時は、耳栓等を用いること。

6　体操等の実施

　筋肉の局部的な疲れをとり、身体の健康を保持するため、作業開始前、作業間及び作業終了後に、首、肩の回転、肘、手、指の屈伸、腰の曲げ伸ばし、腰の回転を主体とした体操及びマッサージを毎日行うこと。

7　通勤の方法

　通勤は、身体が冷えないような方法をとり、オートバイ等による通勤は、できる限り避けること。

本項の参考：
厚生労働省WEBサイト「職場のあんぜんサイト」
厚生労働省「チェーンソー取扱い作業指針について」(平成21年7月10日付け基発0710第1号)

関連法令

労働安全衛生規則

労働安全衛生規則（＊）は、労働安全衛生法及び労働安全衛生法施行令に基づき定められたものです。同規則の「第二編第八章 伐木作業等における危険の防止」では、チェーンソーによる伐木作業の労働災害防止のための具体的な事項が示されています。抜粋して紹介します。

＊省令：各省大臣が行政事務について、法律若しくは政令の特別の委任に基づいて発する法令。省令は、主に「○○○規則」という法令名となっている。

（伐木作業における危険の防止）

第四百七十七条　事業者は、伐木の作業（伐木等機械による作業を除く。以下同じ。）を行うときは、立木を伐倒しようとする労働者に、それぞれの立木について、次の事項を行わせなければならない。

　　一　伐倒の際に退避する場所を、あらかじめ、選定すること。

　　二　かん木、枝条、つる、浮石等で、伐倒の際その他作業中に危険を生ずるおそれのあるものを取り除くこと。

　　三　伐倒しようとする立木の胸高直径が二十センチメートル以上であるときは、伐根直径の四分の一以上の深さの受け口を作り、かつ、適当な深さの追い口を作ること。この場合において、技術的に困難な場合を除き、受け口と追い口の間には、適当な幅の切り残しを確保すること。

2　立木を伐倒しようとする労働者は、前項各号に掲げる事項を行わなければならない。

（かかり木の処理の作業における危険の防止）

第四百七十八条　事業者は、伐木の作業を行う場合において、既にかかり木が生じている場合又はかかり木が生じた場合は、速やかに当該かかり木を処理しなければならない。ただし、速やかに処理することが困難なときは、速やかに当該かかり木が激突することにより労働者に危険が生ずる箇所において、当該処理の作業に従事する労働者以外の労働者が立ち入ることを禁止し、かつ、その旨を縄張、標識の設置等の措置によって明示した後、遅滞なく、処理することをもって足りる。

2　事業者は、前項の規定に基づき労働者にかかり木の処理を行わせる場合は、かかり木が激突することによる危険を防止するため、かかり木にかかられている立木を伐倒させ、又はかかり木に激突させるためにかかり木以外の立木を伐倒させてはならない。

3　第一項の処理の作業に従事する労働者は、かかり木が激突することによる危険を防止するため、かかり木にかかられている立木を伐倒し、又はかかり木に激突させるためにかかり木以外の立木を伐倒してはならない。

（伐倒の合図）

第四百七十九条　事業者は、伐木の作業を行なうときは、伐倒について一定の合図を定め、当該作業に関係がある労働者に周知させなければならない。

2　事業者は、伐木の作業を行う場合において、当該立木の伐倒の作業に従事する労働者以外の労働者（以下この条及び第四百八十一条第二項において「他の労働者」という。）に、伐倒により危険を生ずるおそれのあるときは、当該立木の伐倒の作業に従事する労働者に、あらかじめ、前項の合図を行わせ、他の労働者が避難したことを確認させた後でなければ、伐倒させてはならない。

3　前項の伐倒の作業に従事する労働者は、同項の危険を生ずるおそれのあるときは、あらかじめ、合図を行ない、他の労働者が避難したことを確認した後でなければ、伐倒してはならない。

（造材作業における危険の防止）

　第四百八十条　事業者は、造材の作業（伐木等機械による作業を除く。以下同じ。）を行うときは、転落し、又は滑ることにより、当該作業に従事する労働者に危険を及ぼすおそれのある伐倒木、玉切材、枯損木等の木材について、当該作業に従事する労働者に、くい止め、歯止め等これらの木材が転落し、又は滑ることによる危険を防止するための措置を講じさせなければならない。

2　前項の作業に従事する労働者は、同項の措置を講じなければならない。

（立入禁止）

　第四百八十一条　事業者は、造林、伐木、かかり木の処理、造材又は木寄せの作業（車両系木材伐出機械による作業を除く。以下この章において「造林等の作業」という。）を行っている場所の下方で、伐倒木、玉切材、枯損木等の木材が転落し、又は滑ることによる危険を生ずるおそれのあるところには、労働者を立ち入らせてはならない。

2　事業者は、伐木の作業を行う場合は、伐倒木等が激突することによる危険を防止するため、伐倒しようとする立木を中心として当該立木の高さの二倍に相当する距離を半径とする円形の内側には、他の労働者を立ち入らせてはならない。

3　事業者は、かかり木の処理の作業を行う場合は、かかり木が激突することにより労働者に危険が生ずるおそれのあるところには、当該かかり木の処理の作業に従事する労働者以外の労働者を立ち入らせてはならない。

（悪天候時の作業禁止）

　第四百八十三条　事業者は、強風、大雨、大雪等の悪天候のため、造林等の作業の実施について危険が予想されるときは、当該作業に労働者を従事させてはならない。

（保護帽の着用）

　第四百八十四条　事業者は、造林等の作業を行なうときは、物体の飛来又は落下による労働者の危険を防止するため、当該作業に従事する労働者に保護帽を着用させなければならない。

2　前項の作業に従事する労働者は、同項の保護帽を着用しなければならない。

（下肢の切創防止用保護衣の着用）

　第四百八十五条　事業者は、チェーンソーを用いて行う伐木の作業又は造材の作業を行うときは、労働者の下肢とチェーンソーのソーチェーンとの接触による危険を防止するため、当該作業に従事する労働者に下肢の切創防止用保護衣（次項において「保護衣」という。）を着用させなければならない。

2　前項の作業に従事する労働者は、保護衣を着用しなければならない。

練習問題

　これまで、正確に伐倒するためには、受け口下切り、追い口切りを行う場合、出来る限り水平に切ること、チェーンソーワークもそれが出来るように訓練すべきこと等述べてきました。それは、どうしてなのか？　ここで水平切り、ツルのつくり方が正確でない例を図示しておきます。どの方向へ倒れるか解答してください。これが理解できれば、どのような条件でもチェーンソーを水平に使用すべきことも自ずと理解出来るでしょう。解答は末尾に記します。

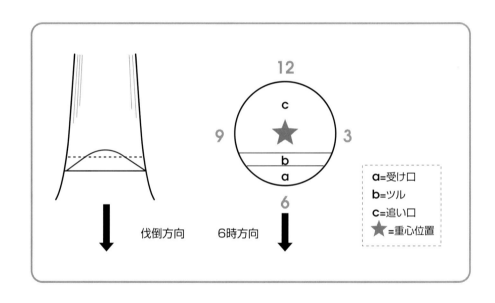

伐倒方向　　　6時方向

a=受け口
b=ツル
c=追い口
★=重心位置

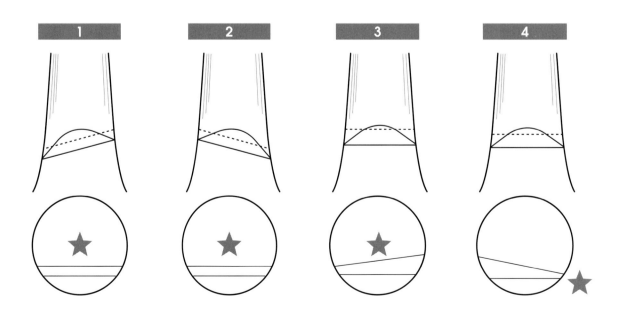

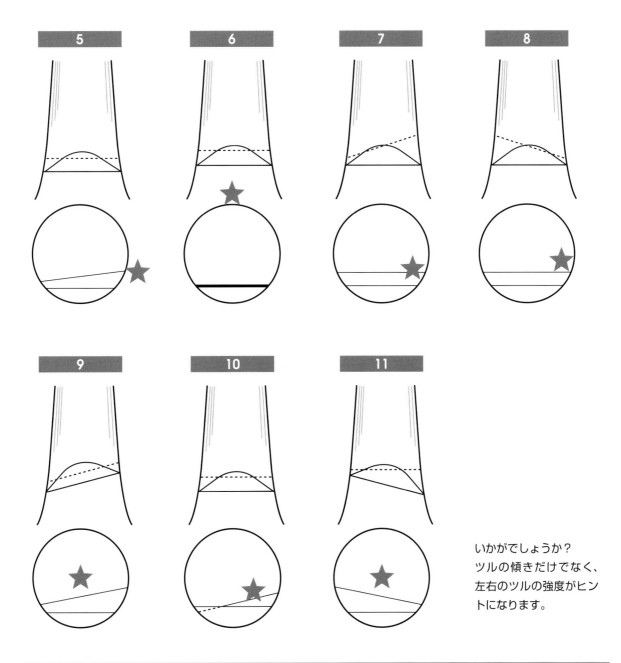

いかがでしょうか？
ツルの傾きだけでなく、
左右のツルの強度がヒン
トになります。

解　答

※この項における解答は、樹種・樹形・気象条件等によりこの限りではありませんが、
　あくまでも受け口・ツルのつくり等により一般的な傾向として次のようになります。

（1）5時〜4時方向

（2）7時〜8時方向

（3）5時〜6時方向

（4）6時方向

（5）5時〜4時方向

（6）ツルを切ってしまったため、重心方向の12
　　時方向ですが、全方向の可能性あり（要注意）

（7）4〜5時方向　反対側(左側)のツルが弱い
　　ため、重心方向の可能性あり

（8）6時方向

（9）5時方向

（10）4時〜5時方向　反対側（左側）のツルを切
　　　ってしまったため、重心方向の可能性大

（11）7時方向

＊受け口の方向が1時間違うと、樹高15mの木では穂先(梢
　端)が約7m違います。

索引

改訂版
伐木造材とチェーンソーワーク

| 2007年2月20日 | 初版第1刷発行 |
| 2021年9月10日 | 改訂版第1刷発行 |

著　者　　石垣正喜　米津 要

発行者　　中山 聡

発行所　　全国林業改良普及協会

　　　　　〒107-0052　東京都港区赤坂1-9-13 三会堂ビル
　　　　　電話　　03-3583-8461（販売担当）
　　　　　　　　　03-3583-8659（編集担当）
　　　　　FAX　　03-3583-8465
　　　　　注文専用FAX　03-3584-9126
　　　　　HP　　　http://www.ringyou.or.jp/

印刷・製本所　　松尾印刷株式会社

協　力　　特定非営利活動法人 ジット・ネットワークサービス
　　　　　みどり情報局 静岡
　　　　　大澤英夫（みどり情報局-東京）

デザイン・DTP　野沢清子（株式会社S&P/久間慎一・米澤美枝）

撮影協力　　塚本 哲

©Masaki Ishigaki, Kaname Yonezu 2007
Printed in Japan　　ISBN978-4-88138-406-0

一般社団法人全国林業改良普及協会（全林協）は、会員である都道府県の林業改良普及協会（一部山林協会等含む）と
連携・協力して、出版をはじめとした森林・林業に関する情報発信および普及に取り組んでいます。
全林協の月刊「林業新知識」、月刊「現代林業」、単行本は、下記で紹介している協会からも購入いただけます。
　　www.ringyou.or.jp/about/organization.html
　　＜都道府県の林業改良普及協会（一部山林協会等含む）一覧＞

写真図解でわかる
チェーンソーの使い方

石垣 正喜　著
チェーンソー初心者にオススメ、
まずはこの1冊

　本書は「写真図解 チェーンソーワーク入門」を法令に準拠して改訂したものです。全国各地でチェーンソーを取り扱うプロに研修、指導を行ってきた著者が、チェーンソーの使い方を初心者に向けてまとめました。ここだけはおさえておくべき点、注意すべき点を抜き出し、項目ごとに要点をまとめました。

　チェーンソーを初めて使う方にもひとつひとつ　丁寧に、写真と図解でわかりやすく紹介しています。

ISBN 978-4-88138-405-3　B 5 判 88 頁カラー　定価：本体：2,000 円＋税

林業現場人　道具と技 Vol.20
プロの実践 ノウハウ大公開！
チェーンソーのセルフメンテナンス

全林協　編
ポイントごとのメンテナンスを解説

　プロが日々実践しているチェーンソー各部のセルフメンテナンス法を写真で解説。「なぜそうするのか」が納得の理屈で理解でき、経験の浅い方でも明日から実践が可能です。全チェーンソーユーザー必読！

ISBN978-4-88138-400-8　A4 変型判 132 頁カラー
定価：本体 2,300 円＋税

「なぜ？」が学べる実践ガイド
納得して上達！　伐木造材術

ジェフ・ジェプソン　著
ブライアン・コットワイカ　イラスト
イラストでよく分かる！

　世界中で好評の書籍「TO FELL A TREE」（第 3 版）を和訳しました。林業現場や里山で、伐木や造材作業を安全に首尾良く実施するために欠かせない実践的な情報が満載です。200 点以上の図を用い、作業開始前の準備、伐木、難しい木の伐倒、枝払い・玉切り、薪割りや薪積みの方法などを段階的に説明しています。

ISBN 978-4-88138-279-0　A5 判 232 頁　定価：本体 2,200 円＋税

狙いどおりに伐倒するために
伐木のメカニズム

上村 巧　著
伐木の力学的な原理を解説

　明治時代～現在に至る伐倒技術の変遷を読み解き、「受け口・追い口・ツル」の規定寸法の妥当性を試験・解析しました。鋸断に失敗すると、どこにどんな力が加わり、どんな現象を招くのか。伐木の力学的な原理を丁寧に解説しています。安全で正確な伐倒を行うための「よりどころ」となる 1 冊です。

ISBN 978-4-88138-392-6　A5 判 188 頁（カラー／一部モノクロ）
定価：本体 2,500 円＋税

ISA 公認テキスト アーボリスト®
必携
リギングの科学と実践

ISA International Society of
Arboriculture ／ピーター・ドンゼリ／
シャロン・リリー　著
世界基準のリギングテキスト

　アーボリストの国際組織・ISA が数十年間にわたり重ねてきた科学的研究、現場実証による実績をもとに、アーボリストが安全にリギング（伐採剪定）を行うために必要とされる重要な基礎技術および事故防止のためのベストな方法をまとめたものです。器材の選択と使用、結び、枝下ろしの基本的な方法から上級テクニックまで紹介しています。

ISBN 978-4-88138-361-2　B5 判 184 頁　定価：本体：5,000 円＋税

ISA 公認アーボリスト® 基本テキスト
クライミング、リギング、樹木
管理技術

ISA International Society of
Arboriculture ／シャロン・リリー　著
樹上作業者の手引き書

　ISA 発行の「Tree Climbers' Guide, 3rd Edition」は、樹上作業者の手引き書として世界中で読まれています。ISA の数多くの研究と現場実践による実績をもとに、「なぜその作業方法か」「なぜ危険か」を示し、安全で適切な樹上作業の原則について 300 点を超えるカラーイラストで分かりやすく解説。ISA や ATI の認定資格試験のための学習ガイドでもあります。

ISBN 978-4-88138-376-6　A4 判カラー 200 頁　定価：本体 8,000 円＋税

小田桐師範が語る
チェーンソー伐木の極意

小田桐久一郎　著 ／ 杉山 要　聞き手
上達のツボ大公開！

　著者（林業界安全技能師範）が、指導のエッセンス、チェーンソー上達のコツ、安全で効率的な伐木造材、チェーンソーワークの技、伐木造材の技術の磨き方、実践的な安全対策、安全作業についてなど、熱い思いを伝えています。また、教え子たちとの技術交流や世界伐木チャンピオンシップへの出場についての語りも紹介。

ISBN 978-4-88138-286-8　A5 判 208 頁　定価：本体 1,900 円＋税

お申し込みは、都道府県の林業改良普及協会〈一部山林協会〉または、オンライン・FAX・お電話で直接下記へどうぞ。（代金は本到着後の後払いです）

全国林業改良普及協会

〒 107-0052　東京都港区赤坂 1-9-13 三会堂ビル
TEL 03-3583-8461
ご注文専用 FAX 03-3584-9126

送料は一律 550 円。
5,000 円以上お買い上げの場合は 1 配送先まで無料。
ホームページもご覧ください。

http://www.ringyou.or.jp

オンライン
ショップ
全林協